O CORAÇÃO
DE UMA MULHER

MAYA ANGELOU

O CORAÇÃO DE UMA MULHER

TRADUÇÃO:
LUBI PRATES

Copyright © 1981 by Maya Angelou
Tradução para Língua Portuguesa © 2024 Lubi Prates
Todos os direitos reservados, incluindo o direito de reprodução, total ou parcial,
sob qualquer forma.
Esta edição foi publicada em acordo com a Random House, um selo e divisão da Penguin
Random House LLC.
Todos os direitos reservados à Astral Cultural e protegidos pela Lei 9.610,
de 19.2.1998. É proibida a reprodução total ou parcial sem a expressa anuência da editora.

Editora
Natália Ortega

Editora de arte
Tâmizi Ribeiro

Produção editorial
Andressa Ciniciato, Brendha Rodrigues e Thais Taldivo

Preparação de texto
Letícia Nakamura

Revisão de texto
Alexandre Magalhães, Fernanda Costa e João Rodrigues

Pintura e design da capa
Rogério Pinto

Dados Internacionais de Catalogação na Publicação (CIP)
Angélica Ilacqua CRB-8/7057

A593c

Angelou, Maya
O Coração de uma mulher / Maya Angelou; tradução de Lubi Prates.
— Bauru, SP : Astral Cultural, 2024.
304 p.

ISBN 978-65-5566-498-0
Título original: The heart of a Woman

1. Angelou, Maya, 1928-2014 - Biografia 2. Mulheres negras I. Título II. Prates, Lubi

24-1325   CDD 920.72

Índice para catálogo sistemático:
1. Angelou, Maya, 1928-2014 - Biografia

BAURU
Rua Joaquim Anacleto
Bueno 1-20
Jardim Contorno
CEP: 17047-281
Telefone: (14) 3879-3877

SÃO PAULO
Rua Augusta, 101
Sala 1812, 18º andar
Consolação
CEP: 01305-000
Telefone: (11) 3048-2900

E-mail: contato@astralcultural.com.br

Dedico este livro ao meu neto,
Colin Ashanti Murphy-Johnson

Agradecimentos especiais para algumas
das muitas irmãs/amigas cujo amor me encoraja
a escrever meu nome: MULHER

Doris Bullard
Rosa Guy
M. J. Hewitt
Ruth Love
Paule Marshall
Louise Merriwether
Dolly McPherson
Emalyn Rogers
Efuah Sutherland
Decca Treuhaft
Frances Williams
A. B. Williamson

"The ole ark's a-moverin', a-moverin', a-moverin',
the ole ark's a-moverin' along"

Aquela antiga canção espiritual[1] poderia ter sido a música-tema dos Estados Unidos em 1957. Estávamos nos movendo para a frente, para cima, para baixo e, muitas vezes, em círculos concêntricos.

Criamos um labirinto de contradições. Estadunidenses negros e brancos dançavam em movimentos extravagantes e, frequentemente, perigosos. Em nossos passos para a frente, nas curvas abruptas, nos giros intensos e nas rés, nos tornamos a nossa própria confusão.

O país aclamava Althea Gibson, a tenista esguia que foi a primeira mulher negra a vencer o U.S. Women's Singles.[2] O presidente Dwight Eisenhower enviou paraquedistas estadunidenses para proteger as crianças negras em Little Rock, no Arkansas, e o senador Strom Thurmond, da Carolina do Sul, discursou por 24 horas e 18 minutos para impedir a aprovação, no Congresso, da Lei de Direitos do Voto da Comissão de Direitos Civis.

Sugar Ray Robinson, o nosso almofadinha, perdeu o título de peso-médio, recuperou-o e voltou a perdê-lo, tudo em questão de meses. O livro mais popular do ano era *On the road: pé na estrada*, de Jack Kerouac, e esse título era uma descrição adequada da nossa

---

1 Do inglês "spiritual": um tipo de canção religiosa associado a cristãos negros do sul dos Estados Unidos, que deriva de uma possível combinação entre hinos europeus e elementos musicais africanos que chegaram ao país por meio de pessoas escravizadas. (N. T.)

2 Torneio estadunidense de tênis individual para mulheres. (N. T.)

psique nacional. Estávamos mesmo viajando, mas ninguém sabia nosso destino ou a data de chegada.

Eu tinha voltado para a Califórnia depois de uma turnê de um ano na Europa como dançarina principal na *Porgy and Bess*[3]. Trabalhei por meses cantando em clubes noturnos da Costa Oeste e do Havaí e guardei o meu dinheiro. Peguei meu filho, Guy, e me juntei à brigada beatnik[4]. Para tristeza da minha mãe e grande prazer do Guy, atravessamos a ponte Golden Gate e entramos em uma comunidade de casas-barco em Sausalito, onde eu andava descalça, vestia jeans, e ambos usávamos roupas que eram lavadas a seco. Embora eu levasse Guy a um barbeiro em São Francisco, permitia que o meu próprio cabelo crescesse como uma sebe vasta e desgrenhada, que me fazia parecer, à distância, uma árvore marrom e alta cujos galhos haviam sido podados. Meus companheiros de comunidade, um biólogo marinho especializado em peixes, um músico, uma esposa e um inventor, eram brancos e, se fossem inclinados à política (o que não eram), ocupariam um lugar entre a extrema esquerda e a revolução.

Estranhamente, a casa-barco me ofereceu um descanso das tensões raciais e deu ao meu filho a oportunidade de estar perto de brancos que não o consideravam exótico demais para precisar de castigo nem tão comum a ponto de ser ignorado. Durante a nossa estada em Sausalito, minha mãe lutou contra seu instinto materno. Em suas visitas mensais, usando pele de marta, diamantes e saltos altos, que constantemente ficavam presos entre as tábuas soltas do assoalho, ela forçava sorrisos e freava a língua. Os olhos de minha mãe, no entanto, aparentavam medo por sua filha e por seu neto. Ela deixava maços de dinheiro embaixo do meu travesseiro ou me entregava cheques enquanto me beijava na despedida. Ela conseguiria relaxar se tivesse se lembrado da garantia bíblica: "Uma fruta não cai longe da sua árvore".

---

3   Ópera de 1935 cujo elenco era composto apenas de atores negros. (N. E.)

4   O movimento beatnik surgiu na década de 1950 e início da década de 1960, e tinha como intuito criar uma cultura que estivesse mais próxima da realidade urbana e fora dos padrões clássicos estabelecidos. (N. E.)

Em menos de um ano, comecei a sentir saudades da privacidade, dos ambientes acarpetados e das manicures. Guy estava se tornando indisciplinado e um jovem animal selvagem. Ele tomava menos banhos do que é considerado saudável e, como os meus amigos o tratavam como um jovem adulto, estava esquecendo o seu lugar na dinâmica da nossa relação de mãe e filho.

Eu tinha de seguir em frente. Poderia voltar a cantar e ganhar dinheiro suficiente para sustentar a mim e meu filho.

Tinha de confiar na vida, já que eu era jovem o bastante para acreditar que a vida ama quem ousa vivê-la.

Fiz nossas malas, disse "adeus" e peguei a estrada.

Laurel Canyon era a área residencial oficial de Hollywood, a apenas dez minutos da farmácia Schwab's e a quinze minutos do bairro Sunset Strip.

Sua característica mais notável era a sensualidade. Havia casas com telhados vermelhos em estilo mourisco aninhadas sedutoramente entre madrones. O cheiro do eucalipto se misturava com o ar úmido. As flores desabrochavam em um tumulto de tons carmesim, cornalina, cor-de-rosa, fúcsia e ouro reluzente. Gaios e noitibós-cantores, andorinhas e azulões-mexicanos chiavam, assobiavam e cantavam em cima dos galhos que iam de um verde-escuro agourento a um amarelo desagradável. As estrelas de cinema, as estrelas mirins de cinema, os produtores e os diretores que viviam no bairro eram tão luxuriosos quanto o ambiente natural e não natural deles.

Os poucos negros que viviam em Laurel Canyon, incluindo Billy Eckstine, Billy Daniels e Herb Jeffries, eram ricos, famosos e tinham a pele clara o suficiente para se passar, ao menos, por portugueses. Eu, por outro lado, era uma cantora de clubes noturnos pouco conhecida, e diziam que eu tinha mais determinação do que talento. Eu queria desesperadamente viver naqueles arredores glamorosos. Aceitei como fictícias as histórias de amadores sendo descobertos em lanchonetes, mas acreditava que era importante estar no lugar certo, na hora certa, e nenhum lugar parecia tão certo para mim, em 1958, como Laurel Canyon.

Quando respondi a um anúncio de aluguel, o proprietário me disse que a casa havia sido ocupada naquela mesma manhã. Pedi para Atara e Joe Morheim, um simpático casal branco, que tentassem alugar a casa para mim. Eles conseguiram.

No dia da mudança, o casal Morheim e Frederick "Wilkie" Wilkerson, meu amigo e treinador vocal, Guy e eu aparecemos nos degraus do simples e caro bangalô de dois quartos.

O proprietário apertou a mão do Joe, deu-lhe as boas-vindas, depois olhou por cima do ombro de Joe e me reconheceu. O choque e o asco fizeram com que recuasse. Ele soltou a mão de Joe: "Seu desgraçado. Sei o que está fazendo. Eu deveria te processar".

Joe, que sempre parecia descontraído a ponto de ser totalmente desinteressado, me surpreendeu com sua resposta inflamada: "Seu fascista, é melhor você não mencionar processar ninguém. Esta senhora aqui é quem deveria processar você. Se ela quiser, eu testemunho a favor dela no tribunal. Agora, saia da merda do caminho para que possamos fazer a mudança".

O proprietário passou por nós, lançando a sua raiva no ar perfumado: "Eu deveria saber. Judeu maldito. Desgraçado".

Rimos de nervoso e carregamos os móveis para dentro da casa.

Semanas depois, pintei a pequena casa de um tom cintilante de branco, matriculei Guy na escola do bairro, recebi apenas alguns telefonemas ameaçadores e comprei um belo carro antigo para mim. O carro, um Chrysler verde-água, que já tinha dez anos, com um painel de parquete e portas de madeira lascada. Ele não conseguia competir com o novo cromado dos Cadillacs e Buicks dos meus vizinhos, mas tinha uma elegância antiga, e, dirigindo-o com a capota abaixada, eu me sentia mais uma artista excêntrica do que uma negra pobre que vivia acima de suas condições econômicas, fora de sua essência e afastada de seu povo.

<hr>

Em uma manhã de junho, Wilkie entrou na minha casa e me perguntou: "Você quer conhecer a Billie Holiday?".

"Lógico! Quem não ia querer? Ela está trabalhando na cidade?"

"Não, ela está só de passagem, vindo de Honolulu. Estou indo até o hotel dela. Vou trazê-la aqui se você achar que consegue lidar com isso."

"O que tem para lidar? Ela é uma mulher. Eu sou uma mulher."

Wilkie riu, a risadinha rolando dentro de seu peito e saindo por sua boca em ondas de som. "Pooh, você é atrevida. Billie talvez goste de você. Nesse caso, estará tudo bem. Caso ela não goste, foi você quem estragou tudo."

"Pode acontecer o contrário. Talvez eu não goste dela."

Wilkie riu de novo. "Eu não disse que você é atrevida? Tem gim?"

Eu tinha apenas uma garrafa, que acumulava poeira havia meses.

Wilkie se levantou. "Me dê as chaves do carro, ela vai gostar de andar num conversível."

Não fiquei nervosa até ele sair. Então, a realidade de a Lady Day vir até a minha casa me atingiu e fez meu corpo todo tremer. Era de conhecimento de todos que ela usava drogas pesadas, e eu quase já não fumava maconha. Como eu poderia lhe dizer que ela não podia injetar ou cheirar na minha casa? Também havia rumores de que ela tinha casos com mulheres. Se ela me propusesse algo, como eu poderia rejeitá-la sem fazê-la pensar que eu a estava rejeitando? Seu temperamento era lendário na indústria do entretenimento, e eu não gostaria de despertá-lo. Aspirei a casa, esvaziei os cinzeiros e tirei o pó, mesmo ciente de que uma casa limpa não influenciaria Billie Holiday a deixar de fazer algo.

Eu a vi através da porta de tela, e o meu nervosismo logo se transformou em choque. O rosto inchado continha apenas uma sombra de sua beleza familiar. Quando ela entrou em casa, seus olhos estavam totalmente pretos e, quando Wilkie nos apresentou, sua mão pousou na minha como um brinquedo infantil de borracha.

"Como vai, Maya? Que bela casa a sua." Ela nem tinha olhado ao redor. Era a mesma voz lenta, fina e chorosa que muitas vezes foi a minha única companhia nas noites solitárias.

Eu trouxe o gim e fiquei ouvindo enquanto Wilkie e Billie conversavam a respeito dos velhos tempos e dos velhos amigos em Washington,

D.C. Os nomes que mencionaram e as escapadelas sobre as quais se vangloriaram não significavam nada para mim, mas fui pega pela rede da conversa por causa da complexidade da linguagem de Billie. A experiência com pessoas em situação de rua, traficantes, jogadores e pequenos criminosos tinha me exposto a palavras chulas. Os anos em camarins de clubes noturnos, em cabarés e casas de shows me ensinaram cada combinação de blasfêmias — ou era isso que eu pensava. A linguagem de Billie Holiday era uma mistura de zombaria com vulgaridade que me pegou de surpresa. Embora usasse as velhas palavras comuns, elas estavam em novos arranjos e eram ditas naquele tom casual que parecia se arrastar, ásperas, através dos ouvidos. Quando Billie enfim se virou para me incluir em sua conversa, eu sabia que nada em que pensasse prenderia a sua atenção.

"Wilkie me contou que você é cantora. Você também canta jazz? Você é boa?"

"Não, de verdade, não. Não tenho um bom timbre."

"Quer ser uma grande cantora? Quer competir comigo?"

"Não. Não quero competir com ninguém. Sou apenas uma artista ganhando a vida."

"Ganhando a vida como artista? Quer dizer: mostrando o peitinho e sacudindo a sua bundinha?"

"Não preciso fazer nada disso. Jamais faria isso para manter um trabalho. Não importa qual fosse."

"Nunca diga 'nunca' porque, com certeza, você não sabe."

Wilkie veio em minha defesa exatamente quando eu estava pensando em como colocar aquela mulher e a hostilidade dela para fora da minha casa.

"Billie, você deveria assisti-la antes de falar. Ela canta músicas populares, calipso e blues. Enfim, você me conhece. Se digo que ela é boa, é porque é. Ela é boa e agradável o suficiente para nos convidar para almoçar, então saia de cima dela. Ou levante a sua bunda e desça andando essa colina. E sabe que não estou brincando."

Ela começou a rir. "Wilkie, você não mudou merda nenhuma, exceto as cuecas do ano passado. Eu sabia que, cedo ou tarde, você colocaria minha bunda na rua." Billie se virou para mim e me deu um sorriso frágil.

"O que vamos comer, querida?" Eu não tinha pensado em nada de comer, mas tinha frango cru na geladeira. "Vou fritar frango. Frango frito, arroz e um molho típico de Arkansas."

"Frango com arroz é sempre bom. Mas frite esse idiota. Frite até ele ficar pronto. Não suporto nenhum maldito frango malpassado."

"Billie, não pretendo ser uma grande cantora, mas sei bem como preparar comidas. Nunca servi frango cru." Tive de me defender, mesmo que isso significasse que ela iria me xingar.

"Ok, querida. Ok. Só para te dizer: não suporto ver sangue no osso do frango. Aceito a sua palavra de que sabe o que está fazendo. Não queria magoar você."

Eu me retirei para a cozinha. As gargalhadas de Wilkie e Billie flutuavam sobre o barulho das panelas e do óleo crepitando.

Não conseguia imaginar como aquela tarde terminaria. Talvez, se eu tivesse sorte, eles beberiam todo o gim e Wilkie a levaria para algum bar no Sunset Strip.

Billie se sentou com cuidado à mesa. Cada movimento de seu corpo parecia ser planejado antes que ela tentasse executá-lo.

"Você sabe como arrumar uma mesa bonita e não conseguiu um marido?"

Contei-lhe que vivia sozinha com meu filho. Ela se virou com a primeira ação brusca que eu tinha visto desde sua entrada em minha casa. "Não suporto crianças. Os pequenos comem feito uma draga e nunca dizem 'Baranga, beija os meus pés'."

"O meu filho não é assim. Ele é inteligente e educado."

"Sim. Bem, não suporto ficar perto de nenhum desses bastardinhos. Esse frango está bom."

Olhei para Wilkie, que me acenou com a cabeça.

Wilkie disse: "Billie, vou levar você a um bar na Western, onde vai conseguir tudo o que quiser".

Ela não permitiu que a boca cheia de frango a impedisse de falar. "Caramba, preto, se eu quisesse ir a um bar, não acha que eu encontraria um sem você? Conheço cada lugar em cada cidade deste país que venda qualquer coisa que você possa imaginar. Eu queria vir à casa dessa bela senhora. E ela cozinha bem também. Então, estou feliz que nem pinto no lixo. Me deixa pegar essa coxa."

Enquanto eu colocava o restante do frango, ela falava sobre o Havaí.

"As pessoas amam 'as ilhas, as ilhas'. Inferno, toda aquela merda é um monte de água e um monte de areia. Daí o sol brilha o tempo todo. Que outra porra o sol deveria fazer?"

"Mas você não achou lindo? O ar leve, as flores, as palmeiras e as pessoas? Os havaianos são tão bonitos."

"São apenas um bando de pretos. Pretos correndo sem roupas. E aquela merda de música que eles tocam. Uh, uh." Ela imitou o som do ukulele.

"Não. Prefiro estar em Nova York. Todo mundo em Nova York é filho da puta, mas pelo menos ninguém finge ser outra coisa."

Voltando à sala, Wilkie olhou para mim e depois para seu relógio. "Tenho um compromisso com um aluno em meia hora. Vamos, Billie, vou levá-la de volta ao seu hotel. Obrigado, Maya. Temos de ir."

Billie levantou os olhos de sua bebida e disse: "Fale por você. Tudo o que tenho para fazer é continuar negra e morrer".

"Bem, trouxe você até aqui, então tenho de te levar de volta. De qualquer forma, a Maya provavelmente tem alguma coisa para fazer."

Ambos olharam para mim. Pensei por um momento e decidi não mentir.

"Não. Estou tranquila. Eu a levo para o hotel quando ela quiser ir."

Wilkie balançou a cabeça. "Tá bom, Pooh." Sua cara dizia: *Espero que você saiba o que está fazendo*. Claro que eu não sabia, mas estava mais curiosa do que com medo.

Billie sacudiu a cabeça. "Então, vejo você quando for te ver, Wilkie. Espero que não demore mais vinte anos." Wilkie se abaixou e a beijou, me deu uma olhada muito estranha e caminhou até o carro.

Passamos os primeiros momentos em silêncio. Billie me examinava e eu pensava em qual assunto poderia puxar para interessá-la.

Finalmente, ela me fez uma pergunta: "Você é careta, né?".

Eu sabia o que ela queria dizer. "Sou"
"Então por que me chamou para vir até sua casa?"
Na verdade, foi Wilkie quem a chamou, mas acolhi seu convite.
"Porque você é uma grande artista e eu te respeito."
"Que nada! Você só queria ver como eu era de perto." Ela interrompeu a minha recusa. "Tudo bem. Isso não me magoa. Você me olha agora, mas não está enxergando nada. Eu costumava ser uma vadia sabe-tudo e arrogante. Muita gente achava que eu era bonita. De qualquer forma, foi o que disseram. Claro, você sabe como as pessoas falam... Elas vão te dizer qualquer coisa para conseguir o que querem. Ah, e existem aquelas que simplesmente vão te dar uma surra e pegar. Conheço muitas destas também." De repente, Billie entrou em seus pensamentos e fiquei quieta, não querendo interromper o devaneio.

Billie ergueu a cabeça e se virou parcialmente de costas para mim, na direção da janela. Quando ela voltou a falar, foi em um sussurro conspiratório: "Homens. Os homens podem realmente fazer isso com você. As mulheres também, se tivessem coragem. São tão gananciosas quanto eles, apenas têm medo de transparecer".

Eu tinha ouvido histórias de Billie ter sido espancada por homens, enganada por traficantes de drogas e perseguida por agentes antidrogas, mas eu ainda achava que ela era a pessoa mais paranoica que já tinha conhecido.

"Você não tem nenhum amigo? Ninguém em quem possa confiar?"
Ela empurrou seu corpo contra o meu. "É lógico que tenho amigos. Bons amigos. Só mortos não têm amigos." Ela tinha relaxado, mas a minha pergunta a colocou abruptamente na defensiva, de novo. Eu estava pensando em como deixá-la à vontade. Ouvi os passos de Guy na escada.

"Meu filho está chegando."
"Ah, saco. Quantos anos você disse que ele tem?"
"Ele tem doze anos. E é uma ótima pessoa."
Guy entrou na sala, irradiando energia.
"Oi, mãetudobem? Oquevocêtavafazendo? Oquetempracomer? PossoirnacasadoTony? PossoirnacasadoTonydepoisdefazerminhaliçãodecasa?"

"Guy, tenho uma visita. Esta é a senhorita Billie Holiday." Ele se virou e viu Billie, mas estava acelerado demais para conseguir ler o desgosto no rosto dela.

"Billie Holiday? Ah. Sim. Já ouvi falar de você. Boa tarde, senhorita Holiday." Ele se aproximou e estendeu a mão. "Estou feliz em conhecê-la. Li a seu respeito na revista. Dizia que a polícia estava te fazendo passar por tempos difíceis. E que você teve uma vida dura. É verdade? O que eles te fizeram? Tem algum jeito de você dar o troco neles? Digo, processar ou fazer qualquer outra coisa?"

Billie estava muito atordoada com a enxurrada de palavras para responder.

Guy se abaixou, pegou a mão dela e a apertou. As palavras nunca paravam de sair da boca dele.

"Talvez esperem demais de você. Sei um pouco sobre isso. Quando chego da escola, a primeira coisa que tenho de fazer, depois que troco de roupa, é ir lá fora e regar o gramado. Percebeu que moramos do lado de uma montanha? E quando eu rego, se tiver qualquer vento, a água é jogada de volta no meu rosto. Mas, se entro molhado, minha mãe acha que eu estava brincando com a mangueira. Não consigo controlar o vento, sabe? Você vai lá fora e vai conversar comigo, depois que eu me trocar? Eu gostaria mesmo de saber tudo sobre você." Guy deixou a mão se soltar e saiu correndo da sala, gritando: "Estarei de volta em um minuto".

A cara de Billie era um mapa de espanto. Depois de um momento, ela olhou para mim. "Droga. Ele é incrível, né? Inteligente. Que profissão ele quer ter?"

"Às vezes, quer ser médico e, às vezes, bombeiro. Depende do dia em que a pergunta é feita."

"Bem. Não deixe que entre para a indústria do entretenimento. Não é uma boa quando homens negros vão para a indústria. Quando não conseguem chegar tão longe quanto merecem, começam a descontar em suas mulheres. Qual você disse que é o nome dele?"

"Guy. Guy Johnson."

"O seu sobrenome é Angelou. De onde vem esse Johnson? Você não parece velha o bastante para ter se casado duas vezes."

Guy nasceu para mim quando eu era uma adolescente solteira, então lhe dei o sobrenome do meu pai. Eu não queria que Billie soubesse tanto da nossa história.

Eu disse: "Bem, é a vida, não?".

Ela acenou e murmurou: "Sim, a vida é uma cadela, uma cadela sabe-tudo".

Guy invadiu a sala outra vez, vestindo uma calça jeans velha e uma camiseta rasgada. "Pronta, senhorita Holiday? Quer fazer alguma coisa? Vamos! Não vou deixar você se molhar."

Billie se levantou devagar, com um esforço óbvio.

Decidi que era a hora de intervir. "Guy, a senhorita Holiday está aqui para conversar comigo. Saia e vá fazer suas lições, aí depois você pode conversar com ela."

Billie estava de pé. "Não, vou lá fora com ele. Mas como diabos você pode deixá-lo vestir roupas esfarrapadas desse jeito? Você está vivendo num bairro branco. Todo mundo está de olho nele. Guy, amanhã, se a sua mamãe me levar, vou até uma loja para comprar algumas roupas legais para você. Você não precisa aparentar que vai colher algodão só porque está com um serviçozinho. Venha, vamos."

Guy segurou a porta para Billie, enquanto ela atravessava a sala em direção aos degraus. Um minuto depois, observei da janela o meu filho direcionar a mangueira para o jardim das rosas e Billie manter o equilíbrio, embora os saltos dos seus sapatos boneca estivessem afundando na terra macia.

Ela ficou para o jantar, dizendo que eu poderia deixá-la no hotel quando saísse para trabalhar. Conversou com Guy enquanto eu cozinhava. Surpreendentemente, ele ficou quieto, ouvindo-a falar sobre as cidades do sul, a polícia, os oficiais, os bons músicos e os homens ruins que ela conheceu. Ela evitava os palavrões com afinco e, a cada vez que dava uma escorregada, desculpava-se com Guy, dizendo: "É só mais um péssimo hábito que adquiri". Depois do jantar, quando a babá chegou, Billie disse a Guy que ia lhe cantar uma boa canção de ninar. Eles foram para o nosso quarto, e eu os segui. Guy se sentou no lado dele da cama e Billie começou uma versão *a cappella* de "You're

My Thrill", uma canção antiga carregada de apelos sensuais. Ela cantou como se estivesse faminta por sexo e apenas aquele garoto, que lhe assistia com jovens olhos entediados, pudesse satisfazê-la.

Observei e ouvi da porta, registrando cada som, fixando com firmeza na minha mente a voz rouca, o ângulo do corpo dela e o olhar de tolerância de Guy (ele preferiria estar lendo ou fazendo um caça-palavras).

Quando a deixei no Sunset Colonial Hotel, Billie me disse para buscá-la na manhã seguinte, bem cedo. Fiquei surpresa ao ouvir Billie dizer que, já que estava tendo problemas para dormir, então poderia muito bem trazer seu chihuahua junto e passar um tempo comigo.

Pelos quatro dias seguintes, Billie veio bem cedo à minha casa, conversou o dia inteiro, entoou uma canção de ninar para Guy e ficou até que eu saísse para trabalhar. Ela dizia que era tranquilo ficar perto de mim porque eu era uma careta maldita. Embora continuasse a praguejar na ausência de Guy, quando ele entrava em casa, a sua linguagem não apenas mudava, mas ela fazia um esforço tremendo para formar as frases com distinção.

Na noite anterior à sua partida para Nova York, ela disse para Guy que ia cantar "Strange Fruit" como sua última música. Nós nos sentamos à mesa da sala de jantar, enquanto Guy ficou parado à soleira da porta.

Billie falava e cantava em um tom rouco e seco aquela conhecida canção de protesto. Sua voz e seu fraseado ásperos literalmente me encantavam. Vi os corpos de negros enforcados nas árvores do sul. Vi o sangue das vítimas de linchamentos escorrendo das folhas pelos troncos e chegando até as raízes.

Guy interrompeu: "Como pode ter sangue nas raízes das árvores?". Fiz uma cara feia e o alertei: "Cale a boca, Guy, apenas escute". Billie continuou, mesmo sob a interrupção, sua voz vibrando sobre as imperfeições.

Billie pintou a imagem de uma terra adorável, campestre e bucólica, e depois acrescentou olhos esbugalhados e bocas retorcidas àquela paisagem do sul.

Guy invadiu a música dela. "O que é uma cena campestre, senhorita Holiday?" Billie ergueu os olhos lentamente e analisou Guy por um segundo. O rosto dela se tornou cruel e, quando ela falou, a sua voz era de desprezo: "É quando os racistas estão matando os pretos. É quando eles pegam um pretinho igual a você, arrancam as bolas e enfiam pela goela abaixo. É isso que é".

O impulso raivoso afastou Guy e me atordoou.

Billie continuou: "É isso que eles fazem. Essa é uma maldita cena campestre".

Guy nos lançou um olhar frio e disse: "Com licença, vou dormir". Ele se virou e foi embora.

Menti e disse que já era hora de eu ir trabalhar. Billie não ouviu nenhuma das duas declarações.

Fui para o quarto de Guy e lhe pedi desculpa pelo comportamento de Billie. Ele sorriu sarcasticamente, como se fosse eu que tivesse gritado com ele, e ofereceu uma bochecha gelada para o meu beijo de boa-noite.

No carro, tentei explicar a Billie por que ela estava errada, mas ela se recusou a entender. Ela disse: "Eu não menti, menti? Eu menti sobre os racistas? O que tem de errado em contar a verdade?".

Ela decidiu que não queria ser levada ao hotel.

Queria me acompanhar no clube noturno e assistir ao meu show. Os esforços para dissuadi-la não tiveram sucesso.

Eu a levei para o clube, encontrei-lhe um lugar na primeira fila e fui para o meu camarim.

Jimmy Truitt, do Lester Horton Dance Troupe, já estava vestido para seu primeiro número.

"Ei." Jimmy estava rindo como uma criança. "Billie Holiday está lá na frente. E você não vai acreditar no que está acontecendo."

Os outros dançarinos se reuniram em volta dele.

"A grande Billie Holiday está sentada na primeira fila e um cachorrinho está bebendo no copo dela." Eu estava tão acostumada com o Pepe que tinha me esquecido de que Billie dificilmente fazia qualquer movimento sem ele.

Os dançarinos tomaram conta do palco, deslizando, ardendo intensamente em uma coreografia latina. Quando terminaram, fui chamada para assumir o lugar.

Depois da minha primeira música, falei diretamente com os espectadores.

"Senhoras e senhores. É contra a política do clube mencionar qualquer celebridade que esteja na plateia, por medo de que passe despercebida uma pessoa que não tenha sido vista. No entanto, hoje à noite, estou quebrando essa regra. Acho que todos ficarão animados em saber que a senhorita Billie Holiday está presente."

O público respondeu ao meu anúncio com um rugido de aprovação. As pessoas aplaudiram, perscrutando o salão à procura de Billie. Ela olhou diretamente para mim, então, segurando o Pepe, se levantou, virou-se para o público e abaixou a cabeça duas ou três vezes, como se em concordância com eles. Ela se sentou sem sorrir.

A minha música seguinte foi um blues antigo, que comecei a cantar apenas com o acompanhamento de um baixo. A melodia era fúnebre e a letra, trágica. Eu estava com os olhos fechados quando, de repente, como se um grande vidro se estilhaçasse, a voz de Billie penetrou na música.

"Parem essa vadia. Parem ela, droga! Parem essa vadia. Ela canta como minha maldita mãe."

Parei, abri os olhos e vi Billie pegar o Pepe e seguir pela multidão rumo ao banheiro feminino.

Agradeci à plateia, pedi ao líder da orquestra que continuasse tocando e fui em direção ao toalete feminino. Aquela mulher já tinha me chateado duas vezes naquela noite. Bem, ela não ia se safar dessa! Ela ia ver que uma "careta maldita" conseguia se defender.

Eu estava com a mão na maçaneta quando a porta foi aberta e uma mulher branca de meia-idade, muito pálida, passou por mim.

Entrei e encontrei Billie se examinando no espelho. Comecei: "Billie, deixa eu te dizer uma coisa...".

Ela ainda mirava o próprio reflexo, mas disse: "Ah, tudo bem sobre a música. Você não pode melhorar como soa. A maioria das mulheres de cor soa parecido. Menos aquelas que tentam soar como as brancas". Ela começou a rir. "Você viu aquela cadela velha dar o fora daqui?"

"Esbarrei numa mulher agora há pouco."

"A própria. Ela estava sentada no vaso sanitário e, quando abri a porta, ela gritou comigo: 'Feche essa porta!'. Gritei de volta: 'Sua cadela, se você a queria fechada, deveria trancar a maldita porta'. Então ela saiu de lá e me perguntou: 'Você não é a Billie Holiday?'. Eu disse a ela: 'Cadela, eu não perguntei o seu nome'. Você devia ter visto ela voar." Ela riu de novo, fitando o espelho.

Eu disse: "Billie, você sabe que aquela mulher poderia ser uma fã antiga sua".

Ela se virou, segurando o Pepe, sua bolsa e o casaco. "Sabe quando você me apresentou, sabe como todos aqueles racistas se levantaram? Sabe por que eles ficaram em pé?"

Eu disse que eles a estavam homenageando.

Ela respondeu: "Merda nenhuma! Você não sabe de nada. Estavam todos de pé, observando ao redor. Queriam ver uma preta que tinha sido presa por causa de drogas. Vou te contar mais uma coisa. Você quer ser famosa, né?".

Admiti que sim.

"Você está ficando famosa. Mas não por cantar. Agora, espere, você já sabe que não consegue cantar tão bem. Mas vai ficar muito famosa. Bem, então é melhor começar a se perguntar agora mesmo: 'Quando eu ficar famosa, em quem poderei confiar?'. Todos os brancos são ruins e os pretos não são muito melhores. Apenas cuide do seu filho. Mantenha-o com você e continue dizendo a ele que é a coisa mais inteligente que Deus fez. Talvez ele cresça sem te odiar. Lembre-se de que Billie Holiday te disse: 'Não se pode subir tão alto a ponto de ninguém conseguir te derrubar'."

Do lado de fora, encontrei-lhe um táxi.

Poucos meses depois, ela morreu em um hospital de Nova York. Todas as estações de rádio de jazz e rhythm and blues contrataram comentaristas de vozes deslizantes para exaltar as virtudes da grande artista que não seria vista ou ouvida novamente. Os entusiastas do jazz com vocabulários gloriosos escreveram tributos longos e, muitas vezes, entediantes à lindíssima Lady Day, seu fraseado e harmônicos incrivelmente intrincados. Eu me lembraria para sempre do conselho dado por uma mulher solitária e doente, com boca de esgoto, que cantou lindas músicas para um menino de doze anos.

Durante semanas após a visita de Billie, Guy me tratou com frieza. Nenhum de nós mencionou a cena da gritaria, mas ele agiu como se eu o tivesse traído. Eu tinha permitido que uma estranha gritasse com ele, que o xingasse, e não o defendi. O semestre letivo estava chegando ao fim e, quando lhe perguntei se queria fazer aulas nas férias, ir para algum acampamento ou apenas ficar em casa e caminhar pelos cânions, ele respondeu, com a distância da indiferença, que ainda não havia decidido. Era óbvio que nossa vida doméstica não voltaria ao normal até que ele expressasse sua mágoa.

"Guy, o que você achou da Billie Holiday?"

"Ela era ok, eu acho."

"Isso é tudo o que você pensa sobre ela?"

"Bem, ela com certeza fala muito palavrão. Se ela fala assim o tempo inteiro, não é uma surpresa que as pessoas não gostem dela."

"Então você não gostou dela?"

"Qualquer pessoa que xinga tanto só pode ser estúpida."

Eu já tinha ouvido Guy usar algumas palavras inaceitáveis ao conversar no quintal com o seu amigo Tony. "Mas você mesmo não fala palavrões?"

"Mas sou um garoto, e garotos dizem certas coisas... quando fazemos caminhadas ou no ginásio. Dizemos coisas que não devem ser ditas na frente das garotas, mas isso é diferente."

Não achei que era a hora de explicar a injustiça de usar dois pesos e duas medidas. Guy caminhou até seu quarto e, parado à porta, sem se virar para mim, disse: "Ah, sim. E quando eu crescer, não vou deixar ninguém — não importa o quanto seja famoso —, não vou deixar ninguém xingar os meus filhos".

E bateu a porta.

O incidente com Billie Holiday o magoou mais profundamente do que eu tinha imaginado. Planejei um esquema de recuperação que faria meu filho voltar ao normal. Primeiro, pedi-lhe desculpas, depois, nos dias seguintes, falei com cuidado, preparei suas comidas favoritas, levei-o ao cinema e joguei o mortal *Scrabble* com ele até o horário de sair para trabalhar. Ele se recuperava bem quando recebi um telefonema da escola.

"Senhorita Angelou, sou a conselheira da escola Marvelland e nós não achamos que o Guy deva pegar o ônibus escolar no próximo semestre."

"Vocês não acham... Quem é 'nós' e por que não?"

"O diretor, alguns professores e eu. Discutimos as ações dele... e concordamos que..."

"Quais ações? O que ele fez?"

"Bem, ele falou palavrões no ônibus escolar."

"Vou até aí."

"Ah, não é necessário..."

Desliguei o telefone.

Quando entrei na sala do diretor e vi o comitê de recepção, me senti com seis metros de altura e negra como a meia-noite. Duas mulheres brancas e um homenzinho branco e calvo se levantaram dos seus assentos quando entrei.

Dei bom-dia e me apresentei.

"De fato, senhorita Angelou, a situação não justifica a sua vinda até a escola."

O homem de aparência frágil me estendeu a mão. "Sou o senhor Baker, o conselheiro de Guy, e sei que ele não é um menino mau. De verdade."

Olhei para a mulher que não tinha falado ainda. Seria melhor deixar que todos falassem.

Uma das mulheres disse: "Dou aula de inglês, e um dos meus alunos me contou sobre o incidente hoje de manhã".

"Eu gostaria de saber o que aconteceu."

A professora de inglês falava com ponderação, como se testasse o sabor das palavras.

"Pelo que entendi, houve uma conversa sobre determinado assunto. Quando o ônibus parou na esquina da casa de vocês, Guy entrou e se juntou à conversa. Ele então deu detalhes explícitos sobre aquele assunto específico. Quando o ônibus chegou à escola, algumas meninas estavam chorando, vieram até mim e relataram o comportamento de Guy."

"E o que Guy disse? Qual foi a desculpa dele?"

A segunda mulher quebrou o silêncio dela. "Não conversamos com Guy. Achamos que não há motivo para constrangê-lo."

"Isso significa que vocês simplesmente assumiram que ser acusado é ser culpado. E aí vocês estão prontos para negar a ele o direito de usar o ônibus escolar, que é pago com os meus impostos, sem ouvir o lado dele? Quero ver o Guy. E quero vê-lo agora! Não sei por que pensei que professores brancos seriam justos com uma criança negra. Quero ouvir o que Guy tem a dizer. E agora mesmo."

O momento do confronto provocou uma metamorfose inesperada. Os três professores, que pareciam individualmente pequenos e fracos, se alteraram e nadaram juntos, fundindo-se em uma unidade, três corpos com um cérebro. Seus rostos e seus olhos endureceram.

"Nós não interrompemos os alunos durante a aula, por ninguém. E não fazemos de nenhum aluno um caso especial só porque acontece de ele ser negro. E não permitimos que garotos negros usem linguagem chula na frente das nossas meninas."

As duas mulheres ficaram em silêncio e em concordância.

O senhor Baker falou em nome dos três, assim como em nome dos brancos em todos os lugares.

A impossibilidade da situação encheu minha boca de saliva amarga. Como eu conseguiria justificar um garoto negro para um homem adulto que nasceu branco? Como as duas mulheres poderiam entender uma mãe negra que não tinha mais nada para dar ao filho a não ser uma arrogância superficial? Ainda que eu tivesse uma eternidade e a poesia das antigas canções espirituais, não poderia fazê-los viver comigo os momentos dolorosos em que tentei provar para Guy que sua cor não era uma piada cruel, mas um desígnio saudável. Se soubessem que descrevi Deus para meu filho como alguém muito parecido com John Henry, será que eles me considerariam uma blasfema?

Se Guy era cabeça-dura, fui eu que o tinha feito assim. Se, na sua opinião adolescente, ele era o melhor representante da raça humana, foi graças a mim, e eu não tinha que me desculpar. O rádio e os cartazes, os jornais e os professores, os motoristas de ônibus e os vendedores lhe diziam todos os dias, de milhares de maneiras diferentes, que ele tinha vindo do nada e estava indo para lugar nenhum.

"Senhor Baker, eu compreendo. Agora, eu gostaria de ver Guy." Mantive minha voz baixa e sob controle.

"Se o tirarmos da aula, você terá de levá-lo para casa. Nós não interrompemos as aulas. Essa é a nossa política."

"Sim. Eu o levarei para casa."

"Ele levará uma falta pelo dia. Mas acho que não importa."

"Senhor Baker, levarei meu filho para casa." Eu tinha de ver Guy, ouvir o que ele tinha a dizer. Nada seria ganho com mais falação. Ele teria de voltar para a escola, mas, naquele momento, eu queria me assegurar de que ele estava inteiro, sem machucados.

"Vou esperá-lo do lado de fora. Obrigada."

Guy pulou para dentro do carro, o rosto dele estava repleto de preocupação. "Qual é o problema, mamãe?"

Contei a ele sobre a reunião com os professores.

Ele relaxou. "Ah, nossa, mãe, e você veio aqui por isso? Não foi nada. Algumas dessas crianças são tão estúpidas. Estavam conversando sobre de onde vêm os bebês. Eles disseram algumas das coisas mais engraçadas e deveriam saber mais sobre o assunto. Então contei sobre o pênis, a vagina e o útero. Você sabe, todas essas coisas do meu livro sobre o início da vida? Bem, algumas daquelas meninas malucas começaram a chorar quando eu disse que os pais delas tinham feito isso com as mães delas." Ele começou a rir, aproveitando a lembrança das lágrimas das meninas. "Isso foi tudo que eu disse. Eu estava certo, não estava?"

"Às vezes é mais sábio estar certo em silêncio, sabia?"

Ele me olhou com a cisma da juventude. "Mas você sempre diz: 'Fale. Diga a verdade, não importa qual seja a situação'. Eu apenas disse a verdade."

"Sim, querido. Você apenas disse a verdade."

Dois dias depois, Guy veio para casa com um bilhete que me enfureceu. Meu filho era razoavelmente brilhante, mas nunca passou de um aluno competente. A carta que ele trouxe, no entanto, afirmava que, devido às suas excelentes notas, ele havia avançado e frequentaria outra escola no fim do semestre.

A mentira óbvia insultava o meu filho e a mim, mas achei sensato tirar Guy daquela escola o mais rápido possível. Eu não queria que o corpo docente e uma administração já sabidamente preconceituosos usassem Guy como bode expiatório.

Comecei a procurar outra escola e outra casa. Precisávamos de uma região onde a pele negra não fosse considerada um dos erros mais feios da natureza.

O distrito de Westlake era o ideal. Famílias mexicanas, negro-americanas, asiáticas e brancas viviam lado a lado em velhas casas desordenadas. Os vizinhos conversavam entre si enquanto aparavam seus gramados ou durante as compras nas tradicionais mercearias locais.

Aluguei o segundo andar de um prédio vitoriano de dois andares e, quando Guy viu as crianças negras brincando na nossa nova rua, ficou zonzo de entusiasmo. Sua reação me fez perceber quanto ele tinha sentido falta do contato próximo com negros.

"Cara!" Ele pulou e girou, contorcendo-se. "Cara! Agora vou fazer alguns amigos!"

Capítulo 1

Nos dezoito meses seguintes, exceto pelos meus rápidos compromissos para cantar fora da cidade, moramos naquela região. Guy se tornou parte de um grupo de adolescentes cujas travessuras eram indisciplinadas o bastante para satisfazer a necessidade de rebelião dele, mas, ainda assim, aceitáveis para aquela vizinhança tolerante.

Comecei a escrever. A princípio, me limitei a esboços curtos, depois a letras de músicas e, então, ousei partir para contos. Quando conheci John Killens, ele tinha acabado de chegar a Hollywood para escrever o roteiro do seu romance, *Youngblood,* e concordou em ler trechos do que chamou de "trabalho em andamento da Maya". Eu tinha escrito e gravado seis músicas para a Liberty Records, mas não pensava seriamente em compor até que John me ofereceu sua crítica. Depois, não pensei em nada além disso. John era o primeiro autor negro publicado com quem conversei de verdade. (Encontrei James Baldwin em Paris, no início dos anos 1950, mas não o conhecia de verdade.) John disse: "Grande parte do seu trabalho precisa de lapidação. Na verdade, grande parte do trabalho de todos nós poderia ser reescrita. Mas você tem um talento inegável". E acrescentou: "Você deveria ir a Nova York. Precisa estar no Harlem Writers Guild". O convite foi indireto, mas definitivamente atraente.

Eu tinha conhecido a cantora Abbey Lincoln. Nós nos conhecemos anos antes e nos tornamos amigas durante o tempo em que morei no distrito de Westlake. Mas ela havia se mudado para a cidade de Nova York. Sempre que eu conversava com ela por telefone, depois que ela parava de elogiar Max Roach, seu amor e ideal romântico, Abbey elogiava a cidade de Nova York. Era o centro, o meio absoluto do mundo. O único lugar para uma pessoa inteligente estar e crescer.

Possivelmente, se eu fosse para Nova York, pensei, poderia encontrar meu próprio nicho, me estabelecer nele e me tornar um sucesso.

Havia outro motivo para querer deixar Los Angeles. Guy, antes tão divertido, estava se tornando um estranho alto e indiferente. Nossas noites animadas de *Scrabble* e charadas eram, para ele, parte do passado. Ele disse que os jogos infantis simplesmente não prendiam mais a sua atenção. Quando ele obedecia às regras da minha casa, fazia com a atitude de quem estava muito entediado para contestá-las.

Naquela época, eu não entendia que a adolescência o tinha invadido e depositado nele sua carga pesada e habitual de insegurança e apreensão. Meu amante magro e casual, que morava perto de nós, era entediante e religioso demais para me ajudar a compreender o que acontecia com o meu filho. De fato, sua reverência pelas religiões orientais, uma dieta vegetariana e a abstinência sexual o tornaram quase, mas não totalmente, incapaz de tudo, exceto de conversas profundas sobre o sentido da vida.

Liguei para a minha mãe e ela atendeu após o primeiro toque.

"Alô?"

"Senhora?"

"Olá, bebê", ela falou com a firmeza de uma mulher branca.

Eu disse: "Gostaria de te ver. Vou me mudar para Nova York e não sei quando voltarei para a Califórnia. Talvez, poderíamos nos encontrar em algum lugar e passar alguns dias juntas. Eu poderia dirigir para o norte, até parte do caminho...".

Ela fez uma pausa. "Lógico que podemos nos encontrar, lógico, quero te ver, bebê." Mais de um metro e oitenta de altura, com um filho de catorze anos, e eu ainda era chamada de bebê. "Que tal Fresno? É o meio do caminho. Poderíamos ficar naquele hotel. Sei que você leu as notícias."

"Sim. Mas não se isso nos trouxer problemas. Só quero estar com você."

"Problema? Problema?" O fio da navalha familiar deslizou pela sua voz. "Mas, bebê, você sabe que esse é o meu nome do meio. De qualquer forma, a lei diz que qualquer hotel tem de aceitar hóspedes negros. Juro por Deus e por outros cinco encarregados que minha filha e eu somos negras. A partir disso, se nos recusarem, bem..." Ela riu esperançosa e estridentemente. "Bem, teremos uma ripa que caiba na bunda deles."

Essa parte da conversa estava encerrada. Vivian Baxter pressentiu a possibilidade de confronto, e não havia chance de fazer com que desistisse. Percebi tarde demais que deveria simplesmente ter pegado o trem da Southern Pacific de Los Angeles para São Francisco, passar dois dias na casa dela na rua Fulton e depois voltar e fazer as malas para minha mudança para o outro lado do país.

Sua voz se suavizou de novo enquanto ela contava as fofocas da família e marcava uma data para o nosso encontro no meio do estado.

Em 1959, Fresno era uma cidade medíocre com palmeiras e decididamente com um sotaque sulista. A maioria de seus habitantes brancos aparentava ser descendente dos Joad[5], de Steinbeck, e seus cidadãos negros eram lavradores que simplesmente trocaram as estradas de terra do Arkansas e do Mississippi pelas ruas poeirentas do centro da Califórnia.

Estacionei o meu velho Chrysler em uma rua paralela, peguei minha mala e dobrei a esquina até o Hotel Desert. Minha mãe tinha sugerido que nos encontrássemos às 15h, o que significava que ela planejava chegar às 14h.

O saguão do hotel estava decorado com faixas de boas-vindas para uma convenção de vendas. Os homens grandes e rosados se misturavam e riam com mulheres corpulentas sob lustres baixos.

A minha chegada parou qualquer ação. Cada cabeça se virou para me ver, cada olho resplandeceu, primeiro com dúvida, depois com

---

5   Menção ao livro *As vinhas da ira*, de John Steinbeck, publicado em 1989. (N. T.)

fúria. Eu quis correr de volta para o carro, correr para Los Angeles, de volta para os pôsteres nas paredes da minha casa. Endireitei as costas, forcei indiferença no rosto e caminhei até a mesa da recepção. O relógio acima marcava 14h45. "Boa tarde. Onde fica o bar?" Um jovem de rosto redondo baixou os olhos e apontou para trás de mim.

"Obrigada."

A multidão abriu passagem, e caminhei através do silêncio, ciente de que, antes de chegar à porta do saguão, uma faca poderia ser enfiada nas minhas costas ou uma corda, amarrada em volta do meu pescoço.

Minha mãe estava sentada no bar, usando seu chapéu Dobbs e vestindo um terno de camurça bege. Deixei minha mala junto da porta e fui até ela.

"Oi, bebê." O sorriso dela era uma lua crescente branca. "Você está um pouco adiantada." Ela sabia que eu estaria. "Jim?" E eu sabia que ela já tinha o nome do barman e a sua atenção. O homem lhe sorriu.

"Jim, esta é a minha filha. Ela é bonita, né?"

Jim concordou com a cabeça, sem tirar os olhos da minha mãe. Ela se inclinou e me beijou nos lábios.

"Dê a ela um uísque com água e pegue outra pequena dose para você."

Mamãe o agarrou quando ele começou a hesitar. "Não recuse, Jim. Nenhum homem pode andar apenas com uma perna." Ela sorriu, e ele se virou a fim de preparar as bebidas.

"Querida, você parece bem. Como foi a viagem? Ainda tem aquele velho Chrysler? Viu aquelas pessoas no saguão? São tão feias que fazem você parar para refletir. Como está o Guy? Por que você está indo para Nova York? Ele está feliz com a mudança?"

Jim colocou minha bebida na mesa e ergueu a dele em um brinde.

Mamãe pegou a bebida dela. "Aqui está, Jim." E para mim: "Lá vai, querida". Ela sorriu, e percebi de novo que ela era a mulher mais linda que eu já tinha visto.

"Obrigada, mãe."

Ela pegou as minhas mãos, juntou-as e esfregou-as.

"Você está com frio. O dia está bem quente, e suas mãos estão congelando. Você está bem?"

Nada amedrontava a minha mãe, exceto os trovões e os relâmpagos. Eu não conseguia contar para ela que, aos trinta e um anos, aquelas pessoas brancas no saguão me assustaram.

"Estou bem, mãe. Acho que é o ar-condicionado."

Ela aceitou a mentira.

"Bem, vamos beber e ir para o nosso quarto. Preciso ter uma conversa com você."

Ela pegou as contas do bar, fez os cálculos e puxou duas notas.

"A que horas você chega, Jim?"

O barman se virou e sorriu. "Sou eu quem abro. Às onze, todas as manhãs."

"Então, vou ser a sua primeira cliente do dia. Uísque e água, lembre-se. Às onze. Isto aqui é para você."

"Ah, você não precisa fazer isso."

Minha mãe já estava fora da banqueta. "Eu sei. É por isso que é fácil. Vejo você de manhã."

Peguei a mala e a segui para o lado externo do bar escuro e até o saguão barulhento. De novo, o burburinho da conversa diminuiu, mas minha mãe nem sequer percebeu. Ela passou por toda a multidão, até a mesa da recepção.

"Senhora Vivian Baxter Johnson e filha. Vocês têm a nossa reserva." Minha mãe tinha se casado algumas vezes, mas adorava o nome de solteira. Casada ou não, frequentemente se identificava como Vivian Baxter.

Era uma afirmação. "E, por favor, chame o mensageiro. Minha mala está no meu carro. Aqui estão as chaves. Deixe sua mala aqui, bebê." Voltando-se ao funcionário do registro. "E lhe diga que leve a mala da minha filha para o nosso quarto." O recepcionista lentamente empurrou um formulário sobre o balcão. Mamãe abriu a bolsa, tirou sua caneta Sheaffer de ouro e assinou.

"A chave, por favor." Novamente, em câmera lenta, o recepcionista deslizou a chave para mamãe.

"Duzentos e dez. Segundo andar. Obrigada. Vamos, filha." A paleta de cores permitida no hotel tinha sido elevada havia apenas um mês, mas mamãe agia como se fosse hóspede havia anos. Tinha uma escada em espiral à direita da recepção e um pequeno grupo de participantes da convenção de vendedores boquiabertos parado do lado do elevador.

Eu disse: "Vamos pelas escadas, mãe".

Ela retrucou: "Vamos pegar o elevador", e apertou o botão que indicava para cima. As pessoas que esperavam nos olharam como se a nossa presença tivesse tirado tudo de valor da vida delas.

Quando saímos do elevador, minha mãe demorou um momento, se virou e caminhou para a esquerda, para o número 210. Ela destrancou a porta e, quando entramos, jogou a bolsa na cama e caminhou até a janela.

"Sente-se, bebê. Vou te dizer uma coisa que você nunca deve esquecer."

Eu me sentei na primeira cadeira, enquanto ela abria as cortinas. A luz do sol emoldurava sua silhueta, e seu rosto estava sem definição.

"Os animais conseguem sentir quando se está com medo. Eles sentem. Bem, você sabe que os seres humanos também são animais. Nunca, nunca deixe uma pessoa saber que você está com medo. E se estiverem em grupo, então... absolutamente nunca. O medo traz a pior coisa em qualquer pessoa. Agora há pouco, naquele saguão, você estava tão assustada quanto um coelho. Eu sabia disso e todos aqueles brancos também. Se eu não estivesse lá, talvez eles tivessem se transformado numa turba. Mas algo sobre mim lhes avisou que, se mexessem com uma de nós duas, seria melhor começarem a procurar por algumas bundas novas, pois eu acabaria com aquelas que as mães deles lhes deram."

Ela riu como se fosse uma garotinha. "Olhe na minha bolsa." Abri a sua bolsa.

"É melhor o Hotel Desert estar pronto para a integração, porque, se não estiver, estarei pronta para o Hotel Desert."

Por baixo da carteira, semiescondida pelo estojo de maquiagens, estava uma pistola alemã Luger, azul-escura.

"Serviço de quarto? É o 210. Eu gostaria de um balde de gelo, dois copos e uma garrafa de uísque Teachers. Obrigada."

O mensageiro trouxe nossas malas, nós tomamos banho e trocamos de roupa.

"Vamos tomar um drinque e descer para jantar. Mas agora vamos conversar. Por que Nova York? Você esteve lá em 1952 e teve de ser mandada de volta para casa. O que te faz pensar que lá mudou?"

"Conheci um escritor, John Killens. Disse para ele que queria escrever e ele me convidou para ir até Nova York."

"Ele é um homem de cor, né?" Desde que o meu primeiro casamento, com um grego, se dissolveu, minha mãe ansiava por um genro negro.

"Ele é casado, mamãe. Não é assim."

"Que terrível. De cem, os primeiros noventa e nove homens casados nunca se divorciariam de suas esposas por causa de suas amantes, e aquele que se divorcia provavelmente se divorciará também da nova esposa por causa de uma amante mais nova."

"Mas, de verdade, não é assim. Conheci a esposa e os filhos dele. Vou para Nova York, me hospedarei com eles por umas duas semanas, vou conseguir um apartamento e aí mando buscar o Guy."

"E onde ele vai ficar por duas semanas? Não vai ficar sozinho naquela casa enorme. Ele tem apenas catorze anos."

Ela explodiria se eu contasse que planejava deixar Guy com o homem que eu estava abandonando. Vivian Baxter sobrevivia sendo saudavelmente desconfiada. Ela nunca confiaria em um amante rejeitado para tratar seu neto de maneira justa.

"Combinei com um amigo. E, afinal, são apenas duas semanas."

Ambas sabíamos que ela tinha deixado a mim e ao meu irmão por dez anos para sermos criados por nossa avó paterna, a nossa Momma. Nós nos olhamos e ela falou primeiro:

"Você está certa. São apenas duas semanas. Bem, deixe-me te contar sobre mim. Vou para o mar."

"Ir ao mar. Amar o quê?"

"Vou me tornar uma marinheira mercante."

Eu nunca tinha ouvido falar de uma mulher que fosse marinheira mercante.

"Serei uma membra da União de Cozinheiros e Comissários da Marinha."

"Por quê?" A descrença aumentou na minha voz. "Por quê?" Ela era enfermeira cirúrgica e corretora de imóveis, tinha licença de barbeiro e era proprietária de um hotel.

Por que ela queria ir para o mar e levar a vida dura e sem glamour de um marinheiro?

"Porque me disseram que as mulheres negras não podiam entrar na união. Sabe o que eu disse para eles?"

Balancei a cabeça, embora quase soubesse.

"Eu disse a eles: 'Querem apostar?'. Vou enfiar o pé naquela porta até o fim para que as mulheres de todas as cores possam passar por mim, entrar nessa união, subir a bordo de um navio e ir para o mar." Houve uma batida à porta. "Entre."

Um negro uniformizado abriu a porta e hesitou, surpreso ao nos ver.

"Boa noite. Apenas coloque a bandeja ali. Obrigada."

O mensageiro depositou a bandeja e se virou.

"Boa noite, vocês me surpreenderam. É lógico. Não esperava vê-las. Lógico que não."

Minha mãe caminhou em direção a ele, com dinheiro nas mãos.

"Quem você esperava? A rainha Vitória?"

"Não. Não, senhora. Quer dizer... Nosso povo... Aqui... É, tipo, novo de se ver... e tudo mais."

"Isto é para você." Ela lhe entregou a gorjeta. "Somos apenas hóspedes comuns no hotel. Obrigada e boa noite." Ela abriu a porta e esperou. Quando o mensageiro saiu balbuciando boa noite, mamãe fechou a porta definitivamente.

"Mãe, você quase foi rude."

"Bem, bebê, penso o seguinte: ele é negro e eu sou negra, mas não somos primos. Vamos tomar uma bebida." Ela sorriu.

Durante os dois dias seguintes, mamãe me apresentou a algumas velhas amigas jogadoras de cartas que ela conheceu vinte anos antes.

"Esta é a minha bebê. Ela já esteve no Egito, por toda a Milão, na Itália, na Espanha e na Iugoslávia. Ela é cantora e dançarina, sabiam?"

Quando suas amigas ficavam satisfatoriamente impressionadas com os meus feitos, mamãe garantia que ficassem maravilhadas, acrescentando: "Claro, eu estarei embarcando em alguns dias".

Nós nos abraçamos no saguão vazio do Hotel Desert; a convenção tinha terminado um dia antes da nossa partida.

"Se cuide. Cuide do seu jovem filho e se lembre de que a cidade de Nova York é exatamente igual a Fresno. Apenas mais das mesmas pessoas em prédios maiores. Os negros não conseguem mudar porque os brancos não mudam. Peça o que deseja e esteja pronta para pagar pelo que recebe." Ela me beijou, e sua voz se suavizou para um sussurro: "Me deixe ir primeiro, bebê. Odeio ver as costas de alguém que amo".

Nós nos abraçamos novamente, e a observei caminhar, balançando os quadris, até a rua iluminada.

De volta para casa, me recompus e chamei Guy, que respondeu vindo até a sala e voltando atrás para se encostar no batente da porta.

"Guy, quero conversar com você. Por favor, sente-se."

Nessa fase, ele nunca se sentava se pudesse ficar em pé, se elevando acima do tédio da vida. Ele se sentou, obviamente, para me acalmar.

"Guy, nós vamos nos mudar." Ah, houve uma centelha de interesse nos olhos, a qual ele logo controlou.

"De novo? Ok. Posso fazer minhas malas em vinte minutos. Eu me cronometrei." Agarrei-me ao tremor natural que lutava para vir à tona.

Nos nove anos de escolaridade dele, moramos em cinco áreas de São Francisco, em três distritos em Los Angeles e também em Nova York, no Havaí e em Cleveland, Ohio. Segui os trabalhos e, contrariando o conselho de um pomposo psicólogo escolar, levei Guy comigo.

O psicólogo era branco, obviamente estudado e tinha aquelas qualidades que me faziam saber que ele era rico. Como ele poderia saber do que um jovem negro precisava em um mundo racista?

Quando o dinheiro era abundante, morávamos em hotéis chiques e chamávamos o serviço de quarto. Nas outras vezes, ficávamos em pensões. Eu estendia os lençóis como divisórias e cozinhava ilegalmente nossa comida favorita em um fogão elétrico de duas bocas. Como nos mudávamos com muita frequência, Guy tinha poucas chances de fazer ou manter amigos, mas estávamos juntos e geralmente ríamos muito. Agora que a pós-puberdade o reivindicou para si, nossas amigáveis brincadeiras se foram, e eu o estava ameaçando com mais uma mudança.

"Esta é a última vez. Última vez, eu acho."

Seu rosto dizia que ele não acreditava em mim.

"Estamos indo para a cidade de Nova York." Seus olhos se iluminaram outra vez e desbotaram depressa.

"Quero partir no sábado. John e Grace Killens estão procurando um apartamento para nós. Vou ficar com eles e em duas semanas você se juntará a mim. Tudo bem?" O poder dos pais se torna tão natural que apenas os filhos o percebem. Eu não estava realmente pedindo sua permissão. Ele sabia e não respondeu.

"Pensei em perguntar a Ray se ele gostaria de ficar em casa com você por duas semanas. Só para ser sua companhia. Tudo bem para você?"

"Tudo perfeitamente bem, mãe." Ele se levantou. Estava tão comprido que suas pernas pareciam começar na altura das articulações dos braços. "Se me der licença..."

Assim ele encerrava a nossa insatisfatória conversa familiar. Eu ainda precisava conversar com o meu amigo-amante.

Enquanto nos sentávamos sob o sol da manhã, o belo rosto amarelo de Ray estava, como sempre, em um repouso benigno.

"Estou indo no sábado para Nova York."

"Ah, é? Você conseguiu um contrato?"

"Não, ainda não."

"Acho que eu não gostaria de encarar Nova York sem contrato..."

Essa era a questão.

"Só Guy e eu iremos. Vamos ficar por lá."

O corpo inteiro dele saltou, a energia começou a escorrer em volta de seu rosto. Pela primeira vez, pensei que talvez ele se importasse comigo. Eu o observei controlar seu corpo. Depois de longos minutos, os punhos dele se abriram, os dedos longos relaxaram e seus lábios perderam as bordas endurecidas.

"Tem alguma coisa que eu possa fazer para ajudar vocês?"

Ray concordou em ficar na minha casa e mandar Guy para mim dentro de duas semanas. Depois disso, ele mesmo poderia ficar por lá, ou então fecharia a casa. Claro, nós continuaríamos amigos.

Capítulo 2

John e Grace Killens moravam com os dois filhos e a mãe dele em um espaçoso sobrado no Brooklyn. Eles me receberam como se eu fosse uma amiga voltando de uma longa viagem. John me encontrou na porta. "Garota, você finalmente saiu do campo. Tire a lama dos sapatos, entre e se sinta em casa."

Grace era mais quieta. "Bem-vinda a Nova York. Estou feliz que você veio."

A hospitalidade deles era casual, sem os grandes gestos que frequentemente incomodam um hóspede. Os primeiros dias da minha estada foram preenchidos com a adaptação à casa e com o estudo da personalidade de seus habitantes. John gostava genuinamente de ser apaixonado. Era bonito, e seus olhos castanho-escuros em um rosto marrom-claro podiam alternadamente queimar ou perfurar. Falava com animação, agitando as mãos como se as oferecesse de presente aos ouvintes.

Grace era bonita e pequena, mas nunca permitia que o sucesso de John ou o fato de ela ser o grande amor dele interferisse no pensamento independente dela.

A mãe de John, Mamãe Willie, que usava sua origem sulista como um ramalhete de magnólias preso à roupa, eternamente fresco, era robusta e estava na casa dos sessenta anos. Ela pertencia ao grupo de mulheres negras que criaram os filhos, trabalharam duro, lutaram por seus princípios e ainda mantinham um pouco de humor. Ela costumava encantar a família com histórias vivas ambientadas em um sul taciturno e racista. As histórias mudavam, os enredos variavam; seus vilões sempre foram pessoas brancas, e seus heróis, pessoas negras honestas, corajosas e inteligentes.

Barbara, a caçula dos Killens, era uma moleca brilhante que falava rápido e se lançava pela casa como um vento cor de canela. Seu irmão, Jon, maior e mais gentil, se movia devagar, falava pouco e parecia sobrecarregado com a responsabilidade de ponderar sobre os assuntos imponderáveis do mundo.

Todos, exceto Jon, cujo apelido era Chuck, falavam sem parar e, embora eu gostasse das trocas, achava os assuntos inexplicavelmente irritantes. Eles criticavam os homens brancos, as mulheres brancas, as crianças brancas e a história branca, particularmente no que se aplicava aos negros.

Eu tinha passado a minha vida em escadarias na entrada de casas urbanas, nos quintais do campo, nas cozinhas, nas salas e nos quartos, ouvindo e participando das conversas das pessoas negras, mas nunca antes tinha visto tanta atenção sendo dada à temática dos brancos.

Claro, no Arkansas, quando eu era jovem, as crianças negras, sabendo que os brancos eram os donos das descaroçadoras de algodão, das serrarias, das casas bonitas e das ruas asfaltadas, precisavam encontrar algo que achavam que os brancos não possuíam. Essa necessidade de ter algo para si mesmas coincidiu com o crescente interesse por sexo. As crianças cantavam, melancolicamente, longe dos ouvidos dos adultos:

"Whites folks ain't got the hole...
And they ain't got the pole...
And they ain't got the soul...
To do it right... real right... All night."[6]

Nos anos seguintes, na Califórnia, as piadas já eram raras e os empregos ficaram piores. A raiva sempre esteve presente quando a

---

6   "Gente branca não tem o buraco/ e não tem a estaca/ e também não tem o jeito/ para meter bem... gostoso... a noite toda!" (N. T.)

temática dos brancos adentrava em nossas conversas. Discutimos o tratamento dado ao reverendo Martin Luther King Jr., o assassinato de Emmett Till, no Mississippi, as muitas humilhações e as pequenas interdições que todos sabíamos que tinham o objetivo de mutilar nossos espíritos. Eu já tinha visto brancos serem ridicularizados, xingados e invejados, mas nunca os tinha visto dominar por completo a conversa íntima de uma família negra.

Na casa dos Killens, se o entretenimento era citado, alguém pontuaria que Harry Belafonte, um amigo próximo da família, estava trabalhando com uma cantora sul-africana, Miriam Makeba, e que a África do Sul não era muito diferente do sul da Filadélfia. Se o Caribe, a religião ou a moda entrassem na conversa, em questão de minutos estaríamos examinando de modo persistente a natureza da opressão, do progresso e da integração racial.

Eu me incomodava com a diatribe implacável, não porque discordasse dela, mas porque não achava os brancos interessantes o suficiente para consumir todos os meus pensamentos, nem poderosos o bastante para controlar todos os meus movimentos.

Encontrei um apartamento no mesmo bairro onde os Killens moravam. Passei dias pintando os dois quartos e enfeitando os móveis que comprei em lojas de segunda mão, e voltava todas as noites para dormir na casa deles.

Certa noite, depois que o restante da família já tinha ido se deitar, eu me sentei para tomar um drinque com John. Perguntei-lhe por que estava tão irritado o tempo todo. Eu lhe disse que, ao passo que concordava com os negros do Alabama que boicotavam as empresas de ônibus e protestavam contra a segregação, os negros da Califórnia estavam a quilômetros de distância, literal e figurativamente, daquelas pragas do sul.

"Garota, não acredite nisso. A Geórgia é o sul do sul. A Califórnia é o norte do sul. Se você é uma pessoa negra neste país, você está na plantação. Você tem de lidar com os senhores. Pode haver alguma discussão sobre o fato de eles serem senhores perversos, mas esteja certa de que todos eles pensam que são senhores... E se eles pensam isso, então é melhor você acreditar que eles acham que você é a escravizada. Talvez uma escravizada inteligente, uma escravizada bonita, uma escravizada boa, mas uma escravizada de todo jeito."

Lembrei a John que eu tinha passado um ano em Nova York, mas ele retrucou: "Você era uma dançarina. Os dançarinos não veem nada, exceto outros dançarinos. Eles não veem; eles existem para serem vistos. Agora, você deve olhar para Nova York com olhos, ouvidos e nariz de escritora. Aí, você verá Nova York de verdade".

John estava certo. Sete anos antes, quando estudei em Nova York, a minha atenção estava distribuída de maneira desigual entre o estúdio de dança em que eu estudava com bolsa, o meu filho e o meu primeiro casamento, que se desintegrava. Na verdade, eu não tinha tempo nem cabeça para aprender sobre Nova York.

Os olhos de John estavam em chamas e, embora eu fosse sua única plateia, ele era tão intenso como se falasse para uma sala cheia.

"Vou te dizer o que fazer. Vá para Manhattan amanhã. Visite primeiro a Times Square. Você vai ver as mesmas pessoas que costumava ver no Arkansas. Os sotaques podem ser diferentes, as roupas podem ser diferentes, mas, se forem americanos brancos, eles são todos racistas do sul. Aí, vá para o Harlem. O Harlem é a maior plantação deste país. Você verá advogados em ternos completos, corretores de imóveis em casacos de vison, cafetões em Cadillacs brancos, mas eles são todos meeiros. Meeiros de uma plantação medíocre."

Eu pretendia ir ao Harlem com o conselho de John na cabeça, mas Guy chegou antes que eu tivesse a oportunidade de ir até lá. Fui buscá-lo no aeroporto e, quando ele entrou em casa, vi que já estava grande demais para a sala de estar. Estivemos separados por um mês, e ele parecia ter crescido cinco centímetros e estar havia anos longe de mim.

Ele olhou para as paredes brancas pintadas às pressas e para as gravuras de Van Gogh que eu tinha escolhido e misturado.

"É ok. Parece com as outras casas onde nós moramos."

Eu quis lhe dar uma palmada. "Bem, é um pouquinho melhor do que morar na rua."

"Ah, mãe, vamos. Isso não era necessário." A superioridade em sua voz era um indicativo de quanto ele estava magoado por termos ficado separados.

Eu sorri. "Ok. Me desculpe. O que achou da mesa? Você sempre disse que queria uma mesa de escritório grande. Você gostou?"

"Ah, claro, mas sabe que eu queria uma mesa quando eu era uma criança pequena. Agora..."

O ar entre nós estava carregado com seu desprezo distante. Eu o entendia muito bem.

Quando eu tinha três anos, meus pais se divorciaram em Long Beach, na Califórnia, e mandaram a mim e ao meu irmão de quatro anos, desacompanhados, para a nossa avó paterna. Usamos pulseiras que informavam que éramos Marguerite e Bailey Johnson indo ao encontro da senhora Annie Henderson em Stamps, no Arkansas.

Com exceção dos encontros desastrosos e misericordiosamente breves com cada um deles quando eu tinha sete anos, não vimos nossos pais novamente até que eu tivesse treze anos.

Nosso reencontro com a mamãe na Califórnia foi um festival alegre, repleto de lágrimas, abraços e beijos de batom. Por baixo do alto-astral e depois disso, jazia o meu entendimento doloroso de que ela tinha passado anos sem precisar de nós.

Agora, o meu filho bravo lutava contra o mesmo entendimento. Estivemos separados por menos de um mês — ele permaneceu um hóspede indesejado na própria casa, enquanto eu me divertia a cada dia de nossa separação.

Ele cobriu a dor com um olhar de indiferença, mas eu conhecia seu rosto melhor do que o meu. Cada dobra, cada lisura, a luz ou a sombra nos seus olhos eram objetos do meu exame minucioso. Guy nasceu para mim quando eu era uma adolescente aventureira de dezessete anos; nós tínhamos crescido juntos. Como ele não teve pai durante a maior parte dos seus catorze anos, a luz de pânico nos seus olhos era trocada por desprezo sempre que eu trazia um novo homem para nossas vidas. Eu percebia seu alívio quando Guy descobria que o recém-chegado se importava comigo e o respeitava. Reconhecia a confusão que mudava suas feições a cada vez que o homem fazia as malas para ir embora. Eu entendia a pergunta não formulada: *Ela o fez ir embora. O que ela vai fazer se eu desagradá-la também?* Guy continuou de pé, com as mãos nos bolsos, à espera de que eu o convencesse da estabilidade do meu amor. As palavras eram inúteis.

"Sua escola fica a três quarteirões de distância e lá tem um parque imenso, quase tão bom quanto o da rua Fulton." Com a menção do parque de São Francisco, onde fizemos piqueniques e ele aprendeu a andar de bicicleta, um pequeno sorriso tentou cruzar seu rosto, mas ele logo assumiu o controle e mandou o sorriso embora.

"... E você gostou dos filhos dos Killens. Bem, eles moram virando a esquina."

Ele balançou a cabeça e falou como um velho: "Muitas pessoas são diferentes quando estão de visita e quando estão em casa. Vou ver se eles são os mesmos em Nova York e na Califórnia".

O cinismo juvenil é triste de observar porque não indica tanto o conhecimento aprendido com as experiências amargas, e sim a confiança insuficiente até mesmo para se esforçar pelo futuro.

"Guy, sabe que te amo e que tento ser uma boa mãe. Tento fazer a coisa certa, mas não sou perfeita." Seu silêncio concordou. "Quando eu fizer algo que te machuca, espero que sempre se lembre de que te amo e que não é minha intenção..."

Ele analisava o meu rosto, escutava o tom de minha voz.

"Mamãe..." Relaxei um pouco. *Mãe* era formal, frio, desaprovador. *Mamãe* parecia mais próximo, capaz de perdoar. "Mamãe, eu sei. Sei que você faz o melhor que pode. E não estou com raiva de verdade. É só que Los Angeles..."

"Ray fez alguma coisa... maltratou você?"

"Ah, não, mamãe. Ele se mudou mais ou menos uma semana depois que você partiu."

"Quer dizer que você ficou sozinho?"

O choque fez o meu corpo entrar em uma ação furiosa. Cada função normal se acelerou. As lágrimas vieram à tona e nublaram minha visão. Guy perdeu metade da idade e, de repente, voltou a ser um garotinho de sete anos que dormiu com uma faca de açougueiro debaixo do travesseiro em um acampamento de verão. O que ele escondeu debaixo do travesseiro em Los Angeles enquanto eu festejava em segurança em Nova York?

"Meu bebê. Ah, querido, por que não me disse quando te telefonei? Eu teria voltado."

Agora sua voz estava tranquilizante. "Você estava tentando achar um emprego e uma casa. Eu não estava com medo."

"Mas, Guy, você tem apenas catorze anos. E se alguma coisa tivesse acontecido com você?"

Ele ficou em silêncio e olhou para mim, calculando a minha angústia. De repente, atravessou a sala e parou ao lado da minha cadeira. "Mãe, sou um homem. Posso cuidar de mim mesmo. Não se preocupe. Sou jovem, mas sou um homem." Ele se levantou, se curvou e me beijou na testa. "Vou mudar os móveis de lugar. Quero minha mesa de frente para a janela." Ele caminhou pelo corredor.

A mãe negra percebe a destruição em cada porta, a ruína em cada janela, nem ela mesma escapa das próprias suspeitas. Ela se questiona se ama os filhos o bastante — ou, o que é ainda mais terrível, será que os ama demais? Sua aparência causa constrangimento — ou, o que é ainda mais assustador: ela é tão atraente que seus filhos começam a desejá-la e suas filhas começam a odiá-la. Se ela não é casada, os desafios são maiores. Sua solteirice indica que ela rejeitou ou foi rejeitada pelo companheiro. No entanto, está criando filhos que se tornarão companheiros. Para além da sua porta, toda a autoridade está nas mãos de pessoas que não se parecem, pensam ou agem como ela e como seus filhos. Os professores, os médicos, os balconistas, os bibliotecários, os policiais, os assistentes sociais são brancos e exercem controle sobre o humor, as condições e a personalidade da sua família; no entanto, dentro de casa, ela deve exibir um direito de governar que, a qualquer momento, por uma batida à porta ou um toque do telefone, pode ser exposto como falso. Diante dessas contradições, ela deve fornecer um cobertor de estabilidade, que aqueça, mas não sufoque, e deve contar aos filhos a verdade sobre a dominância do poder branco sem sugerir que ele não possa ser desafiado.

"Ei, mamãe, venha ver."

Cada móvel estava em um novo lugar, e a sala parecia exatamente a mesma.

"Gostou? Depois do jantar, vou jogar *Scrabble* com você. Onde está o dicionário? O que vamos ter para o jantar? A televisão funciona? Uh, estou faminto!"

Meu filho estava em casa e éramos uma família novamente.

———◆———

O Harlem Writers Guild se reunia na casa de John, e minhas mãos suavam e minha língua estava cheia. A organização livremente formada, sem taxas ou carteirinhas de filiação, tinha uma regra estrita: qualquer convidado poderia participar de três reuniões, mas, depois disso, tinha de ler seu trabalho em andamento. Minha hora tinha chegado.

Sara Wright e Sylvester Leeks conversavam baixinho em um canto. John Clarke estava olhando os livros na estante. Mary Delany e Millie Jordan entregavam seus casacos para Grace e trocavam cumprimentos. Os outros escritores já estavam sentados em um semicírculo na sala.

John Killens passou por mim, tocando o meu ombro, tomou seu assento e deu início à reunião.

"Ok, pessoal. Vamos começar." As cadeiras arranharam o chão e os sons reverberaram em minhas axilas. "Como sabem, nossa mais nova membra, nossa cantora da Califórnia, vai ler sua nova peça. Qual é o título, Maya?"

"*Um amor. Uma vida.*" Minha voz geralmente profunda vazou em um tom alto e fraco.

Um escritor perguntou quantos atos a peça tinha.

Respondi, de novo, com uma voz estridente: "Até agora, só um".

Todo mundo riu; acharam que eu estava contando uma piada.

"Se todos estiverem prontos, podemos começar." John pegou seu bloco de notas.

Houve um sussurro alto à medida que os escritores se preparavam para fazer as próprias anotações.

Li sobre os personagens e a descrição do cenário, apesar da súbita perversidade do meu corpo. O sangue latejava nos ouvidos, mas não o suficiente para abafar o som fraco da minha voz. As mãos tremiam tanto que tive de colocar as páginas no meu colo, mas não foi uma boa solução devido às travessuras que os meus joelhos estavam me pregando. Eles levantavam voluntariamente, erguendo os meus calcanhares do chão, e então tremiam como gelatina perturbada. Antes de iniciar a ação da peça, olhei em volta para os escritores à espera, mas desejando não ver seus divertimentos com a minha dificuldade. Os rostos estavam cuidadosamente inexpressivos. Dentro de um ano, eu descobriria que cada um deles tinha uma história de terror sobre sua primeira leitura no Harlem Writers Guild.

O tempo envolvia cada palavra, me atrasando. Eu não conseguia me forçar a ler com mais rapidez. As páginas pareciam se multiplicar enquanto eu tentava reduzi-las.

A peça era monótona, os personagens eram irreais e o diálogo tinha sido retirado em sua integralidade da parte de trás de uma lata de sopa Campbell. Eu sabia que esta seria minha primeira e última vez no clã. Mesmo que eu não tivesse a graça de me retirar por vontade própria, estava certa de que os membros tinham um método para separar o joio do trigo.

"Fim." Já não era sem tempo.

Os membros deixaram suas anotações ao lado das cadeiras e alguns se levantaram para usar o banheiro. Ninguém falou nada. Ainda durante a leitura, eu sabia que o drama era ruim, mas talvez alguém mentiria um pouco.

A sala ficou cheia. Apenas o murmúrio dos papéis sendo folheados me indicou que o júri estava pronto. John Henrik Clarke, um homenzinho tenso do sul, pigarreou. Se ele fosse o primeiro crítico, eu sabia que receberia a pior sentença. John Clarke era famoso no grupo por sua inteligência aguçada e humor amargo. Ele supostamente disse uma vez para o FBI que estavam errados ao pensar que ele venderia seu estado natal, a Geórgia; acrescentou que iria doá-lo e, se não encontrasse receptores, até pagaria alguém para pegá-lo para si.

"*Uma vida. Um amor?*" A voz dele era rouca de descrença. "Não encontrei vida e tampouco amor na peça, desde a abertura do ato até seu final infeliz."

Fazendo uso de um poder sobre-humano, mantive a boca fechada e os olhos no meu bloco amarelo.

Ele continuou, levantando a voz: "Em 1879, numa noite de março, Alexander Graham Bell completou com sucesso as suas tentativas de enviar a voz humana através de um pequeno fio. Na manhã seguinte, um dramaturgo frustrado, sem vontade de erguer a estrutura necessária para o enredo, começou sua peça com um telefonema".

Um murmúrio geral de censura flutuou no ar.

"Ah, John" e "Não seja tão mau" e "Aaaah, Joooohn, você deveria ter vergonha".

Os gemidos eram burlescos, um mero acompanhamento para o prazer deles.

Grace convidou todos para beber, e o grupo se levantou e começou a se aglomerar, enquanto eu permanecia na minha cadeira.

Ela me chamou. "Venha, Maya. Beba um pouco. Você está precisando." Abri um sorriso e sabia que me movimentar estava fora de cogitação.

John Killens se aproximou. "Que bom que continuou aqui. Você recebeu algumas críticas muito importantes." Ele também poderia deslizar direto para o inferno segurando uma corda escorregadia e com nós. "Não fique aí sentada. Se acharem que é muito sensível, você não receberá críticas tão valiosas na próxima vez que ler."

Próxima vez? Ele não era tão brilhante quanto parecia. Eu nunca veria aqueles desgraçados presunçosos enquanto eu fosse negra e a bunda deles apontasse para o chão. Coloquei um sorriso agridoce no rosto e assenti.

"Isso mesmo, Maya Angelou, mostre-lhes que você pode aceitar qualquer coisa que eles puderem servir. Me deixe te dizer uma coisa." Ele ia sentar ao meu lado, mas felizmente outro escritor o chamou.

Calculei a distância da minha cadeira até a porta. Eu conseguiria fazer o trajeto em dez passos.

"Maya, você tem uma história para contar."

Fitei o rosto solene de John Clarke.

"Acho que posso falar pelo Harlem Writers Guild. Estamos felizes em tê-la aqui. John Killens voltou da Califórnia falando sobre o seu talento. Bem, neste grupo, lembramos uns aos outros que o talento não é suficiente. É preciso trabalhar. Escreva cada frase repetidas vezes, até parecer que você usou todas as combinações possíveis, depois escreva novamente. Os editores já não se importam muito com escritores brancos." Ele tossiu ou riu. "Você pode imaginar o que eles pensam sobre os negros. Venha. Vamos beber."

Eu me levantei e o segui sem pensar duas vezes.

Dez conversas diferentes estavam em curso na cozinha.

Os escritores estavam festejando. Foram-se os rostos sóbrios e os olhares sérios. Quando John Clarke e eu entramos, um outro escritor falou comigo. "Então, Maya, você sobreviveu ao seu batismo. Agora é uma membra do rebanho." Sarah, uma mulher pequena e bonita com modos melindrosos, pôs a mão no meu braço. "Pegaram leve com você esta noite, querida. Foram suaves, poderia se dizer. Porque foi sua primeira leitura. Mas você vai ver, na próxima semana vai ver como eles encaram o Sylvester."

Paule Marshall, cujo livro *Brown Girl, Brown Stones* ia virar roteiro para a televisão, sorriu de forma conspiratória. "Veja, eu te disse, não foi tão ruim, foi?" Eles me despiram, me esfolaram, me arruinaram total e completamente, e agora estavam alegres como cartões natalinos.

Tomei um gole de vinho gelado e pensei nas instruções da noite. Como eu tinha um vocabulário bastante amplo e lia constantemente desde a infância, tinha tomado as palavras e a arte de organizá-las de maneira muito leviana. Os escritores atacaram a minha abordagem casual e me fizeram confrontar a minha intenção. Se eu quisesse escrever, teria de estar disposta a desenvolver um tipo de concentração que é encontrada principalmente nas pessoas que aguardam a execução. Tive que aprender a técnica e renunciar à minha ignorância.

John Killens interrompeu os meus pensamentos. "Maya, quanto tempo vai levar para reescrever essa peça?"

Eu não tinha decidido reescrever, ou mesmo se iria a outra reunião do clã.

"Preciso saber, para agendar a sua próxima leitura."

"Não tenho certeza. Me deixe pensar sobre isso."

"Tem muita gente pronta para ler. É melhor você decidir, senão vai ter que entrar na fila."

"Te ligo amanhã."

John assentiu e se virou. Ergueu a voz: "Ok, pessoal. E Cuba? E Fidel? Vamos sentar e assistir, sem dizer nada, aos Estados Unidos chutarem o traseiro dele, como se estivessem chutando o nosso traseiro?".

No segundo seguinte à pergunta de John, o ar ficou quieto, livre das tagarelices. Então as vozes se levantaram.

"Todos os negros deveriam apoiar Fidel."

"Cuba está bem. Fidel está bem."

"Fidel age como se tivesse crescido no Harlem."

"Ele fala espanhol, mas poderia ser um preto."

John esperou até que as vozes diminuíssem.

"Não há uma época como agora. Sabem sobre a pessoa escravizada que decidiu comprar sua liberdade?" Pequenos sorrisos começaram a crescer nos rostos negros, marrons e amarelos. Grace riu e mordeu a piteira.

"Bem, esse negro era escravizado, mas o proprietário dele permitia que ele trabalhasse na plantação à noite, aos fins de semana e feriados, para fazer um dinheiro. Ele trabalhava. Agora, veja, quer dizer, ele trabalhava na plantação e depois andava vinte e quatro quilômetros até a cidade e trabalhava lá, depois caminhava de volta, dormia duas horas, acordava de madrugada e trabalhava novamente. Ele economizou cada centavo. Não se casaria nem tiraria vantagem das mulheres ao seu redor. Por medo de ter que gastar um pouco do seu dinheiro suado. Finalmente, ele juntou mil dólares. Era muito dinheiro. Ele foi até o seu senhor e perguntou quanto ele valia. O homem branco questionou o porquê da pergunta. O negro disse que só queria saber quanto custavam os escravizados. O homem branco disse que normalmente pagava de oitocentos a mil e duzentos dólares por um bom escravizado, mas, no caso de Tom, que estava envelhecendo e não podia ter filhos, se quisesse comprá-lo, o senhor o deixaria ir por seiscentos dólares.

"Tom agradeceu ao senhor de escravos e voltou para sua cabana. Ele desenterrou o dinheiro e o contou. Afagou e acariciou as moedas e depois as colocou de volta no seu esconderijo. Ele voltou até o homem branco e disse: 'Patrão, a liberdade está um pouco cara demais agora. Vou esperar até o preço baixar'."

Todos rimos, mas a risada era acre de vergonha. A maioria de nós já tinha sido o Tom em diferentes momentos da vida. Houve ocasiões em que o preço da liberdade era mais caro do que eu queria pagar. Os rostos por toda a sala mostravam que outros também estavam se lembrando.

"Existe uma organização, a Fair Play for Cuba. A divulgação será feita nos jornais. Esse anúncio vai custar muito dinheiro. Quem quiser assinar, encontra o formulário na sala de estar. Coloque o seu nome e, se puder, deixe algum dinheiro na tigela sobre a mesa de bebidas."

Algumas pessoas começaram a se mover apressadamente em direção à sala da frente, mas John as deteve:

"Só um minuto. Quero apenas lembrar a todos que, se o seu nome aparecer na divulgação desta tarde, podem apostar dez mil dólares e um otário que, ao anoitecer, você estará nos arquivos do FBI. Vocês serão suspeitos. Apenas se lembrem disso."

John Clarke tossiu sua risada novamente. "Inferno, se você nasceu negro nos Estados Unidos, você é suspeito de tudo, menos de ser branco, claro." Nós rimos, aliviados com a verdade contada no nosso próprio humor ácido. Pensei nos versos do poema "Strong Men", de Sterling Brown:

"We followed away, and laughed as usual.
They heard the laugh and wondered."[7]

---

7   "Nós nos distanciamos e rimos, como de costume./ Eles ouviram nossas risadas e se espantaram." (N. T.)

Pouco antes de deixar a casa, assinei o formulário de inscrição já preenchido.

Paule Marshall me parou à porta. "Quero mesmo ouvir a sua reescrita. Sabe, muitas pessoas têm mais talento do que você ou eu. O trabalho duro faz diferença. Trabalho duro, implacavelmente pesado."

A reunião acabou. Os membros se abraçaram, se beijaram nos lábios ou nas bochechas e afagaram uns aos outros. John Killens se ofereceu para me levar até em casa.

Grace me abraçou e sussurrou: "Você se saiu bem, garota, e sei que você estava com muito medo".

Quando John estacionou em frente à minha casa, juntei meus papéis e perguntei: "Qual é o gênero literário mais difícil, John?".

"Cada um é o mais difícil. A ficção é impossível. Pergunte a mim. A poesia é impossível. Pergunte para Langston ou para Countee. Baldwin dirá que os ensaios são impossíveis. Mas todos concordam: contos são tão impossíveis que quase não podem ser escritos."

Abri a porta do carro. "John, me coloque para a leitura em dois meses. Vou ler um novo conto. Boa noite." Pensei na minha declaração conforme subia as escadas. Com base na reunião daquela noite, concluí que tomar a decisão de escrever era como escolher pular em um lago congelado. Eu sabia que estava entrando, então decidi que poderia muito bem tentar o que John Killens sugeriu como o fim mais profundo: o conto. Se eu sobrevivesse, seria um triunfo. Se eu nadasse, seria um milagre. Ao destrancar a porta, pensei na minha mãe rejuvenescendo quinze anos e indo para a Marinha mercante. Eu tinha que tentar. Se me acabasse em derrota, pelo menos seria tentando. Tentar se superar era a tradição honrosa das pessoas negras.

Capítulo 3

Há uma realidade incrível no dia do vencimento do aluguel. Há um coelho tocando trombeta, forçando os dias anteriores a uma competição selvagem. Meu aluguel parecia vencer dia sim, dia não, e Guy sempre precisava de só mais um par de jeans. As roupas de que eu precisava ficavam eternamente na lavanderia e os alimentos básicos desapareciam da minha cozinha com uma regularidade alarmante.

Eu poderia conseguir um emprego para cantar, mas não tinha um agente. Os representantes teatrais do Harlem solicitavam beldades do tipo Cotton Club de pele clara para suas apresentações itinerantes. Os agentes brancos do centro da cidade só contratariam artistas negros desconhecidos para apresentações que eram fora da cidade ou à noite, despedidas de solteiro ou para fumantes. Eu conhecia o dono branco de um clube em Nova York que tinha sido um amigo leal para mim, mas com meu novo nível de dignidade negra recém-adquirida, me recusei a lhe implorar por trabalho.

Encontrei um emprego por conta própria. O pequeno clube no Lower East Side era o ponto para o qual as pessoas iam quando não tinham mais opções. Tinha um bar extenso, bebidas diluídas, mesas do tamanho de pratos de jantar e nenhum vestiário (eu me trocava no banheiro), e o trabalho em si me envergonhava.

Cantei no clube por dois míseros meses. As pessoas que eu admirava estavam fazendo coisas importantes. Abbey e Max Roach realizavam concertos de jazz sobre os temas da libertação. Lorraine Hansberry tinha uma peça na Broadway que contava algumas verdades antigas sobre a família negra americana para um novo público branco. James Baldwin manteve o país no seu punho cerrado com *Da próxima vez, o fogo — Racismo nos EUA*. Em *And Then We Heard the Thunder*, Killens contou os fatos desconfortáveis sobre os soldados negros em um exército branco. Belafonte incluiu a cantora sul-africana Miriam Makeba em seus shows, ampliando sua arte e aumentando seu protesto contra o abuso racial. E eu ainda estava cantando pequenas canções inteligentes apenas moderadamente bem. Tomei a decisão de sair da indústria do entretenimento. Desisti dos vestidos justos e dos sorrisos bem-cuidados. Da falsa preocupação com as letras sentimentais. Eu nunca mais trabalharia para fazer as pessoas sorrirem inutilmente, e assumiria a responsabilidade de fazê-las pensar. Agora era a hora de demonstrar a minha própria seriedade.

Duas semanas após minha firme decisão, recebi um convite para me apresentar no Teatro Apollo, e a ideia de rejeitar o convite nunca me ocorreu. O Apollo, no Harlem, era para os artistas negros uma combinação do Met, do La Scala e do Royal Command Performance. Pearl Bailey, Dizzy Gillespie, Count Basie e Duke Ellington tinham tocado naquele palco.

Frank Schiffman, o gerente, estava sentado no teatro escuro ouvindo o ensaio. A *big band* do Tito Puente com Willie Bobo e Mongo Santamaria lançava notas dançantes no ar como partículas de poeira em um vendaval.

Schiffman sentou-se rígido na primeira fila. Ensaiei minhas canções com a banda, incentivada pelos timbales de Willie Bobo e pela conga de Mongo Santamaria. Ampliei minha interpretação inicial da música, cantando melhor do que normalmente eu era capaz. Schiffman não se mexeu nem falou nada até eu começar a ensaiar "Uhuru", uma música com a participação do público que eu usava como bis.

"Não há participação do público no Apollo." Sua voz era enferrujada como uma velha barra de ferro.

"Como é que é?" Sempre seja pretensiosa quando estiver com medo, essa era a minha política. "Você estava falando comigo?"

"Sim, não há participação do público no Apollo."

"Mas essa é a minha apresentação. Sempre uso 'Uhuru' como bis. A palavra significa liberdade em suaíli. Babatunda Olatunje, o grande baterista nigeriano, me ensinou..."

"Sem participação do público."

"Essa é a sua política, senhor Schiffman? Se for assim..."

Alguns músicos tocavam as partituras; outros conversavam em espanhol.

"Não é uma política. A única política no Apollo é 'seja bom'. Estou te dizendo que não há participação do público porque o público do Apollo não vai participar. Você vai morrer. Vai morrer no palco se tentar fazer com que nosso público cante com você." Ele deu uma risadinha e continuou: "A maioria pode cantar melhor do que você, de qualquer forma".

Alguns músicos que entendiam inglês riram. Muitas pessoas cantavam melhor do que eu, então Schiffman não me disse nada que eu já não soubesse.

"Obrigada pelo conselho. Vou cantar mesmo assim."

"Vai ser um milagre se não rirem de você no palco." Ele riu novamente.

"Obrigada." Eu me voltei para a orquestra. "Não tenho a partitura, mas a música é assim..."

Eu não esperava que Schiffman soubesse que minha vida, assim como a vida de outras pessoas negras americanas, poderia ser creditada às experiências milagrosas. Mas havia outra coisa sobre a qual eu tinha certeza e da qual ele não sabia. As pessoas negras no Harlem estavam mudando e o público do Apollo era negro. O eco dos tambores africanos estava menos distante em 1959 do que estava havia mais de um século.

A rua 125 era para o Harlem o que o Mississippi era para o sul: um longo rio viajante sempre indo para algum lugar, carregando alguma coisa. Uma loja de móveis que oferecia sofás extravagantes e cadeiras de pele de oncinha falsa ficava ao lado da livraria do senhor Micheaux, que se orgulhava de ter ou de ser capaz de obter um exemplar de qualquer livro escrito por uma pessoa negra desde 1900. Era verdade que almofadinhas vestidos de modo esportivo ficavam na esquina da rua 125 com a Sétima avenida dizendo: "Got horse for the course and coke for your hope"[8], mas, do outro lado da rua, homens vestidos de forma conservadora contavam às multidões preocupadas sobre a natureza satânica das pessoas brancas e sobre a divindade de Elijah Muhammad. Mulheres e homens negros começaram a usar estampas africanas multicoloridas. Eles se movimentavam pelas ruas do Harlem como velas resplandecentes em um mar escuro.

Eu também sabia que pouquíssimas pessoas caçoavam ou davam leves cotoveladas em quem estava ao lado quando notavam o meu estilo de cabelo natural.

Os donos inteligentes de lojas de eletrodomésticos deixavam seus aparelhos de TV nos canais que transmitiam as notícias da Organização das Nações Unidas (ONU). Eu tinha visto pessoas negras paradas em frente a essas lojas assistindo aos rostos de diplomatas internacionais. Embora nenhum som escapasse até as ruas, a multidão atenta aparecia. Certa noite, aguardei com um grupo de estranhos perto da avenida St. Nicholas. O clima era de esperança, como se logo uma promessa fosse se cumprir. A multidão se apertou, ficou junta e aproximou-se da janela, enquanto uma pequena figura escura aparecia em todas as telas ao mesmo tempo. A figura era um homem africano vestindo uma toga estampada, caminhando com dignidade teatral em direção à câmera. A plateia da calçada estava quieta, mas tensa. Quando o rosto do homem estava perceptível, e parte de seu cabelo, nítida, a multidão começou a falar.

"E aí, Alex. E aí, mano."

"Ele é uma coisinha bonita."

"Aquele africano anda como Deus em pessoa."

"Hum. Isso não é qualquer coisa."

A boca do homem se moveu e a multidão se acalmou, como se lesse seus lábios. Embora fosse impossível entender a mensagem, seu ar de desdém não passou despercebido pelos telespectadores.

---

8   "Cada cavalo em sua pista e coca para suas esperanças", em tradução livre. (N. E.)

Uma mulher corpulenta riu e brincou: "Eu gostaria de saber o que aquele preto bonito está dizendo".

Um homem na parte de trás da multidão grunhiu: "Inferno. Ele está apenas dizendo para todos os caipiras racistas do mundo beijarem a bunda preta dele".

O riso estourou espalhafatosamente na rua. Risos imediatos e que parabenizavam a si mesmos.

Schiffman estava no Harlem desde o início do Apollo. Ele firmou os primeiros contratos de vários artistas negros que se tornaram internacionalmente famosos. Algumas pessoas da região disseram que ele era boa pessoa e que tinha amigos negros. Ele entendia quem jogava os dados, quem participava dos jogos e quem era justo e respeitável. Mas ele não era negro. E estava inserido demais no Harlem que tinha ajudado a moldar, a ponto de não perceber que aquela área estava saindo do seu controle e até mesmo da sua compreensão.

"Uhuru" definitivamente seria o meu bis.

Felizmente, minha primeira apresentação foi às 13 horas de uma segunda-feira. Cerca de quarenta pessoas se sentaram titubeantes em um auditório que comportava setecentas. A *big band* de Tito Puente ecoou na sala com o volume de uma orquestra sinfônica ampliada. O comediante contou suas piadas para diversão própria e o pequeno público respondeu como se ele fosse o sobrinho favorito se apresentando na sala de estar da família. O dançarino de sapateado enviou uma mensagem privada no código "calcanhar e ponta do pé", e o público a respondeu com aplausos. O cantor apresentou um arranjo no estilo de Billy Eckstein e foi bem recebido.

Caminhei até o palco usando meu vestido de chiffon azul-celeste e salto alto azul, tingido para combinar.

As primeiras canções calipso extraíram apenas respostas educadas, mas quando cantei um blues sulista, com muitos gemidos e conteúdo profundo, o público gritou para mim: "Diga a verdade, querida". E "Cante, gatinha alta e magra. Cante a sua música". Eu era deles e eles eram meus. Cantei a memória racial e estivemos unidos por séculos de pertencimento. Minha última canção foi "Baba Fururu", uma música religiosa cubana, ensinada a mim por Mongo Santamaria um ano antes, quando me juntei a Puente em uma turnê por seis teatros do leste. Falando apenas algumas palavras em inglês, Mongo me ensinou a canção sílaba por sílaba. Embora não pudesse traduzir a letra, ele disse que a música era usada em rituais religiosos de cubanos negros.

Aquele primeiro público do Apollo consistia em avós, que criavam os filhos de seus próprios filhos ausentes, mulheres jovens que recebiam auxílio social, boas demais para roubar e tímidas demais para se prostituir, e rapazes que haviam se tornado desnecessários.

A canção afro-cubana ignorou a esperança e se deitou no desespero. As notas melancólicas se curvaram e se tornaram a passagem do meio. Elas ficavam desanimadas, e lamentavam sobre a pobreza e sobre como era ser odiado. O público do Apollo gritou. Ele tinha entendido. Quando voltei e anunciei que meu bis era outra canção africana, chamada, em suaíli, "Liberdade", eles aplaudiram, prontos para irem comigo àquela terra desejada.

Expliquei: "Se acredita que merece a liberdade, se a deseja de verdade, se acredita que ela deveria ser sua, você deve cantar:

'Uhu uhuru oh yea freedom
Uhu uhuru oh yea freedom
Uh huh Uh hum'".[9]

Willie Bobo, Mongo e Juliano definiram tempos de quatro por quatro, cinco por quatro e seis por quatro na conga, nos timbales e nas maracas, e eu comecei a cantar. Eu me inclinei para trás nos ritmos e comecei:

"O sawaba huru
O sawaba huru
O sawaba huru."

---

9   "Uhu uhuru, oh, sim, liberdade/ Uhu uhuru oh, sim, liberdade/ Uh huh Uh hum." (N. T.)

Eu me juntei à plateia no refrão:

"Oh yea, oh yea freedom
uh huh
uh hum
uh hum
uh hum".

O público cantou de maneira apaixonada. Ele estava sob a minha voz, diante da minha voz. Sua compreensão ia além da minha própria compreensão. Eu era a cantora, a artista, e aquelas eram as pessoas que resistiam. Elas me aceitaram porque eu estava cantando o hino e carregando a bandeira.

Na noite da primeira apresentação, vi o poder da videira negra. Durante a apresentação das seis da tarde, alguém gritou da plateia: "Cante a liberdade, cante a liberdade". Esse era o meu bis, então eu tinha de cantar a lista de canções que eu tinha planejado. O público aplaudiu até que eu voltasse. Comecei: "Se acredita que merece a liberdade. Se..."

"Uh huh uhuru yea freedom
uh huh uhuru yea freedom
uh huh uhuru yea freedom
uh huh, oh yea free-dom."

O público já sabia toda a letra. "Só um minuto. Alguns de vocês conhecem a música, mas me deixem explicá-la para as pessoas que não a conhecem."

Uma voz da plateia gritou: "Tudo bem, mas não demore. Estamos prontos para cantar".

Continuei a explicação, e os tambores começaram.

O público pisava no ritmo, movendo-o, controlando e possuindo a música, a orquestra e a mim.

"Uh, uh, oh huh.
O yea, freedom,
Uh huh. Uh huh."

Assim que a música terminou, a pequena multidão trovejou uma apreciação efusiva. Mesmo enquanto eu fazia uma reverência, sabia que o aplauso era apenas em parte para mim. Eu tinha sido apenas a ignição que acendeu o fogo deles. Era a nossa história, a nossa passagem dolorosa e o presente irregular que ardiam luminosamente no teatro escuro.

Durante seis dias e com três apresentações por dia, a resposta barulhenta se repetiu. No último dia da temporada, John e Grace trouxeram Guy, Barbara e Chuck Killens. Assisti aos três adolescentes por meio de um vão na cortina. As séries do comediante estavam além de sua compreensão, os lamentos do cantor sobre um amor não correspondido não lhe prenderam a atenção. O dançarino de sapateado fazia sua apresentação complicada parecer fácil demais. Quando subi ao palco, o exotismo de ver uma pessoa familiar em um ambiente infamiliar não prendeu sua atenção nos primeiros minutos. Antes que eu terminasse minha primeira música, olhei para baixo e vi os três murmurando entre si. Quando terminei, porém, as crianças se juntaram energicamente ao público em "Uhuru", não cantando a música, mas gritando as palavras. A voz fraturada e desigual de Guy perfurou bem acima do som do conjunto. Schiffman estava certo e errado. Algumas pessoas cantaram melhor do que eu, mas ninguém riu de mim no palco.

Depois que os Killens e Guy saíram do meu camarim, me preparei para a última apresentação. Eu sabia que nunca mais faria outra aparição como cantora. Havia apenas um Teatro Apollo, e nenhum outro lugar tinha o fascínio para dissolver a minha determinação. Embora a temporada tivesse me dado estatura entre os meus conhecidos de Nova York, seu valor real estava na confiança que tinha me proporcionado. Eu não tinha conquistado a fama mundial nem adquirido riqueza colossal, mas estava deixando a indústria do entretenimento na hora certa: me demitindo no auge do palco do Apollo. E o diabinho do "eu te disse" tinha sorrido por trás dos meus olhos ao longo de toda a semana. O público do Apollo estava enchendo os ouvidos de Frank Schiffman com "Ah, sim, sim, liberdade", então ele não falou comigo desde a noite de estreia. Seria um momento de aleluia quando ele me entregasse meu cheque. Terminei a série e esperei na coxia enquanto o público gritava pelo meu retorno. Voltei ao microfone e comecei: "Obrigada, senhoras e senhores. Esta última canção precisa da participação do público. É uma música da África. Chama-se 'Uhuru', que significa 'liberdade'. Gostaria que as pessoas deste lado do teatro cantassem: 'Uh, uhuru, oh, sim, liberdade'". Os tambores rufaram em uma promessa rápida. "E deste lado..."

"Droga, por que não faz sua apresentação, garota? Se não consegue cantar, volte na quarta-feira, que é a noite dos amadores."

A voz do homem veio do balcão, estridente e perfurando o teatro escuro como uma luz inesperada. Meu coração martelava e eu não conseguia pensar em nada para dizer. Algumas risadas ao redor da sala o encorajaram.

"De qualquer maneira..." — sua voz era mais malvada e alta — "... de qualquer maneira, se gosta tanto da África, por que não volta para lá?"

A única coisa que eu sabia era que nunca sairia do palco. A eternidade do inferno me encontraria enraizada na frente do microfone mudo, meus pés grudados no chão. O holofote azul-bebê me cegando e me segurando para sempre naquele lugar. Um resmungo começou no balcão e foi acompanhado por sons de descontentamento no andar principal. Eu ainda não conseguia me mover. De repente, uma voz de limão azedo vinda das primeiras fileiras gritou: "Cale a boca, seu canalha. Paguei para entrar aqui".

Alguns "sim" e "é isso aí" surgiram no teatro.

Eles irritaram o meu detrator. Ele gritou: "Vá para o inferno, sua vagabunda velha. Também paguei por essa merda".

"Ah, calma, caramba. Deixa a mulher cantar", a voz grave de um homem ordenou na parte de trás. "Sim." Outro homem falou do balcão e soou perigosamente perto do intrometido. "Sim, se você não está gostando, abaixa a sua bunda no palco e faça o que você consegue fazer."

Era isso. Ou haveria uma luta sangrenta com cortes e tiros, ou o intrometido ia subir no palco, pegar o microfone e me fazer parecer ainda mais tola do que eu pensava que era. Fiquei surpresa ao perceber que os músicos ainda estavam tocando.

A mulher, minha primeira defensora, levantou sua voz...

"Liberdade, liberdade, liberdade."

Ela estava no andamento, mas a melodia estava errada.

Mais vozes se juntaram: "Liberdade, Liberdade". Os tambores rolaram como um rio irado. "Liberdade, Liberdade." Os cantores na plateia aumentaram. "Liberdade." Todo o andar principal parecia ter se juntado aos tambores. Ficaram do meu lado e tiraram a música de mim.

A voz grave cortou a música: "Cante, garota, caramba, cante a maldita canção".

Cantei "O sawaba huruy, O sawaba huru. Oh yea. Oh yea, freedom". Não cantamos a canção que Olatunji me ensinou, mas cantamos alto e gloriosamente, como se aquilo sobre o que cantávamos já estivesse em nossas mãos. Meu show de encerramento me lembrou do conselho de mamãe: "Já que você é negra, você tem que esperar pelo melhor. Esteja preparada para o pior e sempre saiba que tudo pode acontecer".

Quando Schiffman me entregou meu cheque, nós dois sorrimos.

Capítulo 4

Eu achava que Godfrey Cambridge era um dos homens mais bonitos que eu já tinha visto. Suas feições tinham a imutabilidade de uma máscara do Benin e seus dentes brancos eram como uma bandeira de trégua. Sua pele tinha o tom da rica terra preta ao longo do rio Arkansas. Ele era alto e grande e falava inglês com o sotaque proeminente de alguém nascido em Nova York, descendente de pais caribenhos. Ele era, definitivamente, o amor da minha vida.

Fomos apresentados em uma festa no Greenwich Village. Ele disse que era um ator desempregado e, como confundi sua curiosidade com interesse romântico, investi. Trocamos número de telefone e, quando liguei e o convidei para jantar, ele aceitou. Guy e Godfrey se tornaram uma dupla nos primeiros dez minutos. Guy gostou das histórias engraçadas de Godfrey sobre seu trabalho como motorista de táxi e suas aventuras fazendo testes para musicais de pessoas brancas. Fizemos uma refeição com quatro pratos (sempre usei a minha comida para realçar minha atração sexual) e rimos muito. Depois que Guy foi para a cama, Godfrey e eu nos sentamos na sala de estar para ouvir discos e beber café com conhaque. Para minha decepção, as piadas continuaram. Godfrey falou sobre passageiros malucos, atores egoístas e diretores tirânicos, e cada história conduzia para um arremate que pedia risadas. As histórias tornaram-se mais forçadas e o tempo passou com hesitação. Apesar da minha disponibilidade, da comida servida e da minha boa vontade, nós juntos não acendemos fogos apaixonados.

Quando o deixei sair de casa, ele me deu um beijo de irmão, e o risquei da minha lista de possibilidades.

A igreja do Harlem estava cheia, com pessoas em pé no fundo. Algumas pessoas brancas sentavam-se nas fileiras do meio, rigidamente, sem se mover, sem se virar para olhar para as pessoas negras, que zumbiam como abelhas nas colmeias. Godfrey e eu viemos ouvir o reverendo Martin Luther King Jr. Ele tinha acabado de ser libertado da prisão e estava em Nova York para arrecadar dinheiro para a Conferência da Liderança Cristã do Sul (CLCS) e conscientizar as pessoas que moravam nos estados do norte sobre a luta travada nos estados do sul.

Cinco homens negros marcharam em fila única rumo ao púlpito, a solenidade deles foi um impedimento perfeito para as boas-vindas estridentes do público.

O pastor anfitrião apresentou Wyatt Walker, um pregador batista que achei bonito demais para a virtude e jovem demais para a sabedoria. Ele falou com uma voz puramente batista sobre o Alabama e a luta honrada por justiça. Fred Shuttlesworth, outro pastor atraente, foi apresentado. Conjecturei se a CLCS tinha uma política de manter os pregadores feios em casa e enviar apenas os bonitos para o norte. Shuttlesworth inclinou seu corpo magro sobre o púlpito, projetando para o público um rosto preto de falcão. Suas palavras eram afiadas e sua voz, acusatória. Ele se tornou um machado feito de homem. Talhando a nossa segurança geográfica. O que estávamos fazendo na cidade de Nova York, enquanto crianças negras eram atacadas por cães, mulheres negras eram estupradas e homens negros, mutilados e mortos? Achávamos que a cidade de Nova York poderia escapar da justa ira de Deus? Esta era a nossa chance de nos juntarmos à cruzada sagrada, pegar o desafio lançado pelo ódio e carregá-lo através do sangrento campo de batalha rumo à região em que havia paz, justiça e igualdade para todos. O público se levantou e o reverendo Shuttlesworth se sentou.

Ralph Abernathy foi apresentado na sequência. Ele se moveu lenta e silenciosamente em direção ao púlpito. Ficou parado por alguns segundos, observando suas mãos, que descansavam em cima da mesa. Sua voz foi uma surpresa e sua entrega, um choque. Ele não tinha a intensidade de Walker ou a raiva de Shuttlesworth. A mensagem dele foi nítida e rápida, e, de uma forma desconcertante, a mais poderosa. O sul estava em fase de mudança, e todos deveriam pagar por ela porque todos se beneficiariam com a mudança. Como cristãos, todos devíamos estar prontos para a mudança porque, se pensássemos bem, Jesus foi a maior mudança da História. Ele mudou a ideia do "olho por olho e dente por dente". Expulsou os mercadores do templo porque estavam enganando o povo e ensinou a perdoar até mesmo os inimigos. O reverendo Abernathy lembrou ao público que é somente com Deus que podemos desenvolver a coragem para modificar o imutável. Quando ele se moveu, pesadamente, lentamente para o seu assento, houve um longo momento em que o público permaneceu sentado ainda. Como suas palavras não tinham sido revestidas de paixão ou modeladas em uma prosa eloquente, demoraram mais para serem engolidas. O reverendo anfitrião se levantou de novo e todos os sussurros pararam. A sala prendeu a respiração.

O pregador nos contou o que já sabíamos sobre Martin Luther King, os perigos que havia corrido e as vitórias que havia conquistado. Os ouvintes não se mexeram. Havia uma expectativa gritante sob a quietude. Ele estava lá, nosso próprio homem, negro, inteligente e destemido. Ele nasceria para nós em um momento. Ele se levantaria por trás do púlpito, completamente crescido, e justificaria os anos de sacrifício e os dias de humilhação. Ele era o melhor que nós tínhamos, o mais brilhante e o mais bonito. Talvez hoje seja o dia em que nos encontraremos livres.

A introdução terminou e Martin Luther King Jr. se levantou. A plateia, coletivamente, perdeu a compostura, os bancos rasparam no chão quando as pessoas se levantaram, recuando, empurrando, inclinando-se para a frente, gritando.

"Sim, Senhor. Venha, doutor King. Apenas venha."

Uma mulher baixa e corpulenta, vestida de vermelho, que estava sentada ao meu lado, me agarrou pela cintura e me apertou. Ela olhou para mim como se fôssemos velhas amigas e sussurrou: "Se eu nunca mais respirasse, poderia morrer feliz".

Ela me soltou e pegou o braço de um homem à sua direita, puxando o braço para o peito dela, segurando-o e murmurando: "Está tudo bem agora. Ele está bem aqui e está tudo bem".

Martin Luther King Jr. ficou na plataforma, longe do pódio, permitindo ao público uma visão completa de seu corpo. Ele olhou para o público, sorrindo, aceitando a adulação, mas estranhamente distante dela. Depois de um minuto, ele caminhou para atrás do púlpito e ergueu as duas mãos. Este foi ao mesmo tempo um gesto de rendição e de repressão. A igreja ficou quieta, mas as pessoas permaneceram de pé. Tentavam encher os olhos com a visão do homem.

Ele sorriu de maneira calorosa e abaixou os braços. A plateia se sentou de imediato, como se presa por fios invisíveis às pontas de seus dedos.

Martin Luther King Jr. começou a falar, sua voz rica e sonora. Ele trouxe saudações de nossos irmãos e irmãs de Atlanta e Montgomery, de Charlotte e Raleigh, de Jackson e Jacksonville. Muitos de vocês, ele nos lembrou, são do sul e ainda têm laços com a região. Em algum lugar, havia uma velha avó à espera. Tios, primos, amigos. Ele disse que o sul do qual talvez nos lembrássemos se fora. Havia um novo sul. Um sul mais violento e feio, uma região onde nossas irmãs e nossos irmãos brancos tinham pavor de mudanças, mudanças inevitáveis. Preferiam arranhar a terra com os dedos ensanguentados e tomar seu documento mais precioso, a Declaração de Independência, e jogá-lo no oceano mais profundo, enterrá-lo sob a montanha mais alta ou queimá-lo no incêndio mais flagrante a admitir a justiça em um lugar à mesa de boas-vindas e o mesmo tratamento em uma pousada vazia.

Godfrey e eu nos aproximamos até nossos ombros e coxas se tocarem. Fitei-o e vi lágrimas brilhando em seu rosto negro.

O reverendo King continuou, entoando, cantando sua litania profética. Éramos um só povo, indivisíveis aos olhos de Deus, responsáveis por nós mesmos e pelos outros.

Nós, o povo negro, o mais deslocado, o mais pobre, o mais caluniado e açoitado, recebemos a tarefa gloriosa de recuperar a alma e salvar a honra do país. Nós, os mais odiados, devíamos pegar o ódio nas mãos e, mediante o milagre do amor, transformar a aversão em amor. Nós, os mais temidos e apreensivos, devíamos tomar o medo e, mediante o amor, transformá-lo em esperança. Nós, que morríamos diariamente de maneiras grandes e pequenas, devíamos pegar o demônio da morte e transformá-lo em vida.

Sua cabeça foi jogada para trás e suas palavras rolaram com o estrondo de um trovão. Tínhamos de orar sem cessar e trabalhar sem cansar. Tínhamos de saber que o mal não ficaria para sempre no trono. Essa certeza, jogada ao chão, se levantará, se levantará de novo e de novo.

Quando terminou de nos lavar com suas palavras, acariciando com seu otimismo nossos corpos cicatrizados, ele nos persuadiu ao cantar "Oh, Freedom".

Estranhos se abraçaram com força; homens e mulheres choraram abertamente, engasgando-se com os soluços; outras pessoas riram com as ondas de espírito e com a deliciosa maré de emoção.

Godfrey e eu caminhamos do Harlem até o rio Hudson quase em silêncio. De vez em quando, ele passava o braço em volta do meu ombro ou eu pegava sua mão e a apertava. Estávamos confirmando. Sentamo-nos em um banco com vista para a água vagarosa.

"Então, qual é o próximo passo? O que vamos fazer sobre isso?" Godfrey chegou primeiro a essas perguntas, e eu não tinha resposta. "Temos que fazer alguma coisa. O reverendo King precisa de dinheiro. Você sabe muito bem que não vamos descer até lá e enforcá-los, só para algum xerife racista vir e arrancar nossa cabeça. E não vamos parar em nenhuma prisão do sul. Então, o que vamos fazer?"

Ele perguntava para o vento, para o rio escuro e para si mesmo. Respondi: "Poderíamos reunir alguns atores, cantores e dançarinos". Anos antes, os musicais de Hollywood tinham mostrado como os jovens talentos desconhecidos faziam, sem dinheiro, shows gloriosamente bem-sucedidos e, embora eu tivesse mais de trinta anos, ainda acreditava na fantasia juvenil.

Godfrey disse: "Podemos fazer um show, talvez apresentá-lo durante o verão". Quando sorriu pelo nosso sucesso futuro, mostrou que era tão jovem e fantasioso quanto eu. Godfrey tinha um amigo, Hugh Hurd, um ator que conhecia todo mundo e tinha habilidades organizacionais fabulosas. Ele falaria com Hugh. Havia muitos cantores da *Porgy and Bess* que não trabalhavam desde o fim da ópera, e concordei em falar com eles.

Ocorreu-nos que deveríamos obter a permissão das pessoas da CLCS para arrecadar dinheiro em seu nome. Godfrey disse que, como eu era a cristã, deveria ser eu a fazer o contato.

Em uma hora, nossos planos foram traçados. Eu escreveria uma apresentação, Godfrey faria uma esquete engraçada e nós a produziríamos. Hugh Hurd, se concordasse, cuidaria da direção. Pagaríamos aos artistas e a nós mesmos o valor da tabela sindical, e todo o restante do dinheiro iria para a CLCS. Não tínhamos ideia de onde seria o show, quem se apresentaria, quanto cobraríamos ou mesmo se a organização religiosa aceitaria nossas intenções. Tinha muito o que ser feito e precisávamos começar.

Os escritórios da CLCS ficavam em uma intersecção da rua 125 com a Oitava Avenida, no centro do Harlem. Eu tinha telefonado e marcado um horário para falar com Bayard Rustin. Enquanto subia as escadas empoeiradas até o segundo andar, ensaiei o discurso que havia experimentado com John Killens. "Senhor Rustin, quero dizer primeiro que não apenas eu e meu colega, Godfrey Cambridge, apreciamos e elogiamos as atividades do reverendo Martin Luther King e da CLCS, mas também que admiramos o seu próprio trabalho no campo das relações raciais e dos direitos humanos." John me disse que Bayard Rustin liderou marchas de protesto nos Estados Unidos durante os anos 1940, trabalhou para melhorar a condição da casta dos intocáveis da Índia e era membro da War Resisters' League. "Queremos lhe mostrar nosso apreço e apoio fazendo um show aqui em Nova York. Um show que destacaria o significado da luta e, ao mesmo tempo, arrecadaria fundos para a Conferência da Liderança Cristã do Sul." Ele não poderia recusar a oferta.

No alto da escada, uma recepcionista, sentada atrás de uma mesa de madeira empenada, me informou que o senhor Rustin tinha sido chamado para uma missão de emergência, mas que Stanley Levison me atenderia. Fiquei estática. Ainda poderia usar o meu discurso? Levison parecia um sobrenome judeu, mas John Levy e Billy Eckstein eram homens negros com sobrenomes judeus.

A mulher falou ao telefone e depois apontou para uma porta. "O senhor Levison vai recebê-la agora."

Ele era baixo, corpulento, bem-vestido e branco. Eu tinha vindo conversar com alguém negro sobre como Godfrey e eu, também negros, poderíamos ajudar a nós mesmos e a outros negros. O que havia para dizer a um homem branco?

Stanley Levison esperou. Seu rosto quadrado inexpressivo, seus olhos diretos, sem remorso.

Comecei: "Sou uma cantora. Quero dizer, eu era cantora, agora sou escritora. Quero ser escritora...". Meu equilíbrio tinha desaparecido e eu me odiava. Como eu poderia sonhar em enfrentar uma terra cheia de fanáticos, quando enfrentar um homem branco solitário me deixava confusa?

"Sim, e como a CLCS poderia ajudá-la?" Ele notou minha indecisão. Em desespero, saltei para o meu discurso preparado. "Quero dizer primeiro que não apenas meu colega, Godfrey Cambridge, e eu..."

"Ah, o comediante, Cambridge. Sim, já o ouvi." Levison recostou-se na cadeira.

"... apreciamos e apoiamos..." Cortei a parte sobre Bayard Rustin e terminei com "e arrecadar fundos para a CLCS".

Levison avançou. "Onde a apresentação será exibida?"

"Uh." Droga, eu tinha sido pega novamente. Se ao menos Bayard Rustin estivesse no escritório, eu poderia contar com alguns minutos durante os quais ele me agradeceria por saber quem ele é e apreciar o que ele já tinha feito.

"Ainda não temos um teatro em mente, mas teremos. Pode apostar a sua vida que teremos um." A insegurança estava me deixando furiosa.

"Deixe-me chamar alguém. Ele é escritor e talvez seja capaz de ajudá-la." Ele pegou o telefone. "Peça a Jack Murray que venha ao escritório, por favor." Ele desligou o telefone e perguntou, com um pouco de interesse: "E o que você sabe sobre a CLCS?".

"Eu estava na igreja ontem. Ouvi o doutor King."

"Ah, sim. Foi um ótimo encontro. Infelizmente, não arrecadamos o dinheiro que esperávamos."

A porta foi aberta e um pequeno homem de calça marrom, camisa aberta e paletó esportivo entrou, apressado.

"Jack Murray" soava como o nome de alguém negro, mas ele era tão branco quanto Stanley Levison.

"Sim, Stanley. O que é?"

Levison se levantou e, acenando o braço em minha direção, disse: "Esta é a senhorita Angelou. Maya Angelou. Ela tinha uma reunião agendada com o Bayard, mas ele foi chamado. Ela teve uma ideia. Maya, este é Jack. Ele também trabalha na CLCS".

Eu me levantei e ofereci a mão para Murray, e observei o sorriso de um garotinho cruzar seu rosto de meia-idade.

"É um prazer em conhecê-la, senhorita Angelou. Qual é a sua ideia?"

Expliquei que gostaríamos de apresentar um espetáculo, uma espécie de teatro de revista, usando todos os bons talentos disponíveis, e que planejávamos desenvolver isso sobre o tema da libertação.

Stanley Levison riu pela primeira vez. "Agi bem ao chamar o Jack. Você sabe alguma coisa sobre o *Pins and Needles*?" Eu não sabia, então ele me contou que Jack Murray esteve envolvido com o *Pins and Needles* nos anos 1930, que se tornou um espetáculo da Broadway, mas tinha como base os problemas da classe trabalhadora.

"Você tem um teatro?" Mais uma vez, tive que confessar que nós, meu colega e eu, não tínhamos chegado tão longe.

"Qual é o tamanho do elenco? De quanto tempo precisam para ensaiar?" Seu tom era amigável, mas, se eu confessasse que até agora nossos planos tinham ido tão longe quanto uma conversa emotiva às margens do rio Hudson, os dois homens brancos me achariam infantil.

Eu disse: "Temos vários atores e cantores em espera. Meu amigo está fazendo os contatos". Tagarelei sobre a necessidade de manter um bom elenco, mas pequeno, para que sobrasse uma quantia substancial de dinheiro para a Conferência da Liderança Cristã do Sul.

Quando Jack Murray teve uma chance para falar, repetiu: "De quanto tempo precisam para ensaiar?". Falei o primeiro pensamento que se ofereceu para mim: "Duas semanas".

Stanley tossiu. "É um período curtíssimo de ensaio, não?"

Fitei-o, e ele parecia tão firme quanto o prédio de um banco. Talvez ele estivesse certo. Duas semanas poderiam não ser tempo suficiente, mas meu ego estava em jogo.

"Só artistas negros vão participar. Pessoas profissionais." A minha intenção era interromper o interrogatório irritante e colocar os dois homens brancos de volta à raça branca à qual pertenciam.

Stanley riu. "Ah, senhorita Angelou, você certamente não está tentando nos dizer que os artistas negros não precisam do mesmo tempo que os artistas brancos porque são naturalmente dotados de talento, né?"

Isso foi exatamente o que eu disse e exatamente o que eu quis dizer. Mas soava errado saindo da boca de um homem branco. A arrogância me impedia de me retratar e estava prestes a me direcionar a um canto do qual não havia escapatória.

"Artistas negros tiveram que ser dez vezes melhores do que qualquer outra pessoa, historicamente..."

A voz de Jack Murray flutuou com suavidade no meu discurso: "Senhorita Angelou, eu te garanto, você não precisa converter os convertidos. Historicamente, os explorados, os escravizados, os grupos minoritários tiveram que se esforçar mais e ser mais qualificados para serem considerados na corrida. Stanley e eu entendemos isso. É por isso que somos voluntários em tempo integral na CLCS. Porque nós entendemos".

Fiquei grata por suas palavras serem inteligentes e por sua voz ser serena; nos dezoito meses seguintes, eu me encontraria com frequência em dívida com Jack Murray por me lançar boias salva-vidas enquanto eu me debatia nos mares da confusão ou da frustração.

"Você conhece o Village Gate?" Todos os artistas nos Estados Unidos já tinham ouvido falar do clube noturno do Greenwich Village, onde era possível encontrar Lenny Bruce, Nina Simone e Odetta se apresentando na mesma noite.

Murray disse: "Art D'Lugoff é o dono do lugar, e ele é um cara bacana. Em geral, há alguns dias não reservados durante o verão. Depois que seus planos estiverem um pouco mais avançados, talvez possamos marcar uma pequena reunião com o Art. Quando vocês esperam estar prontos?".

"Tudo de que precisávamos era a permissão da sua organização. Estaremos prontos em alguns dias. Quando posso encontrar o senhor Rustin?"

Havia algo errado em pedir permissão a homens brancos para trabalhar por minha própria causa.

Levison olhou para mim e, sem responder, pegou o telefone. "O senhor Rustin já voltou? Ótimo. Deixe-me falar com ele."

Esperei enquanto ele continuava: "Bayard, tenho uma jovem aqui que vai encenar uma peça para arrecadar dinheiro para a organização... Certo. Ela tinha um horário agendado. Está indo falar com você agora".

Apertei a mão dos dois homens e saí do escritório. Stanley Levison não disse "quer encenar uma peça", mas "vai encenar uma peça". Uma permissão indireta, admito, mas era para isso que tinha ido até lá.

Bayard Rustin se levantou, apertou minha mão e me deu as boas-vindas.

"Senhorita Angelou? Ah, hum, desculpe, eu não estava aqui quando você chegou. Stanley disse que você tem uma peça. Sente-se. Quer um café? Tem dinheiro para sua produção? Cachê? Um teatro? Qual é a mensagem da peça? Embora nós, da CLCS, sejamos gratos por todos os esforços, compreensivelmente o que a peça diz ou não diz pode ser mais importante do que o dinheiro que arrecada. Entende?" As palavras saíram agudas da sua boca, rápidas, cortadas pelo sotaque de um sargento do exército britânico. Ele era alto, magro, de pele marrom-escura e com boa aparência.

Expliquei de novo, revelando um pouco mais para Bayard do que para Stanley ou para Jack. Nem Godfrey nem eu tínhamos qualquer experiência em produzir uma apresentação, mas tínhamos contatos e, se a CLCS tinha nos dado o sinal verde, era exatamente isso que faríamos. Acrescentei que Jack Murray tinha se oferecido para interceder junto a Art D'Lugoff e, se desse certo, usaríamos o Village Gate como teatro.

Bayard assentiu com a cabeça e me disse que, primeiro, teria que ver o roteiro e, se fosse aceitável, a CLCS aprovaria e até nos emprestaria sua lista de contatos.

O telefone tocou antes que eu pudesse expressar meus agradecimentos entusiasmados. Depois de falar brevemente ao telefone, ele se levantou e estendeu a mão para mim.

"Senhorita Angelou, é uma ligação importante de Atlanta. Por favor, me desculpe. Me envie o roteiro o mais rápido possível. Obrigado e boa sorte."

Ele voltou a se sentar enquanto trocávamos o aperto de mão, com a atenção voltada para o telefone.

Eu já estava na rua. Ansiosa para falar com Godfrey. Tínhamos a autorização, talvez tivéssemos um teatro, tínhamos o desejo e o talento. Agora só precisávamos de um elenco, músicos e um roteiro. Parei na esquina da rua 125. Droga, como se escreve um roteiro?

Godfrey levou Hugh a um restaurante na Broadway, onde havíamos marcado nossa reunião. Hugh comprovou a confiança de Godfrey; ele agiu de maneira eficiente. Sua pele era da cor de um coco inteiro, e ele parecia duro demais para quebrar.

Seu comportamento era uma contradição à sua juventude, mas Godfrey mais tarde me explicou que os pais de Hugh, caribenhos, eram donos de lojas de bebidas, e Hugh cresceu lidando com o estoque, com vendedores gananciosos, funcionários matreiros e clientes bêbados.

"Naturalmente", ele "apoiava Martin Luther King. Nenhum negro merecia ser jogado numa vala aberta e coberto de merda". Claro que ele dirigiria o show, mas precisava de autonomia absoluta. Certamente, ele trabalharia por um salário-mínimo e, se as coisas andassem bem, poderia contribuir com o valor para a CLCS, e onde diabos estava o roteiro?

Depois de uma semana, nossos planos tomavam forma. Godfrey tinha escalado os atores. Telefonei para cantores e dançarinos, Hugh arranjou os músicos, mas ainda não tínhamos um roteiro. Fiquei sentada até tarde tentando descobrir tramas no ar. Precisávamos de uma história que tivesse a complexidade de *Hamlet* e a pertinência de *A Raisin in the Sun*. Ideias simplórias surgiram rapidamente e tiveram que ser descartadas sem arrependimento. Minhas personagens tinham a previsibilidade de um filme desconhecido de vaqueiros e a ingenuidade de uma peça da escola dominical.

Godfrey, Hugh e eu encontramos Jack Murray no Village Gate. Art D'Lugoff, lembrando-me de um urso domesticado da Califórnia, disse que podíamos usar o teatro aos domingos, às segundas e às terças à noite. Teríamos que pagar o técnico de iluminação, a menos que contratássemos o nosso, mas D'Lugoff contribuiria com a sala de graça. A propósito, sobre o que era a peça e será que ele podia ver o roteiro?

Guy tinha encontrado um emprego de meio período em uma padaria das proximidades, e o amanhecer encontrava-o tomando banho e se vestindo, e eu, sentada à máquina de escrever, construindo uma sequência de enredos inaceitáveis e de personagens tão irreais que entediavam até a mim mesma.

Em uma manhã, Guy ficou olhando por cima do meu ombro para a página em branco na máquina de escrever.

"Mamãe, sabe, você pode estar tentando demais."

Eu me virei rapidamente e deixei escapar: "Isso é importante. É para Martin L. King, para a CLCS, para os negros de todos os lugares. Não existe 'tentar demais' nesse caso".

Ele recuou, magoado com a minha brusquidão. "Bem, estou apenas te lembrando de algo que você diz o tempo todo: 'Se não se encaixa, não force'. Tchau, estou indo para o trabalho."

Eu não batia em Guy desde que ele tinha sete anos. Agora que ele era um garoto alto de quinze anos, a tentação de esbofeteá-lo até que chorasse era quase irresistível.

John Killens era esperançosamente simpático e, infelizmente, inútil. "Você tem um teatro e nenhum dinheiro, uma causa e nenhuma peça. Sim. Você tem um baita trabalho diante de si. Boa sorte. Continue tentando."

O tempo e a necessidade me tiveram em suas garras. Os artistas com os quais entramos em contato ligavam todos os dias para Hugh ou para Godfrey; eles, por sua vez, me telefonavam, perguntando quando poderíamos começar os testes. Eu não estava trabalhando, então, aos quinze anos, Guy era o nosso único ganha-pão. O dinheiro dele nos fornecia comida, e John e Grace me emprestavam dinheiro para o aluguel, para que eu não tivesse que mexer na minha modesta poupança. Eu precisava do salário do American Guild of Variety Artists, que eu receberia assim que a peça começasse.

O desespero triunfou no dia em que Godfrey fez uma pausa na minha casa. Ele tinha deixado um passageiro no quarteirão seguinte e decidiu tocar minha campainha para ver se eu estava lá.

Quando abri a porta e me deparei com seu rosto, comecei a chorar. Ele entrou na sala de estar e me pegou nos braços.

"Já aconteceu de mulheres gritarem ao me ver e de algumas garotas rirem quando me aproximei de repente, mas nunca alguém desmoronou e começou a chorar." Ele estava dando tapinhas no meu ombro. "Você é a primeira, querida. Aprecio o que está fazendo. Você é a primeira. Chore. Chore com todo o seu coração. Estou gostando disso."

Tive que rir.

"Não, continue chorando. Vou anotar você no meu diário. Já ouvi falar de mulheres que choram quando um homem vai embora, mas você chora quando..."

O riso derrotou minhas lágrimas. Eu o levei até a sala e fui para a cozinha a fim de preparar café. Lavei o rosto e me recompus. As lágrimas foram uma surpresa tanto para mim quanto para Godfrey.

"Godfrey, não consigo escrever a peça. Não sei nem por onde começar."

"Bem, inferno, você começa com o Ato I, Cena I, da mesma forma que Shakespeare começou."

Minha garganta doía, e as lágrimas começaram a brotar por trás dos meus olhos.

"Não consigo escrever essa coisa maldita. Concordei em fazer algo que não consigo."

"Bem, então não faça. Ninguém vai morrer se você não escrever essa maldita peça. O fato é que seria melhor se você não escrevesse nenhuma palavra. Muitas pessoas ficariam gratas por não terem que assistir a mais uma peça ruim. Eu, pessoalmente, gostaria que muitos dramaturgos tivessem dito exatamente o mesmo que você. 'Não consigo escrever essa coisa maldita.'" Ele riu de si mesmo.

"Mas o que podemos fazer? A CLCS está esperando... Art D'Lugoff está esperando. Hugh e os artistas estão prontos. E eu sou o obstáculo."

Ele tomou o café e pensou por um minuto. "Vamos deixar os artistas fazerem suas apresentações. A maioria deles está desempregada há tanto tempo que pulará mais rápido do que uma vaqueira dançando quadrilha. Você não precisa escrever uma peça. Se tiver uma cena ou duas, pode oferecê-las a eles. Faremos um tipo de coisa de cabaré. É isso."

Quando percebi que a ideia de Godfrey era viável, o peso da tensão abandonou o meu corpo e, pela primeira vez em semanas, relaxei e meu cérebro voltou a trabalhar.

"Poderíamos lhes pedir canções, danças e movimentos corporais particularmente negros."

"Os velhos atos do Apollo. Algo como Redd Foxx e Slappy White.[10] Você sabe: 'Sou o Fox', e o outro diz: 'Eu sou o White',[11] aí Fox responde: 'Ou você é tolo ou é daltônico'."

As ideias foram surgindo. Não havia motivo para preocupação. Faríamos uma apresentação. Arrecadaríamos o dinheiro. A reputação que eu nem tinha não seria arruinada.

Godfrey olhou para o relógio. "Tenho que ir. Algum idiota sem um centavo no bolso está me esperando para levá-lo ao Bronx." Ele se levantou. "Esta pausa foi boa. Ajudei uma donzela em perigo. Talvez meu próximo passageiro me pague em moedas canadenses."

Paramos à porta e olhei para o táxi enferrujado e amassado, estacionado ilegalmente na frente da minha casa.

"Você poderia ter sido multado."

---

10   Comediantes estadunidenses. (N. T.)
11   Trocadilho com "branco". (N. T.)

Ele disse: "Isso teria sido a única coisa que me foi oferecida hoje. Você está bem agora. Temos uma apresentação. Um cabaré". Ele estava com a porta do táxi aberta.

Gritei: "Vamos chamá-lo de *Cabaré para a Liberdade*. Certo?".

"Sim, isso soa sério. Divertido e sério. Exatamente o que devemos ser. Até logo."

Tínhamos saído diretamente dos filmes. Éramos os talentos desconhecidos que, com apenas nossos bons corações e os dos nossos amigos, criaríamos uma apresentação de dar inveja aos grandes produtores. Nosso sucesso transformaria os corações dos tacanhos e nos tornaria famosos. Libertaríamos a nossa raça da escravidão ou, talvez, só salvaríamos o mundo inteiro.

No ensaio geral, Guy e Chuck sentaram-se comigo nas sombras do Village Gate. Cantores e dançarinos se moviam pelo palco, familiarizando-se com o tablado e com o microfone. Godfrey ficou sob as luzes, perto do palco, e Hugh Hurd sentou-se no fundo, vestido com a importância de ser o diretor.

Jay "Flash" Riley começou sua atuação de comédia. Seu rosto e seu corpo saltavam e deslizavam, e seus olhos abriam e fechavam no ritmo; suas falas eram engraçadas e inesperadas, aí os meninos do meu lado uivavam em apreciação. Mais tarde, uma cantora, Leontyne Watts, cantou uma música sensual e lamentosa sobre um homem amado e perdido, e me identifiquei com sua canção.

Embora eu não tivesse de fato amado e perdido, estava sozinha e até tinha perdido o caso de amor trivial que deixei em Los Angeles. Godfrey e eu nos moldávamos em uma amizade que não tinha espaço para romance. John Killens era concretamente casado; John Clarke estava interessado em outra pessoa e era, de qualquer forma, rígido demais para o meu gosto. Sylvester Leeks sempre me abraçava, mas nunca pedia o meu número de telefone. Se eu tivesse chance, poderia gemer algumas canções maliciosas. Eu vivia com os braços vazios e com pedras na cama. Só fui salva da abstinência absoluta por, acidentalmente, encontrar um músico que se lembrava de mim dos meus dias de turnê. Ele morava no Upper West Side e, uma vez por semana, eu visitava seu estúdio. Por causa das horas noturnas de seu trabalho, dormia até depois das duas da tarde. Ele me disse que preferia que eu o encontrasse enquanto ele acordava. Isso evitava que tivesse que arrumar o sofá duas vezes e tomar dois banhos no mesmo dia. Eu sempre saía satisfeita, então fiquei feliz em aceitar. Não apenas não estávamos apaixonados e só levemente desejosos, como também o nosso feroz encontro semanal parou um pouco antes de causar danos corporais um no outro.

Capítulo 5

Na noite de estreia, os espectadores ocuparam todos os lugares do cavernoso Village Gate. Os membros do Harlem Writers Guild chegaram com suas famílias e seus amigos e, depois de me desejarem boa sorte, sentaram-se perto do palco. Eu os imaginei, depois que as luzes da casa diminuíram, fazendo anotações copiosas e críticas no escuro. John e Grace Killens encheram as mesas com seus amigos famosos. Sidney e Juanita Poitier, e Danny Barajanos, Lorraine Hansberry, Bob Nemiroff, Ossie Davis e Ruby Dee, um editor do *Amsterdam News*, o jornal negro de Nova York, um advogado do Brooklyn e alguns políticos do Harlem.

Nos bastidores, o elenco reunido estava nervoso com a presença das celebridades e animado com a tensão esperada da noite de estreia. Bayard Rustin falou com os artistas usando sua voz firme e cortante, explicando a importância do projeto e agradecendo por sua arte e generosidade. Godfrey fazia piadas sobre a oportunidade de trabalhar, ser pago e fazer o bem, tudo ao mesmo tempo. Citei Martin Luther King: "A verdade lançada à terra ressurgirá", e então Hugh Hurd pediu que saíssemos para que ele tivesse uma conversa estimulante de última hora com o elenco.

A apresentação começou, e os artistas, iluminados com a atmosfera, subiram ao palco e brilharam. Confortáveis com o conteúdo de suas atuações, os comediantes fizeram o público uivar de prazer, e os cantores deliciaram os ouvintes com famosas canções românticas. O teatro de revista, que foi no que a apresentação se transformou, mudava com rapidez até que uma cena de Langston Hughes, de *The Emperor of*

Haiti, trouxe a primeira nota de seriedade. Hugh Hurd, interpretando o papel principal, lembrou a todos nós que, embora como negros tivéssemos dignidade e amor pela vida, essas qualidades deveriam ser constantemente defendidas.

Orson Bean, o único ator branco do elenco, se atrapalhou até o microfone e começou o que, no primeiro momento, pareceu uma lembrança desconexa. Em questão de minutos, o público agarrou a sua argumentação e riu em deleite. Leontyne Watts cantou uma versão *a cappella* de "Sometimes I Feel Like a Motherless Child", e todos sabiam que a letra queria dizer que a opressão tornou órfãos os negros americanos e nos forçou a viver como desajustados no mesmo país que havíamos ajudado a construir.

O elenco inteiro se organizou em linha reta e cantou "Lift every voice and sing...".

O público se manteve em apoio e respeito. Aqueles que conheciam a letra se juntaram, construindo e enchendo o ar com a canção frequentemente chamada de "The Negro National Anthem", ou "o hino nacional dos negros".

Após a terceira reverência, Godfrey me abraçou e sussurrou: "Temos um sucesso. Um sucesso, caramba, um sucesso".

Hugh Hurd disse: "Ele está de pé lá no meio".

Godfrey disse: "Inferno, mano, todo mundo que tem pés está de pé".

Hugh disse: "Ah, cara. Sei disso. Quis dizer que é o Sidney. Sidney Poitier está de pé em cima da mesa". Alguns de nós correram para a lateral, mas não conseguiram ver através da multidão que ainda se aglomerava em direção ao palco.

Na tarde seguinte, Levison, Godfrey, Hugh, Jack Murray e eu nos reunimos no escritório de Art D'Lugoff. Nós nos sentamos eretos nas cadeiras dilapidadas, orgulhosos do sucesso de *Cabaré para a Liberdade*.

Art disse que não só poderíamos usar seu clube noturno gratuitamente por cinco semanas, como também disponibilizaria sua lista de contatos. Stanley aceitou a oferta, mas disse que, infelizmente, não havia ninguém no escritório da CLCS para aproveitá-la. A pequena equipe paga estava inundada com o trabalho institucional, enviando apelos por mala direta e promovendo aparições de pastores sulistas visitantes. E isso foi lamentável, pois a lista de contatos incluía pessoas de Long Island e de Nova Rochelle. Pessoas que possivelmente não ouviriam falar do nosso teatro de revista, mas que o apoiariam e, talvez, até fizessem contribuições para a CLCS se conseguíssemos contato. Godfrey, Hugh e eu nos entreolhamos. Três homens brancos estavam dispostos a se lançar na nossa causa e tudo o que eu estava pronta para fazer era cantar e dançar ou, na melhor das hipóteses, encorajar outras pessoas a cantar e dançar. A situação era histórica demais para o meu gosto. Meu povo havia usado a música para abrandar o tormento da escravidão, para agradar a Deus ou para descrever a doçura do amor e a angústia da falta de amor, mas eu sabia que nenhuma raça poderia conquistar a liberdade apenas dançando e cantando.

"Cuidarei disso", falei, com autoridade.

Stanley se permitiu um pouco de surpresa na voz. "Está se voluntariando? Não podemos pagar um salário, você sabe disso."

Hugh disse: "Ajudarei da maneira que puder". Ele entendeu que simplesmente não podíamos deixar os homens brancos serem os únicos contribuintes.

Godfrey sorriu. "E, você sabe, eu também."

Jack disse: "Você vai ter que esboçar um comunicado e poderá datilografá-lo em estêncil. Temos um mimeógrafo no escritório".

Stanley continuou: "Podemos fornecer papel e envelopes, mas você vai ter que os endereçar à mão. Algum dinheiro que você já ganhou pode ser usado para postagem. Não podemos usar o medidor de postagem para o seu projeto, desculpe, mas ficaremos felizes em ajudá-los".

Eu não fazia ideia de como operar um mimeógrafo, nem sabia o que era um estêncil e um medidor de postagem. A única coisa que eu tinha entendido e que sabia que poderia fazer era endereçar os envelopes à mão. Mais uma vez, como maldição comum, eu havia aberto a boca um pouco demais.

Art apertou nossas mãos e me disse para pegar a lista de contatos no dia seguinte em um endereço no centro da cidade.

Lá fora, sob o sol da tarde, Stanley e Jack agradeceram novamente a nós e disseram que me veriam no dia seguinte. Eles chamaram um táxi.

Godfrey, Hugh e eu fomos para um bar do outro lado da rua. Hugh disse: "Você estava certa, garota. Fiquei orgulhoso de você, e você sabe que eu quis dizer o que disse. Estarei lá em cima para ajudar sempre que puder".

"Sim." Godfrey pagou as bebidas. "Mas você tem que entender. Não vou endereçar envelope algum. Se fizesse, minha caligrafia é tão ruim que os correios enviariam a correspondência para a Biblioteca do Congresso para emoldurar para a posteridade. Vou te levar a qualquer lugar que você queira ir. Ajudo você a colocar os papéis nos envelopes e vou até a sua casa jantar."

Contei a eles que nunca tinha trabalhado com um mimeógrafo. Hugh perguntou se eu poderia datilografar em um estêncil. Quando admiti que minha digitação com dois dedos se limitou a uma carta ocasional, eles me olharam com um alarme estupefato.

"Você tem uma ousadia do inferno. Você se voluntariou para 'cuidar disso' e não sabe merda nenhuma." Hugh falava mais com admiração do que com raiva.

"Ela sabe de tem que fazer isso. Que venha o inferno ou a Grande Muralha da China. Ela tem de fazer isso. Estou apostando em você, garota." Godfrey gritou para o barman: "Coloque essa música de novo, Sam. Para meus amigos e para mim".

Escrevi um anúncio simples de *Cabaré para a Liberdade*, listando os atores, os produtores e o diretor. O mimeógrafo era muito mais simples do que eu imaginava. Levei Guy ao escritório comigo no primeiro dia e ele explicou como a máquina funcionava. Os estênceis eram um pouco mais complicados, porém, depois de um tempo, percebi que tudo o que tinha de fazer era usar o tempo necessário — confessadamente, muito tempo — para digitar o texto. Logo Godfrey estaria levando centenas de envelopes para os correios da manhã e da tarde.

O Village Gate estava lotado até a sua capacidade para ver nosso teatro de revista. Os atores ficaram felizes e, depois de pagos, alguns tiraram notas de dinheiro do bolso, oferecendo-as para a **CLCS**.

"Fiz uma apresentação na semana passada. King precisa destes cinco dólares mais do que eu."

"Gasto o meu dinheiro com aquilo em que acredito. Não é muito, mas..."

O tempo, a oportunidade e a devoção estavam juntos. Atores negros, curvados sob o fardo do desemprego e de uma imagem monótona de Tio Tom[12] nas caracterizações cinematográficas e teatrais, tiveram a chance de refutar a reflexão e, ao mesmo tempo, atuar para o fim da discriminação.

Depois de *Cabaré para a Liberdade*, todos eles seriam contratados por produtores repentinamente conscientes e respeitosos. Depois que Martin Luther King conquistasse a liberdade para todos nós, receberiam salários dignos e ganhariam a cobertura da mídia que seus talentos mereciam.

"Me dê esse cheque. Vou assiná-lo para a CLCS. Vou ficar esta semana."

Era o despertar do verão de 1960, e todo o país estava em trabalho de parto. Algo maravilhoso estava prestes a nascer, e todos seríamos bons pais para a criança bem-vinda. Seu nome era Liberdade.

Então, muito cedo, o verão e o teatro de revista se encerraram. Os artistas voltaram aos trabalhos que haviam sido interrompidos: operar elevadores ou servir mesas. Alguns voltaram para o desemprego ou para as filas dos auxílios sociais. Ninguém foi contratado como ator principal em uma grande companhia teatral nem como ator coadjuvante em um pequeno grupo, nem mesmo como membro do coro em uma apresentação paralela à da Broadway. Godfrey ainda dirigia seu táxi que caía aos pedaços, Hugh continuou a trabalhar em turnos alternados nas lojas de bebidas da sua família e eu estava sem dinheiro de novo. Eu tinha aprendido a operar as máquinas de

---

12   Originário do termo em inglês "Uncle Tom", é um termo pejorativo usado para descrever americanos negros que são obedientes às figuras de autoridade dos americanos brancos e que buscam a integração com eles. O termo deriva da personagem principal do romance *A cabana do Tio Tom*, de Harriet Beecher Stowe. (N. T.)

escritório e a manter unido um grupo de pessoas talentosas e rebeldes, mas um verão inteiro se foi; eu estava desempregada e Guy precisava de uniformes escolares.

Durante a temporada do teatro de revista, Guy esteve livre para gastar seu salário de meio período em entretenimento de verão. Ele e Chuck Killens gastaram fortunas na Coney Island. Seguiram os mistérios das máquinas de pinball e aproveitaram a ausência de adultos para saciar todas as fantasias infantis por cachorro-quente e açúcar.

Embora Godfrey me encontrasse quando podia e me levasse ao Harlem ou de volta ao Brooklyn, o dinheiro usado para outros transportes e para os almoços no Franks na rua 125 comiam meu saldo bancário. O aluguel tinha vencido de novo.

Grossman, dono de um clube noturno de Chicago, telefonou.

Será que eu estava interessada em cantar no seu novo clube, o Gate of Horn? Com bastante esforço, mantive o alívio fora da minha voz. Duas semanas para um salário que pagaria dois meses de aluguel e as roupas da volta às aulas de Guy.

Depois que aceitei a oferta, com uma gratidão secreta, mas desprezível, comecei a imaginar o que fazer com Guy.

Grace e John se ofereceram para levá-lo para a casa deles, mas Guy não quis ouvir sobre isso. Ele tinha uma casa. Ele era um homem. Bem, quase, e ele poderia tomar conta de si mesmo. Eu não deveria me preocupar com ele. Apenas vá, trabalhe e retorne a salvo.

Liguei para um número de telefone anunciado no jornal negro do Brooklyn. A senhora Tolman atendeu. Expliquei que queria alguém que viesse à minha casa durante três horas por dia, à tarde. Apenas para cozinhar o jantar para o meu filho de quinze anos, limpar a cozinha e arrumar o quarto dele.

Diminuí sua relutância dizendo que eu era uma mulher sozinha, criando um menino, e que precisaria me ausentar por duas semanas para trabalhar. Pedi-lhe que fosse em casa ver como meu filho era respeitoso. Deixei implícito que ele foi bem-criado, mas não disse isso abertamente. Se eu tivesse sorte, quando voltasse de Chicago, ela mesma usaria essas palavras.

Apesar da dureza de sua vida, sempre achei que as mulheres negras mais velhas são modelos de generosidade. O argumento certo, organizado da maneira correta, e a sugestão adequada convencem a mulher negra mais faminta a compartilhar seu último biscoito.

Quando contei para a senhora Tolman que, se não aceitasse o trabalho em Chicago, não conseguiria pagar o meu aluguel nem comprar sapatos para o meu filho, ela disse: "Aceito o emprego, criança. E vou acreditar na sua palavra de que tem um bom menino".

Convencer Guy de que precisávamos de uma pessoa trabalhando em nossa casa exigia, no mínimo, a mesma sutileza. Depois que lhe contei sobre a senhora Tolman, esperei em silêncio ao longo dos minutos de que ele precisava para explicar como poderia cuidar bem de si mesmo, como ela iria atrapalhar, como ele poderia cozinhar e que ele não comeria nenhum bocado da comida dela e, afinal, o que eu achava que ele era? Um bebezinho? E "Ah, por favor, mãe, isso é realmente um tédio".

"Guy, a senhora Tolman está vindo por causa da vizinhança. Estive prestando muita atenção."

Contra sua vontade, ele ficou interessado.

"Estou convencida de que alguns ladrões profissionais moram na nossa rua. Há muitos móveis novos entrando e saindo das casas. Se essas pessoas não virem um adulto por aqui, podem aproveitar as horas em que você está fora e levar nossos pertences embora."

Ele foi capturado na empolgação da possibilidade de crime.

"Você acha? Quais pessoas? Quais casas?"

"Prefiro não apontar o dedo sem saber ao certo. Mas tenho observado de perto. A senhora Tolman chegará por volta das três da tarde e sairá às seis. Como ela já vai estar aqui, ela vai fazer o jantar para você e lavar suas roupas. Mas isso é uma fachada. Ela está aqui de verdade para fazer os ladrões pensarem que nossa casa está sempre com gente dentro."

Ele aceitou a história inventada.

John entendeu a demonstração de independência de Guy e me disse que era natural. Ele me incentivou a ir para Chicago, cantar, ganhar dinheiro e voltar para casa, em Nova York, o lugar ao qual eu pertencia. Ele ficaria de olho no meu filho.

———◆———

O modesto Gate of Horn, no Near North Side de Chicago, estava localizado a meros quarteirões do luxuoso Mr. Kelly's. O Gate tinha em calor o que o Mr. Kelly's tinha em elegância. Cheguei no meio do ensaio dos Clancy Brothers. Mike estava no microfone, verificando o sistema de som.

"Está alto o suficiente? Alto demais? Consegue nos ouvir ou estamos explodindo para fora da sala?"

O sotaque irlandês era tão palpável quanto um purê de batatas e suntuoso como a renda.

Depois que o som foi ajustado, os Clancy Brothers e Tommy Makem cantaram para a própria diversão. A paixão deles combinava com as letras revolucionárias de suas canções.

"... The shamrock is forbid by law
to grow on Irish ground."[13]

Se as palavras "negro" e "América" fossem colocadas no lugar de "trevo" e "irlandês", a canção poderia ser usada para descrever a situação nos Estados Unidos.

Os Clancy Brothers já tinham minha admiração quando nos conhecemos nos bastidores.

Amanda Ambrose, Oscar Brown Jr. e Odetta compareceram à noite de estreia. Nós nos sentamos juntos e ovacionamos alegremente enquanto os cantores irlandeses contavam suas histórias.

As duas semanas se passaram depressa, pontuadas por telefonemas para Guy, para quem estava compreensivelmente "tudo ótimo", e para John Killens, que informou que tudo estava tranquilo. Oscar Brown e eu passávamos longas tardes rebatendo histórias. Ele

---

13   "... O trevo é proibido por lei/ de crescer em solo irlandês." (N. T.)

estava escrevendo uma peça, *Kicks & Co.*, para a Broadway, e eu me vangloriava por ter acabado de sair de uma temporada de sucesso de *Cabaré para Liberdade*, de cuja escrita eu participara e cujo espetáculo tinha coproduzido.

Acendíamos a chama da raiva um do outro e nos elogiávamos por nosso talento. Fomos destinados para grandes coisas. O tamanho e o poder de nossos adversários não eram maiores do que as nossas capacidades. Se admitíssemos que a escravidão e sua herdeira, a discriminação legal, eram declarações de guerra, então Oscar, todos os nossos amigos e eu éramos generais do exército e estaríamos entre os oficiais que aceitariam a bandeira branca da rendição quando a batalha terminasse. O marido de Amanda, Buzz, inspirado pela febre do protesto, fazia roupas baseadas na estética africana para mim. Odetta, recém-casada e radiante de amor, partiu para o Canadá. Antes de partir, ela dedicou a mim uma tarde de conselhos. "Continue dizendo a verdade, Maya. Permaneça no palco. Não estou falando do palco do clube noturno ou do teatro. Estou falando do palco da vida." E, meu Senhor, ela era linda.

"E lembre-se disto, querida: não deixe ninguém te desviar. Nin-guém. Nenhum traseiro vivo."

A noite de encerramento foi uma celebração hilária. Os fãs dos Clancy Brothers abriram espaço para aceitar as minhas canções, e as pessoas negras que vieram me ouvir ficaram surpresas ao descobrir que não apenas apreciavam a raiva dos cantores irlandeses como também a entendiam. Tínhamos bebido da resistência um do outro.

Na manhã seguinte, Oscar estava comigo no saguão do hotel enquanto eu esperava para pagar minha conta.

Um homem negro uniformizado veio até mim.

"Senhorita Angelou? Tem um telefonema de Nova York para você."

Oscar me disse que guardaria meu lugar na fila, e fui ao telefone.

"Maya?" A voz de John Killens era um prego me prendendo no lugar. "Houve um problema."

"Problema?" Lá no fundo, parte de mim já esperava problemas. "Guy está bem?" O pavor, mais próximo do que um espírito de companhia de um vidente e que vivia sugando minha vida, era de que algo acontecesse com meu único filho. Ele seria roubado, sequestrado por alguém solitário que, vendo a perfeição de Guy, seria incapaz de resistir. Ele seria atropelado por um ônibus desgovernado, atropelado por um carro fora de controle. Andaria em uma balaustrada alta, mostrando sua beleza e coordenação para uma garota que fingiria desinteresse. Seu pé escorregaria, seu corpo se dobraria e amassaria, ele cairia quinze metros e alguém descobriria o meu número de telefone. Eu estaria cuidando das minhas coisas e um estranho me chamaria para atender o telefone.

Alô?

Uma voz diria: *Houve um problema.*

Meu pesadelo nunca tinha ido além disso. Nunca soube a gravidade do acidente ou a minha resposta. E agora a vida real se empurrava pelo telefone.

"Guy está bem." A voz de John Killens soou como se viesse de um lugar mais distante do que a cidade de Nova York. "Ele está aqui conosco. Só estou ligando para te dizer para não ir até a sua casa. Venha direto para cá." Ai, a casa pegou fogo. "Houve um incêndio? Sobrou alguma coisa?" Eu não tinha seguro.

"Não houve incêndio. Não se preocupe. Apenas venha para minha casa quando seu avião aterrissar. Vou te contar quando você chegar. Não é nada sério." Ele desligou.

Oscar Brown estava ao meu lado. Seus olhos verdes estavam sérios. Ele colocou a mão no meu ombro.

"Você está bem?"

"Era John Killens. Aconteceu alguma coisa."

"Guy está bem? O que foi?"

"Guy está bem, mas John não quis dizer."

"Bem, inferno, que merda, né? Telefonar para dizer que algo está errado e não dizer o que é..." Ele se aproximou e pegou as minhas malas. "Você paga a conta, eu levo o carro até a porta da frente."

A viagem até o aeroporto foi uma aventura na direção e uma aula de dissimulação conversacional. Oscar conversava de maneira errática, dirigindo com uma das mãos, inclinando o carro nas curvas, ultrapassando os outros motoristas a uma velocidade tão alta que o nosso carro ameaçava sair totalmente da estrada. Sua conversa era com frequência interrompida por "Guy está bem. Então, lembre-se disso". Ele se virava para olhar para mim. Fixava um olhar tão intenso que parecia hipnótico. Notando que estava dirigindo um carro, virava a cabeça vez ou outra e dava um momento de atenção à estrada.

No aeroporto, ele me abraçou e sussurrou: "Vai dar tudo certo, mamãe ursa. Me ligue. Estarei em casa esperando".

Eu me apavorei com o voo. Com medo de começar a chorar e perder o controle. Com medo de que o avião caísse e eu não estivesse por perto para cuidar de Guy e resolver o problema desconhecido.

"Bem, e não é a maravilha da Maya?" O sotaque era inconfundível. Eu me levantei e olhei para o assento atrás de mim. Mike Clancy estava sorrindo com um copo de uísque na mão e Pat ao seu lado. Liam e Tommy estavam sentados do outro lado do corredor.

"Pensou que escaparia de nós, né? Nunca, queridinha. Juramos segui-la até os confins da Terra. Que tal uma bebida para firmar o acordo?"

Eu disse que pediria algo quando a aeromoça aparecesse.

Não havia necessidade de esperar. Mike havia se preparado para a eventualidade de um atendente mesquinho ou de um avião pilotado por abstêmios. Ele enfiou a mão embaixo do assento e, quando se endireitou, tinha em mãos uma garrafa de uísque. Pat puxou um copo do bolsão do assento à sua frente.

Mike disse: "Se insiste em frivolidades como gelo e água, vai esperar até que a aeromoça chegue. Se não, vou começar a servir agora e você me diz quando parar".

Não esperei.

A viagem foi turbulenta. Muitos passageiros se inflamaram por quatro homens brancos e uma mulher negra estarem rindo e bebendo juntos, e seu descontentamento nos levou à tolice. Pedi a Liam que traduzisse uma canção gaélica que o ouvi cantar *a cappella*. Ele disse que primeiro a cantaria.

Sua voz límpida de tenor flutuou sobre a cabeça dos já irados passageiros. A beleza assombrosa da melodia deve ter reprimido parte da irritação, pois ninguém pediu a Liam que se calasse.

Mike tentou, em vão, iniciar conversas com dois homens acinzentados como pedra que estavam sentados atrás dele, mas eles conservaram a indiferença de granito.

Quando o avião pousou em Nova York, cantamos um coro empolgante de "The Wearing of the Green".

Os Clancy se ofereceram para dividir um táxi até o centro, mas eu disse que estava indo para o Brooklyn.

Para o Brooklyn e para Guy. Meu coração caiu e fiquei sóbria. As companhias e a bebida tinham apagado Guy e o problema da minha mente.

Agradeci e entrei em um táxi com as malas e um fardo de culpa novo.

Que espécie miserável de mãe eu era! Bebendo e rindo com um grupo de estranhos, homens brancos, enquanto meu filho estava com algum tipo de problema.

Quando o táxi chegou à casa de John, eu estava abjeta e apreensiva. Grace me abraçou e sorriu. "Bem-vinda de volta, Maya." Seu sorriso me disse que as coisas não poderiam estar tão ruins. Mamãe Willie chamou da sala de jantar: "É ela?". Respondi, e ela entrou na sala de estar. Parecia séria e chacoalhava a cabeça. Seu olhar e gesto diziam: "Bem, são garotos sendo garotos, a vida é assim". Isso foi um alívio. Perguntei onde Guy estava. Grace disse que ele estava lá em cima, no quarto de Chuck, mas que John queria falar comigo primeiro.

Mamãe Willie me ofereceu café enquanto John explicava o que tinha acontecido. Um grupo de meninos ameaçou Guy, e John ouviu a respeito e decidiu que Guy estaria mais seguro na casa deles até que eu voltasse.

Quase ri alto. Apenas um desentendimento entre as crianças.

John continuou: "Os meninos são uma gangue chamada 'Selvagens'. Mataram um garoto no mês passado e, enquanto ele estava na funerária, os Selvagens entraram e esfaquearam o corpo trinta e cinco vezes".

Ai, meu Deus.

"Eles aterrorizam todo mundo. Até os policiais estão apavorados com esse bando. Quando soube que Guy havia se oferecido para brigar com eles, fui até sua casa e o peguei. Ele não queria vir. Enfiou todas as facas de açougueiro na cortina da sua porta e me disse que estava esperando eles voltarem. Eu disse: 'Garoto, é melhor você colocar seu traseiro neste carro'. Eu disse à mulher lá embaixo para avisar a gangue, quando eles voltassem, que o tio dele veio buscá-lo."

Mamãe Willie falou primeiro: "Bem, querida, criar meninos neste mundo é mais do que se imagina. Sei bem disso. Enquanto são pequenos, você ora para poder alimentá-los e mantê-los na escola. Eles crescem no tamanho e você ora para que alguma mulher branca maluca não grite 'estupro' perto deles, o que os faria ser linchados. Eles atingem a maioridade e os homens brancos os chamam para brigar, e você ora para que eles não sejam mortos lutando na guerra da gente branca. Não! Criar um menino negro faz você sentar e pensar".

John esperou respeitosamente que sua mãe terminasse as lembranças dela. "Vou buscar o Guy agora." Ele foi até a escada e chamou: "Guy, desça. Sua mãe está aqui".

Ouvi os passos pesados descendo as escadas e quis me levantar, mas meu corpo não obedecia. Guy entrou na cozinha, e sua imagem trouxe lágrimas aos meus olhos.

"Oi, mãe. Como foi a viagem?" Ele se abaixou e beijou minha bochecha. "Nossa, é ótimo ter você em casa." Ele leu meu rosto e parou de sorrir. "Ah, acho que o senhor Killens te contou sobre o pequeno incidente. Bem, não foi sério de verdade, sabe." Ele deu um tapinha no meu ombro como se ele fosse o pai reconfortante e eu, a criança chateada.

"O que aconteceu, Guy? Como se envolveu com uma gangue dessas? O que..."

"Vou discutir isso com você. Em particular, por favor." Ele estava de volta à sua dignidade, e eu não podia esvaziá-la. Fosse qual fosse a história, eu tinha de esperar até que estivéssemos sozinhos. John entendeu e disse que nos deixaria em casa. Guy balançou a cabeça. "Obrigado, senhor Killens. Vamos caminhando." Ele se virou para mim. "Onde estão suas malas, mamãe?"

Inclinei a cabeça em direção à entrada e ele se afastou.

Grace disse: "Ele quer tanto ser um homem, meu Deus. Seria cômico se não fosse tão sério".

John disse: "Tudo nesta sociedade visa impedir que um menino negro cresça até a vida adulta. Você precisa deixá-lo ver por si só".

Eu me juntei a Guy à porta e desejamos boa-noite aos Killens.

Caminhamos pelas ruas escuras e, à medida que Guy perguntava sobre Oscar Brown e outros de seus amigos de Chicago, vi fantasmas de garotos armados de facas pulando de trás das árvores, se escondendo atrás de carros, esperando nas entradas sombrias das casas.

Pedi a Guy que me contasse sobre o incidente, acrescentando que o Brooklyn era mais perigoso do que a cidade de Nova York. Ele disse: "Vamos esperar até chegarmos em casa. Mas vou lhe dizer uma coisa, mamãe". Um pronunciamento estava a caminho. "Não quero que você pense em se mudar. Estou morando aqui e tenho que andar por estas ruas. Se nos mudássemos, poderia acontecer a mesma coisa e nos mudaríamos de novo. Não vou fugir. Porque, uma vez que você foge, você tem que continuar fugindo."

Percorremos o restante do caminho em silêncio.

Ele fez um bule de café para mim, e esperei até que estivesse pronto para falar. Nós nos sentamos um de frente para o outro na sala, e tentei manter a serenidade no rosto e a mão na xícara de café.

Tudo começou com a trabalhadora doméstica. Um dia, na semana anterior, a senhora Tolman trouxe a neta para a nossa casa. Susie tinha quinze anos, era bonita e ávida. Ela e Guy conversavam enquanto a senhora Tolman cozinhava e limpava. No dia seguinte, Susie voltou com a avó. De novo os adolescentes conversaram e, desta vez, colocaram discos para tocar. Na terceira manhã, Susie veio sozinha. Mais uma vez colocaram discos para tocar e, então, dançaram juntos na sala. Susie disse que gostava de Guy, que gostava muito dele. Guy disse para ela que já estava saindo com uma garota, mas que apreciava a honestidade de Susie. Ela ficou com raiva, e Guy explicou que ele e a namorada não se traíam. Susie disse que Guy era arrogante e que tinha achado que ele era fofo. Houve uma discussão e Guy colocou-a para fora de casa.

Perguntei a ele se quis dizer que havia lhe pedido que fosse embora. Ele negou. Ele caminhou até a porta, abriu-a e *disse* a ela que saísse.

Ele continuou explicando que, naquele dia, quando a campainha tocou, abriu a porta e um cara de uns dezoito anos estava parado lá. Ele falou que seu nome era Jerry e ele era o namorado de Susie. Ele disse que era o chefe dos Selvagens e que tinha acabado de ouvir que Guy bateu em Susie. Guy respondeu que era mentira. Ele fechou o punho e disse: "Se eu acertar alguém assim, ninguém precisa perguntar se bati". Guy passou a explicar para Jerry que Susie estava com raiva por causa de um pequeno desentendimento que tiveram. Ele disse a Jerry para se lembrar da velha frase sobre uma mulher desprezada. Jerry nunca tinha ouvido essa frase, e disse para Guy que ele e seus amigos estariam de volta à tarde e que Guy poderia explicá-la para eles.

Assim que Jerry saiu da porta, Guy ligou para Chuck Killens, contou a ele sobre seus visitantes e pediu que viesse e trouxesse seu taco de beisebol. Ele então foi até a cozinha e juntou todas as minhas facas e as colocou estrategicamente na cortina de renda da porta da frente. Ele imaginou que, com Chuck girando o bastão e ele se defendendo com um facão e um cutelo, poderiam conter pelo menos oito dos Selvagens.

Quando perguntei a ele se já tinha ouvido falar da gangue antes, ele respondeu: "Todo mundo conhece os Selvagens, alguns deles até frequentam minha escola".

"Qual é o tamanho dessa gangue?"

"Tem apenas quinze membros ativos. Mas, quando eles fazem barulho, podem juntar até uns trinta."

E esse jovem exército maluco estava ameaçando meu filho. Ele enxergou a minha preocupação.

"Eu cuido disso, mamãe. Vamos morar aqui e vou andar na rua quando eu quiser. Ninguém vai me obrigar a fugir. Sou um homem."

Ele me deu um beijo de boa-noite e pegou a xícara de café. Eu o ouvi se movendo na cozinha. Em poucos segundos, a porta do quarto dele foi fechada, e eu permaneci grudada na minha cadeira da sala. Depois de mais ou menos uma hora, as imagens ensanguentadas do corpo mutilado do meu filho começaram a desaparecer. Fui até a cozinha e enchi o balde de gelo, peguei uma jarra d'água e a garrafa de uísque. Levei essa minha coleção para a sala e me sentei.

Primeiro eu tinha de entender o pensamento dos Selvagens. Eram jovens negros, atacando outros jovens negros. Foram ensinados, com sucesso, que não valiam nada e que todos que se pareciam com eles também não valiam nada. Cada nascer de sol trazia um dia sem esperança e, a cada tarde, o mesmo sol se punha em um dia sem realizações. As pessoas brancas, que governavam o mundo, que eram donas do ar e da comida e dos empregos e das escolas e do jogo limpo, tinham se recusado a compartilhar com eles qualquer uma das necessidades da vida — e, em algum lugar, mais fundo do que suas consciências, eles acreditaram que as pessoas brancas estavam certas. Eles, a juventude negra, os jovens senhores de nada, nasceram sem valor e rastejariam, como toupeiras cegas, por suas longas vidas na escuridão, debaixo da terra, mastigando as raízes, afastados da luz.

Entendi os Selvagens. Entendi e odiava o sistema que os moldou, mas a compreensão de maneira nenhuma lhes deu a licença para descarregar sua frustração e sua raiva no meu filho. Guy não aceitaria uma mudança para um terreno mais seguro. E se eu insistisse, sem a concordância dele, poderia perder sua amizade e, com isso, seu amor. Eu não arriscaria; mas, ainda assim, algo tinha de ser feito para conter o bando sem lei de adolescentes alienados.

Quando a primeira luz suave do sol penetrou pelas cortinas, telefonei para o meu amante músico de Manhattan. Contei rapidamente para ele o que tinha acontecido e do que eu precisava. Eu o tinha acordado, mas ele ouviu minha necessidade e disse que se levantaria e estaria na minha casa em até uma hora.

Ele ficou parado à minha porta, recusando o meu convite para entrar e tomar um café. Entregou-me uma caixa pequena, um grande sorriso e me desejou boa sorte. Guy se levantou, tomou banho, se vestiu e tomou um copo de leite, recusando o café da manhã. Ele saiu correndo de casa para se aquecer antes de um jogo matinal de basquete. Ele parecia ter se esquecido de que os Selvagens estavam atrás dele.

Acalmei os meus medos dizendo a mim mesma que rapazes como os Selvagens eram, em sua maioria, criaturas noturnas e que, de manhã cedo, as ruas estavam mais seguras.

Às nove horas, telefonei para a senhora Tolman e lhe disse que gostaria de ir até lá e pagá-la. Ela disse que estaria à espera.

Tirei a pistola da caixa e a guardei na bolsa. Os três quarteirões entre nossas casas estavam povoados por trabalhadores a caminho de seus trabalhos, homens lavando carros e crianças correndo e gritando de um jeito muito normal. Senti que tinha enlouquecido e que estava vivendo em outra dimensão, totalmente afastada das texturas do mundo ao meu redor. Eu estava invisível.

A senhora Tolman me apresentou à sua filha rechonchuda, que estava amamentando um bebê. A mulher disse *sim* quando perguntei a ela se também era a mãe de Susie.

Dei o dinheiro para a senhora Tolman, contando as notas cuidadosamente, usando o tempo para acalmar minha garganta a fim de que minha voz ficasse natural.

"Senhora Tolman, a Susie está?"

"Sim, por quê? Eles acabaram de se levantar. Eu os ouvi rindo no quarto dela."

A senhora Tolman estava feliz em atender.

Susie surgiu à porta que dava para a cozinha. Seu rosto ainda estava amassada do sono, e ela era bonita. Se eu tivesse sido sortuda o suficiente para ter tido um segundo filho, ela poderia ter sido minha filha.

"Susie, ouvi falar de você e estou feliz em conhecê-la."

"Sim", ela murmurou, não muito interessada. "Prazer em te conhecer também." Eu a capturei quando ela estava se virando para ir embora.

"Susie, o seu namorado é o Jerry?" Ela se animou um pouco. "Sim, Jerry é o meu namorado."

A senhora Tolman deu uma risadinha. "Vou contar para o mundo."

"Onde ele mora? O Jerry."

"Ele mora nessa mesma rua. No próximo quarteirão." Ela estava fazendo cara feia outra vez, desinteressada.

Falei de novo, rápida, atraindo sua atenção:

"Tenho algo para ele. Podemos ir juntas até a casa dele?"

Ela sorriu pela primeira vez. "Ele não está lá. Está no meu quarto."

A mãe dela riu. "Parece que é onde ele mora."

"Será que ele pode vir aqui? Gostaria de trocar algumas palavras com ele."

"Tudo bem." Ela era uma garota divertida, doce e bonita, com seu pijama de verão e cabelo penteado ao redor do rosto.

Eu me sentei, apenas com um sorriso bobo, olhando para a mãe que amamentava e para a senhora que colocava o dinheiro no peito.

"Aqui está ele. Este é Jerry." Um jovem estava com Susie à porta. Uma camiseta muito pequena esticava as mangas contra os seus ombros castanhos. Sua calça estava desabotoada, e ele estava descalço. Absorvi todo o aspecto dele em um segundo, mas os detalhes de seu rosto me pararam e me mantiveram fora da minha missão. Seus olhos eram jovens demais para o ódio. Eles brilhavam com promessas. Quando Jerry sorria, uma boca cheia de dentes brilhava. Eu me afastei do encantamento.

"Jerry. Sou a senhorita Angelou. Sou a mãe de Guy." Ele fechou os lábios e o sorriso morreu. "Entendo que você é o chefe dos Selvagens e que tem um combinado com o meu filho. Também entendo que a polícia tem medo de você. Bem, vim aqui para avisá-lo sobre algo. Se meu filho voltar para casa com um olho roxo ou com a camiseta rasgada, não vou chamar a polícia."

A sua atenção seguiu a minha mão até a minha bolsa. "Vou vir aqui e atirar na avó da Susie primeiro, depois na mãe dela e, então, vou explodir aquele doce bebezinho. Entende o que estou dizendo? Se os Selvagens tocarem no meu filho, vou encontrar a sua casa e matar tudo o que se move, inclusive os ratos e as baratas."

Mostrei a pistola emprestada e a coloquei de volta na bolsa.

Por um segundo, ninguém da família se mexeu, e meus planos não foram além do discurso, então apenas fiquei com a mão na bolsa, acariciando a minha segurança.

Jerry falou: "Ok, entendo. Mas, para uma mãe, devo dizer que você é uma filha da puta ruim. Vamos, Susie". Eles se viraram e, aconchegados, caminharam em direção aos fundos da casa.

Passei mais alguns minutos conversando com a senhora Tolman sobre a viagem e a temperatura.

Nós nos despedimos sem falar do meu filho, de sua neta ou da minha elegante Beretta, que jazia dócil no fundo de minha bolsa.

Guy trouxe o calor da tarde para dentro de casa, junto às roupas de ginástica para serem lavadas. Ele sorria.

"Ganhamos o jogo. Fiz dez arremessos." Agi com interesse. "Estou ficando muito bom. O treinador disse que estou entre os seus melhores atletas." Ele fez um drible e pulou.

"Que ótimo, querido. Ah, a propósito, você viu algum dos Selvagens na escola?"

Ele parou de driblar uma bola imaginária e olhou para mim, surpreso, como se eu tivesse perguntado a ele se tinha visto um extraterrestre.

"Sim. Claro que os vi hoje de manhã. Fui para a escola com alguns de seus membros. Nós conversamos." Ele se dirigiu para o quarto, protegendo seu segredo masculino.

"Desculpe-me, mas, por favor, me diga o que você falou. Eu realmente gostaria de saber."

"Ah, mãe." Guy estava envergonhado. "Ah, acabei inventando uma coisa. Eu disse que minha gangue na Califórnia sempre lutou até a morte, mas nunca em boatos. E eu disse que encontraria ele e outra pessoa num terreno neutro. Com facas, fogo ou qualquer outra coisa. Eu disse que eu não estava nem perto de fugir. Eu te disse, mamãe, que eu cuidaria disso." Ele sorriu. "O que tem para o jantar?"

Tive que rir. Ele era definitivamente meu filho, e estava seguindo os meus passos, blefando por todo o caminho.

Eu só tinha ameaçado os jovens abutres que pairavam sobre o meu filho; Guy ofereceu, literalmente, combater fogo com fogo. Felizmente, acreditaram em nós — porque talvez nenhum de nós estivesse blefando.

———

A *Revolución* tinha aceitado o meu conto. O fato de aparecer apenas em Cuba e, provavelmente, em espanhol, não diluía o fato de que eu estava entrando para o grupo de elite dos escritores publicados.

O Harlem Writers Guild comemorou. Rosa Guy, membra fundadora, que estava em Trindade quando me juntei ao grupo, tinha voltado e ofereceu sua casa para a leitura da semana e uma festa em minha homenagem.

Rosa era alta, bonita, retinta e impetuosa. Ela dançava, discutia, gritava e ria com uma empolgante unicidade de espírito. Éramos parecidas na ousadia e rapidamente nos tornamos amigas íntimas. Ela nasceu em Trindade e, embora morasse na cidade de Nova York desde os sete anos, sua fala mantinha uma suave pronúncia caribenha.

Capítulo 6

Fiz meu trajeto pelas ruas agitadas do Harlem, vestida com minha melhor roupa e com maquiagem suficiente. Ao longo do caminho, recebi a aprovação de vagabundos e transeuntes.

"Ei, querida. Me deixe ir com você."

"Oi, doçura. Você me parece boa."

"Me deixe ser o seu cachorrinho, até que o seu cachorrão venha."

Sorri e continuei andando. Os elogios ajudaram a endireitar as minhas costas e colocar um pouco de balanço nos meus quadris, e eu precisava da aprovação.

Eu estava a caminho da CLCS para encontrar Bayard Rustin. Eu o tinha visto algumas vezes nas festas para arrecadação de dinheiro, depois do encerramento de *Cabaré para a Liberdade*, mas não tínhamos um encontro particular desde aquela primeira vez nos escritórios da organização, e imaginei mil motivos pelos quais eu tinha sido solicitada a retornar.

A recepcionista me disse que o senhor Rustin estava esperando. Ele se levantou e se inclinou sobre a mesa abarrotada, estendendo-me a mão.

"Maya, obrigado por vir. Sente-se. Vou ligar para Stan e Jack."

Eu me sentei e pensei em todas as possibilidades. Havia alguma discrepância nos números de *Cabaré para a Liberdade*. Queriam que eu produzisse outro teatro de revista. Queriam que eu escrevesse uma peça sobre Martin Luther King e sua luta. Não sabiam que eu não sabia datilografar, então iam me oferecer um emprego de secretária. Precisavam de voluntários e...

Stan e Jack entraram sorrindo (o que poderia significar que os recibos estavam corretos, mas eu não tinha certeza).

Todos nós demos apertos de mãos, trocamos os cumprimentos esperados e nos sentamos.

Bayard disse: "Você fala primeiro, Stanley".

Stan Levison limpou a fleuma inexistente em sua garganta. "Uh, Maya, sabe que estamos orgulhosos e satisfeitos com a maneira como você lidou com o *Cabaré para a Liberdade*."

Jack interrompeu-o: "O conteúdo era brilhante. Simplesmente brilhante. Os artistas...".

Stanley pigarreou e continuou: "Achamos que você tem talento administrativo". Ele olhou para Bayard.

Exatamente como pensei. Iam me oferecer um trabalho de datilógrafa.

Bayard falou: "Vai haver uma mudança na organização e vamos precisar de alguém, uma pessoa confiável, fiel e que saiba se relacionar com as pessoas". Ele olhou para Jack.

Foi a vez de Jack. "Observamos como você lidou com aquele elenco. Você manteve a ordem e, se ninguém sabe, eu conheço os egos dos atores. Você nunca levantou a voz, mas, quando falava, todos respeitavam o que você tinha a dizer."

Ele acenou com a cabeça para Stanley, que começou a falar imediatamente.

"Você entende sobre o que a luta é. Você disse que cresceu no sul, não?"

Assenti com a cabeça. Stamps, Arkansas, com sua poeira, ódio e pequenez, era o mais sul do sul possível.

"Lamentamos dizer que Bayard vai deixar a CLCS."

Fitei Bayard. Seu rosto longo e bonito estava enrugado, e seus olhos pareciam preocupados.

Ah, ele estava doente. Ele tinha que estar doente para deixar a organização que amava tanto e para a qual trabalhou com tamanha diligência. Fiquei tão triste com a minha especulação que não relacionei a saída de Bayard e o meu convite para ir ao escritório.

"Estou saindo para um breve descanso." O distanciamento já estava na voz de Bayard, confirmando a minha avaliação. "E vou me juntar ao Asa Philip Randolph e à Brotherhood of Sleeping Car Porters[14]." O seu rosto dizia que ele já estava lá.

Eu disse: "Lamento ouvir isso, Bayard. Tem alguma coisa que eu possa fazer?".

"Sim." Bayard estava de volta conosco, reconectado à conversa no escritório. "Estamos procurando alguém para ocupar o meu lugar. Sugeri que você era capaz."

Apenas o choque, que me prendeu como um torno, me impediu de pular, correr para fora do escritório e descer a rua. Pegar o lugar de Bayard Rustin. Ele trabalhou para os Quakers, liderou marchas em Washington, D.C., durante os anos 1940, foi para a Índia e trabalhou com os Intocáveis. Ele era educado, famoso e era um homem.

Eu não disse nada porque não conseguia falar.

Stanley disse: "Quando Bayard indicou seu nome, ficamos bastante surpresos. Mas pensamos a respeito e chegamos a um acordo. Você é a pessoa que todos gostaríamos que administrasse o escritório".

Jack assentiu com um leve sorriso feliz para mim.

Bayard disse: "O cargo que está sendo oferecido para você, Maya, é de coordenadora da CLCS. Claro, é um pouco como um guarda-chuva. Muitas tarefas se enquadram nessa extensão".

Deixei escapar estupidamente: "Não sei datilografar".

Os homens riram, e eu poderia ter me chutado por ter lhes dado a chance de me tratar com condescendência.

Jack disse: "Você terá uma secretária para datilografar por você". Ele riu novamente. "E para atender o telefone."

Stanley continuou: "Agora, vamos falar de salário. Você sabe que a CLCS precisa de dinheiro e sempre precisará, então podemos pagar apenas um salário digno".

---

14 Brotherhood of Sleeping Car Porters foi a primeira organização trabalhista lideradas por afro-americanos. Eles lutavam pelos direitos civis e melhores condições de trabalho para carregadores ferroviários e empregadas afro-americanas. (N. E.)

Eu estava dividida. Não conseguia pensar em nada mais gratificante do que trabalhar para Martin Luther King, e o Senhor sabia que eu precisava de um salário digno. Mas talvez a ousadia estivesse me levando a uma altitude perigosa onde eu acharia difícil respirar. E outra preocupação incômoda se intrometeu na minha empolgação: suponha-se que eu estivesse sendo usada para forçar Bayard a deixar o cargo.

Eu me recompus e me levantei. "Cavalheiros, obrigada. Eu me sinto honrada com o convite. Gostaria de pensar a respeito. Telefonarei para vocês amanhã." E saí pela porta, desci as escadas e voltei para a segurança das ruas do Harlem.

John Killens aceitou me encontrar em um hotel no centro da cidade, onde tinha alugado um quarto para trabalhar em uma reescrita. Nós nos sentamos na sala de jantar do hotel.

"Se você se sente assim, ligue para Bayard. Pergunte-lhe diretamente. Ele é um homem. Pessoalmente, não acredito que ele a teria indicado se não quisesse que você aceitasse o trabalho."

"Tudo bem, mas o que é uma coordenadora? Será que consigo fazer isso? Prefiro não tentar do que tentar e falhar."

"Que papo estúpido, Maya. Não vão ser todas as tentativas que serão um sucesso. Mas, se vai viver, viva com tudo; o seu negócio é tentar. E se você falhar uma vez, e daí? Nossos velhos dizem: nem todo olho fechado é um sono e nem todo adeus é um fim. Você falha, se levanta e tenta novamente."

Ele podia falar, ele já era um sucesso. Eu não estava convencida.

"De qualquer forma, 'coordenadora' é um bom jeito de dizer 'arrecadação de fundos'. Você organizará casos, enviará anúncios para a lista de contatos, falará e organizará palestras para arrecadar dinheiro. Não há mistério nisso. E se você não vai cantar 'nunca mais na vida', então essa soa como sua melhor aposta."

Bayard me encontrou entre seus compromissos. "Você aceitando ou não o cargo, vou embora. Entenda agora: sempre apoiarei Martin. Até mesmo com a minha vida. Mas é hora de mudança."

Ele estava ao lado da minha banqueta no Frank's Restaurant, na rua 125. "Trabalhei com Randolph por muitos anos, e ele quer construir uma nova organização para os trabalhadores sindicalizados. Não estou saindo da guerra, apenas entrando em outra batalha. Aceite. Você fará um bom trabalho." Ele deu um tapinha no meu ombro e saiu, levando seu mistério e ainda me deixando indecisa.

Ouvi no rádio pela manhã que alguns jovens negros se sentaram no balcão[15] de uma lanchonete na Carolina do Norte, e que Martin estava preso de novo. Os telefones tocavam constantemente e o escritório fervilhava com a atividade. Hazel Grey, que veio trabalhar como minha assistente, estava distribuindo as tarefas para os voluntários quando entrei. Ela ergueu os olhos por cima de sua mesa.

"Maya, a impressão voltou e um monte de garotos de Long Island está vindo agora de manhã para preparar os envelopes."

"Que bom." Entrei no meu escritório. Hazel me seguiu. "Estão vindo de uma escola só para brancos."

"Por quê? Quem os chamou e quantos anos eles têm?"

"São alunos do ensino médio. Meninos e meninas. O conselheiro deles ligou, ele está vindo junto." O fato de jovens brancos enfrentarem o Harlem já era surpreendente por si só, mas o fato de um adulto branco, em uma posição de responsabilidade, não apenas concordar, mas estar disposto a desempenhar sua função nesta situação incomum, era estonteante. Parecia que o mundo que nunca mudaria estava mudando.

Tive uma reunião breve com os voluntários negros.

"Vocês receberão ajuda em uma ou duas horas com os trabalhos que não conseguirem concluir."

Uma avó de uma igreja local disse: "Bendito seja o Senhor".

E continuei: "Trinta jovens estão a caminho, e temos que decidir como podem nos ajudar. Talvez não tenhamos essa oportunidade novamente. Agora, me digam o que precisa ser feito".

"O mimeógrafo precisa ser afastado da janela. A luz do sol está derretendo a tinta."

---

15   Destinado a pessoas brancas. (N. T.)

"Eu gostaria que alguém tirasse todo esse lixo do escritório."

"Alguém deveria arquivar aquela pilha de papéis que está no corredor."

"Precisamos limpar os degraus. Não parece certo vir ao escritório de Martin Luther King e ter que subir degraus sujos."

O conselheiro parecia o Burgess Meredith velho. Ele estava vestido de cinza e parecia tão nublado quanto o céu de inverno. Sua casualidade era proposital, e sua confusão planejada, cativante. Era mais baixo do que a maioria de seus pupilos.

"Senhorita Angelou, esses alunos foram dispensados de suas aulas. Em apoio aos alunos que se sentaram, na Carolina do Norte, eles escolheram oferecer o dia para a organização Martin Luther King. Estamos prontos para fazer qualquer trabalho que você nos designar."

Ele ficou em pé no meio da energia juvenil como um pato enfadonho entre uma ninhada de patinhos brancos.

Chamei os capitães voluntários e os apresentei. Hazel e eu almoçamos no meu escritório. Rimos dos jovens brancos que esfregavam os degraus e varriam o chão, e faziam para nós os trabalhos que eram feitos nas suas casas e nas ruas por mulheres e homens negros. Sabíamos que o que estávamos vendo era um fenômeno único, então estávamos determinadas a aproveitá-lo.

Os jovens e seu conselheiro entraram para se despedir. Aceitaram os meus agradecimentos e os agradecimentos da CLCS. Fiz um pequeno discurso sobre a unicidade da vida e a responsabilidade que todos nós temos de tornar o mundo habitável para todos. Eles saíram e nós aumentamos o volume da estação de notícias. Martin ainda estava na prisão. A polícia havia arrastado os jovens negros para fora da lanchonete.

A comunidade negra da Carolina do Norte estava enfurecida, mas nada havia acontecido ainda. O escritório estava voltando ao normal quando Hazel me chamou ao telefone.

"Oi, Maya. Tenho outra coisa para você. Está pronta?"

"Sim."

"Dois grupos de pessoas brancas vêm amanhã, e uma turma do ensino médio de uma escola integrada. Temos trabalho para eles?"

Escutei, sem palavras.

Hazel riu. "Eu perguntei a você se estava pronta."

As semanas correram juntas, os dias se disputaram. Pessoas brancas e negras estavam mudando ao passo que Martin Luther King viajava de e para a prisão e pelos Estados Unidos, sua rota coberta pela mídia nacional. Malcolm X podia ser visto despindo os repórteres de televisão brancos da barulheira deles no noticiário noturno. No Harlem, a Associação Universal para o Progresso Negro, formada nos anos 1920 por Marcus Garvey, era revivida, e a Ethiopian Association voltava à vida.

Estrelas de cinema brancas, atraídas por Harry Belafonte e por Sidney Poitier, emprestavam seus nomes para a luta, e sua sinceridade resistia ao escrutínio mais suspeito. Certa noite, na casa de Belafonte, Shelley Winters explicou por que estava feliz em contribuir com seu dinheiro e seu tempo para a CLCS.

"Não é que eu ame o reverendo King ou todas as pessoas negras, ou mesmo Harry Belafonte. É que tenho uma filha. Ela é branca e é jovem agora, mas quando ela crescer e descobrir que a maioria das pessoas no mundo é negra, parda ou amarela, e que foram oprimidas por séculos por pessoas que se parecem com ela, ela vai me perguntar o que fiz a respeito disso. Quero ser capaz de responder 'o melhor que eu pude'." Eu ainda desconfiava da maioria dos liberais brancos, mas Shelley Winters soava prática, e confiei nela de imediato. Afinal, ela era uma mãe como eu, cuidando de sua filha.

Em casa, Guy falou sobre o movimento. Fiquei satisfeita por ele e Chuck terem se juntado a um grupo de jovens da Society Against Nuclear Energy (SANE) e lhe dei permissão para participar de uma marcha de protesto contra a guerra nuclear.

Evitando o movimento noturno do metrô, eu sempre parava em um bar perto da parada do trem A, na rua 125. O lugar era impassível porque o atendente e os frequentadores levavam uma vida de pouca gentileza.

O gelo deslizava no meu copo enquanto os homens sábios das ruas e as mulheres sábias do mundo se maravilhavam com o entusiasmo da nação.

"Veja os negros na Carolina do Norte. Eles não estão para brincadeira."

"É melhor Charlie[16] se endireitar. Estamos cansados dessa merda."

"Cara, e o Martin Luther King? Ele não é um homem feito de carne."

"Ele é um tolo. Ame os seus inimigos? Jesus Cristo fez isso e você viu o que aconteceu com ele."

"Sim, eles o lincharam."

"Os negros deveriam estar ouvindo o Malcolm X. Ele está certo. Os brancos são demônios de olhos azuis."

"Não concordo com esse papo de ficar odiando. Os negros não têm tempo para odiar ninguém. Temos que nos unir."

Retornei do almoço. Do lado de fora do escritório, Millie Jordan trabalhava sobre uma mesa com papéis. Hazel estava ocupada ao telefone. Entrei em meu escritório, e um homem sentado à minha mesa, de costas, virou-se, levantou-se e sorriu. Martin Luther King disse: "Boa tarde, senhorita Angelou. Você chegou na hora certa".

A surpresa foi tão completa que levei um tempo para reagir à sua mão estendida.

Eu trabalhava havia dois meses para a CLCS, enviei dezenas de milhares de cartas e convites assinados pelo reverendo King, fiz centenas de declarações em seu nome, mas nunca o tinha visto de perto. Era mais baixo do que eu esperava e muito jovem. Ele tinha uma afabilidade fácil, o que era inquietante. Olhar para ele no meu escritório, sozinho, era como ver um leão sentado à minha mesa de jantar comendo um prato de folhas de mostarda.

"Estamos muito gratos pelo trabalho que todos vocês estão fazendo aqui. É uma confirmação para nós que estamos na linha de fogo."

---

16   *Mister Charlie* é um termo pejorativo geralmente usado entre os afro-americanos para se referirem à arrogância de um homem branco. Às vezes o termo também é utilizado para se referir a um homem negro que age de maneira arrogante, assemelhando-se a um comportamento "branco". (N. E.)

Finalmente pude dizer quanto fiquei feliz em conhecê-lo.

"Vamos, sente-se e me conte sobre você."

Com gratidão, eu me acomodei na cadeira e ele sentou-se no braço do velho sofá que ficava do outro lado da sala.

"Stanley disse que você é uma moça sulista. De onde você é?" Sua voz havia perdido o jeito de falar da igreja, e ele se tornou apenas um homem jovem fazendo uma pergunta para uma mulher jovem. Fitei-o e pensei em um belo atleta atraente da escola que seria, invariavelmente, o namorado da líder de torcida de pele negra clara.

Eu disse: "Stamps, Arkansas. A uns quarenta quilômetros de Texarkana".

Ele conhecia Texarkana e Pine Bluff e, claro, Little Rock. Ele me perguntou sobre o tamanho e a população de Stamps, e se minha gente trabalhava no campo. Eu disse que não e comecei a explicar sobre Momma e meu tio aleijado que me criou. Enquanto eu falava, ele assentia com a cabeça como se os conhecesse pessoalmente. Quando descrevi as estradas de terra, os barracos de madeira e a pequena escola no topo do morro, ele sorriu em reconhecimento. Quando mencionei meu irmão Bailey, Martin me perguntou o que ele estava fazendo agora.

A pergunta me paralisou. Martin era amigável e compreensivo, porém, se eu lhe contasse que meu irmão estava na prisão, não poderia ter certeza de quanto tempo duraria sua compreensão. Eu poderia perder meu emprego. E, ainda mais importante, eu poderia perder seu respeito. Farinha do mesmo saco que seja, mas arrisquei e lhe disse que Bailey estava em Sing Sing.

Ele baixou a cabeça e olhou para as próprias mãos.

"Não foi um crime contra um ser humano." Tive que explicar. Eu amava meu irmão e, embora ele estivesse na prisão, queria que Martin Luther King pensasse se tratar de um criminoso incomum. "Ele era um receptador. Vendia bens roubados. Só isso."

Ele olhou para cima. "Quantos anos ele tem?"

"Trinta e três anos, e é muito inteligente. Bailey não é má pessoa. De verdade."

"Entendo. A decepção leva os nossos jovens para alguns extremos do desespero." Simpatia e tristeza mantiveram sua voz baixa. "É por isso que devemos lutar e vencer. Devemos salvar os Baileys do mundo. E, Maya, nunca deixe de amá-lo. Nunca desista dele. Nunca o negue. E lembre-se: ele é mais livre do que aqueles que o mantêm atrás das grades."

O sofrimento redentor sempre foi a parte do argumento de Martin que eu achava difícil aceitar. Eu tinha visto a miséria apodrecer a alma e deformar o corpo das pessoas, mas ainda não tinha visto ninguém ser redimido da dor pela própria dor.

Houve uma batida à porta e Stanley Levison entrou.

"Boa tarde, Maya. Olá, Martin. Estamos quase prontos."

Martin se levantou, e a ternura pessoal desapareceu. Ele se tornou o pregador correto, armado e pronto para a luta pública.

Ele veio até a minha mesa. "Por favor, aceite meus agradecimentos. E lembre-se: não estamos sozinhos. Há muitas pessoas boas neste país. Pessoas brancas que amam direito e estão dispostas a se levantar e contribuir." Sua voz tinha mudado de novo para a cadência batista suave, erguida para o bem comum.

Apertamos as mãos e me perguntei se a declaração dele sobre a existência de pessoas brancas boas havia sido feita para agradar a Stanley.

Na porta, ele se virou. "Mas não podemos relaxar porque, para cada americano branco justo, há um Bull Connor esperando com sua espingarda e cães de ataque."

Eu estava sentada, refletindo sobre a experiência, quando Hazel e Millie entraram sorrindo.

"Pegamos você dessa vez, não foi?"

Perguntei a ela se tinha preparado a surpresa. Não tinha. Ela disse que, quando Martin chegou, pediu para me encontrar. Foi informado de que eu deveria voltar do almoço e que eu era fanaticamente pontual. Ele se ofereceu para fazer uma pegadinha, esperando sozinho no meu escritório.

Millie riu. "Ele tem senso de humor. Você nunca tinha ouvido falar a respeito disso, não é?"

Hazel disse: "De qualquer maneira, isso o torna mais humano. Gosto quando um homem sério é capaz de rir. Completa a personalidade".

Martin King era um herói e um líder para mim desde a vez que Godfrey e eu o ouvimos falar e fomos levados à glória sobre suas asas de esperança. No entanto, a tristeza particular que ele demonstrou quando falei do meu irmão colocou o meu coração sob seu cuidado para sempre e me fez afastar a sutil e constante preocupação que minha mãe tinha me dado como parte de um presente de despedida: as pessoas negras não conseguem mudar porque as pessoas brancas não mudam.

Durante os meses seguintes, o aviso de mamãe foi ficando cada vez mais distante dos meus pensamentos. O ar do Harlem era novo, antigo e dinâmico. Os jovens negros e os jovens brancos lotavam as ruas, a caminho das marchas de protesto ou dos escritórios de libertação, onde realizavam tarefas pequenas, mas importantes. Os nacionalistas negros discursavam nas esquinas, exigindo liberdade imediata. Os muçulmanos negros acusavam a comunidade branca de genocídio e insistiam na segregação imediata e total dos demônios assassinos de olhos azuis. O Wells Restaurant e o Red Rooster serviam a melhor comida negra sulista[17] e ofereciam boa música durante a noite nas festas de negros e brancos e diplomatas africanos visitantes. O Baby Grand, onde Nipsy Russell jogou por anos, havia fechado, mas o Palm Café era um refúgio para bebedores inveterados e jogadores sérios. O *Amsterdam News* estava alerta em seu ataque semanal contra as "forças do mal", e G. Norwood, um dos seus colunistas sociais e políticos, mantinha a comunidade informada sobre quem estava fazendo o quê, para quem e com quanto sucesso.

O clima nacional era de ação, e os grupos mais antigos, como a Associação Nacional para o Progresso de Pessoas de Cor (ANPPC) e a Liga Urbana, estavam perdendo terreno para as organizações progressistas. Os jovens negros começaram a chamar Roy Wilkins

---

17   Originário do termo em inglês "soul food". Consiste na culinária originária do sul dos Estados Unidos, tradicionalmente preparada e consumida por estadunidenses negros. (N. T.)

de "Tio Tom" vendido e Whitney Young de espião perigoso. Apenas Martin e Malcolm impunham respeito; mesmo assim, não lhes faltavam detratores.

O encontro do Harlem Writers Guild na casa de Sarah Wright chegava ao fim. Quando nos despedíamos, o telefone de Sarah tocou. Ela acenou para que esperássemos e atendeu. Quando desligou, ela disse com entusiasmo que a delegação cubana das Nações Unidas, chefiada pelo presidente Fidel, tinha sido expulsa de um hotel no centro da cidade. O grupo foi acusado de ter levado galinhas vivas para seus quartos, onde seriam usadas em rituais vodu. Toda a delegação foi convidada para o Teresa Hotel, no Harlem.

Todos gritamos. Aqueles poucos escritores e aspirantes a escritores que não eram membros da Fair Play for Cuba, mas que, apesar disso, se deliciaram com a corajosa resistência de Fidel Castro aos Estados Unidos.

Em instantes, estávamos na rua, sob a chuva, buscando táxis, carros particulares ou indo até o metrô. Íamos recepcionar os cubanos no Harlem.

Para a nossa surpresa, às onze horas da noite de uma segunda-feira, não conseguimos chegar nem perto do hotel. Milhares de pessoas lotaram as calçadas e os cruzamentos, e a polícia isolou as ruas principais e paralelas.

Eu pairava com meus amigos nas beiras da multidão, aproveitando as músicas em espanhol, os gritos de "Viva, Castro!" e os sons de tambores de conga sendo tocados perto dali, no ar úmido da noite.

Foi um momento de "olé" e aleluia para as pessoas do Harlem.

Dois dias depois, Khrushchev veio visitar Fidel no hotel. A polícia, branca e nervosa, ainda guardava o cruzamento da rua 125 com a Sétima Avenida, que, mesmo em tempos normais, era aceita como a encruzilhada mais popular e possivelmente mais perigosa da América negra.

Hazel, Millie e eu descemos um quarteirão do escritório, abrindo passagem pela multidão jubilosa. Vimos Fidel e Khrushchev se abraçarem na rua 125, enquanto os cubanos aplaudiam e os russos abriam sorrisos largos, mostrando seus dentes de metal. As pessoas negras se juntaram aos aplausos. Algumas pessoas brancas não estavam nada mal. Os russos estavam bem. Claro, Fidel nunca chamou a si mesmo de branco, então ele estava a salvo dos mais tolos. De qualquer maneira, os Estados Unidos odiavam os russos e, como os negros costumavam dizer: "Não foi nenhum país comunista que escravizou meu avô. Nenhum comunista linchou meu pai ou estuprou minha mãe".

"Ei, Khrushchev. Vá em frente, com sua identidade má."

Guy saiu da escola, sem permissão, para ir ao Harlem com um grupo de colegas.

Eles invadiram o escritório da CLCS depois que as delegações russa e cubana deixaram a vizinhança para ir até o prédio das Nações Unidas.

Millie ligou e disse que meu filho estava lá, carimbando os envelopes.

A surpresa e a falta de sensibilidade me fizeram confrontá-lo diante dos seus amigos.

"O que está fazendo aqui? Você deveria estar na escola."

Guy deixou os papéis caírem e disse com uma voz fria e ofensiva: "Quer falar comigo em particular, mãe?".

Por que eu não soube um momento antes de falar o que sabia assim que minha pergunta acertou o ar? Eu me virei sem pedir desculpas e ele me seguiu.

Paramos e nos encaramos na entrada.

"Mãe, acho que você nunca vai entender. Para mim, um homem negro, o encontro entre Cuba e União Soviética, no Harlem, é a coisa mais importante que poderia acontecer. Significa que, no meu tempo, estou vendo forças poderosas se unirem em oposição ao capitalismo. Não sei como era no seu tempo, nos velhos tempos, mas na América moderna isso era algo que eu tinha que ver. Isso influenciará o meu futuro."

Eu o encarei e não encontrei qualquer palavra para dizer. Ele tinha uma percepção estranha de si mesmo. Quando eu era jovem, muitas vezes ponderei sobre o que eu aparentava para as pessoas ao meu redor, mas nunca pensei em me ver em relação ao mundo inteiro. Balancei a cabeça e passei por ele de volta ao meu escritório.

    Abbey, Rosa e eu determinamos que mais uma organização era necessária: um grupo de mulheres negras talentosas que se colocaria à disposição de todos os outros grupos. Estaríamos disponíveis para nos apresentarmos, para organizar desfiles de moda, para ler poesia, para cantar, para escrever para qualquer organização, da CLCS até a Liga Urbana, que quisesse realizar um evento para arrecadar dinheiro.

Capítulo 7

Durante seis meses, fui a coordenadora da CLCS. Eu sabia como entrar em contato com filantropos confiáveis, sabia os primeiros nomes de suas secretárias e em quais restaurantes os doadores costumavam almoçar. Eu carregava uma pasta e me sentava no metrô, estudando fervorosamente os documentos legais. Eu era chamada de "senhorita Angelou" no meu escritório e fazia muitas anotações em conferências de negócios com Stan Levison e Jack Murray. Martin Luther King era sagrado, e arrecadar fundos era a minha vocação. Os dias eram abarrotados de telefonemas, corridas de táxi e cartas sérias lembrando à lista de contatos que a liberdade custava caro e que uma doação de qualquer quantia era um golpe certo contra a cidadela da opressão que mantinha escravizado um povo desamparado.

Depois de um dia de atos que remexiam o coração, eu voltava para o meu apartamento. Em algum lugar depois do pôr do sol e antes de chegar ao Brooklyn, a magia gloriosa desaparecia. Quando descia do metrô no Park, não era mais a jovem executiva brilhante dedicada à Justiça, à Fair Play for Cuba e membra do Harlem Writers Guild.

Eu era uma mulher solteira com um aluguel para pagar e um filho de quinze anos, que havia decidido que qualquer coisa era melhor do que outra noite entediante em casa com sua mamãe. Em segredo, concordei com ele.

O Tony's Restaurant and Bar, nas proximidades do Sterling Place, tornou-se um santuário. Não era tão enfadonho a ponto de atrair exclusivamente as famílias que frequentavam a igreja, nem tão rude a ponto de prometer companhia combinada a perigo para mulheres desacompanhadas. Na primeira vez que entrei no Tony's, escolhi uma banqueta e pedi uma bebida, um oferecimento à minha maior fatura, e convidei o barman a pegar uma para si. (Vivian Baxter me disse, quando eu tinha dezessete anos e estava por conta própria, que uma mulher estranha sozinha em um bar sempre poderia contar com proteção se tratasse bem o barman.)

Ele serviu minha segunda bebida vagarosamente, deixando o gim derramar sobre o copo dosador; em seguida, me disse seu nome.

Teddy era um homem pequeno, asseado. Sua pele clara, da cor de uma torrada, era bem esticada por todo o seu rosto. Ele tinha olhos grandes e lentos, que esquadrinhavam o bar enquanto as mãozinhas batiam nas garrafas, copos e gelo, e conversava com todos no balcão, entrando e saindo das conversas sem perder um nome ou misturar uma bebida.

"Nova no bairro?" Ele levou as bebidas até o fundo do bar, recebeu o dinheiro, rodeou o caixa e perguntou: "De onde você é?".

"Você é uma trabalhadora ou uma garota que tem um emprego?"

A suavidade da sua voz desmentia o fato de que ele estava perguntando se eu era uma prostituta. Eu sabia que não devia agir como uma ignorante ou como se estivesse ofendida. Respondi que meu nome era Maya. Que eu era da Califórnia e tinha um emprego em Manhattan, morava sozinha com meu filho adolescente a três quarteirões dali.

Ele voltou do outro lado do bar trazendo uma bebida.

"Esta é por minha conta, Maya. Quero que se sinta em casa. Venha quando quiser."

Deixei uma boa gorjeta, agradeci e resolvi voltar na noite seguinte.

Dentro de um mês, Teddy e eu tínhamos uma relação de brincadeira astuta, e os frequentadores daquele lugar acenavam para mim friamente, mas sem hostilidade.

Ao contrário das aparências, existe um código de comportamento social entre as pessoas negras do sul (e quase todos nos enquadramos nessa categoria, queiramos ou não) que é tão severo e distinto quanto um minueto do século XVII ou um ritual de iniciação africano. Há um momento para falar, um tom de voz a ser usado, palavras a serem escolhidas com cuidado, a vez de baixar os olhos e uma fração de segundo na qual um estranho pode ser tocado no ombro, no braço ou até mesmo no joelho sem transmitir nada além de uma respeitosa amizade. Uma mulher sozinha em uma situação nova sabe que o certo é sorrir levemente para outras mulheres, nunca sorrir amplamente (um sorriso assim só é apropriado entre amigas ou pessoas fazendo amizade) e acenar para homens desconhecidos. Esse comportamento diz aos presentes que a nova mulher está pronta para ser amigável, mas não está sedenta pelo companheiro de outra mulher. Ela deve ser sensual e cuidar de sua aparência, mas tomando um cuidado especial para minimizar sua sexualidade.

O homem grande e eu havíamos nos visto várias vezes, mas, embora ele estivesse sempre sozinho, nunca havia falado comigo. Certa noite, entrei no bar e me sentei em um banco do canto. Teddy me serviu minha primeira bebida e me chamou de "garota da sexta-feira do Harlem". Então, o homem gritou do seu banco, no outro lado do bar.

"Ei, Bar, essa é por minha conta."

Teddy olhou para o homem, depois para mim. Balancei a cabeça em uma negativa. Teddy não se mexeu, mas seus olhos se voltaram para o homem, que assentiu, aceitando minha recusa.

Aceitar a primeira bebida de um homem estranho é como uma garota agradável fazer sexo no primeiro encontro. Eu me sentei à espera da segunda oferta.

"Meu nome é Tom. Maya, por que você não quer tomar uma bebida comigo?"

Eu nem o tinha visto se mover e, de repente, ele estava perto o bastante para eu sentir o calor de seu corpo. Ele falou um pouco mais alto que um sussurro.

"Eu não te conhecia, não sabia o seu nome. Uma dama não pode beber com um homem que não tem nome." Sorri, pressionando o músculo da minha bochecha para baixo para mostrar a alusão de uma covinha.

Ele tinha uma cor bronzeada e avermelhada que as pessoas negras do sul chamavam de "marítima". Seu rosto era sardento e seu sorriso era um borrão branco.

"Bem, meu nome é Thomas Allen. Moro na Clark, perto da Eastern Parkway. Tenho 43 anos e sou solteiro. Trabalho no Queens, trabalho duro e tenho um bom salário. Agora você me conhece." Ele ergueu a voz: "Bar, nos traga outra bebida igual à anterior", então baixou a voz: "Me diga, por que está sozinha? Os homens ficaram cegos?".

Embora eu soubesse que era um movimento esperado no jogo da paquera, flertar me deixava desconfortável. Cada comentário tímido me fazia sentir como uma mentirosa. Eu me mexi no banco, ri e disse: "Ah, pare".

Thomas era suave. Ele conduziu, eu segui; na hora propícia, ele se retirou e arranquei em frente; no fim da nossa cerimônia introdutória, dei-lhe o meu endereço e aceitei o convite para jantar.

Fomos a dois jantares, nos quais descobri que ele trabalhava com o estabelecimento de caução a fianças — ou seja, um fiador — e era divorciado. Fui para a casa dele e recebi uma satisfação generosa. Depois de algumas noites de prazer, eu o levei até a minha casa para conhecer meu filho.

Ele era Tom para seus amigos, mas, para me estabelecer como um tipo diferente das pessoas que ele conhecia, eu o chamava de Thomas. Ele era amável comigo, sempre falando com gentileza, e era generoso com Guy. Éramos um belo trio no cinema, no zoológico e na Coney Island. A família dele me tratou com educação, mas os olhares trocados entre eles revelavam questionamentos profundos e desconfiança. O que eu queria com o irmão deles? Uma mulher adulta, que tinha trabalhado na indústria do entretenimento e Deus sabe o que mais... Seu filho adolescente, cujas frases eram repletas de palavrões, conversava sobre política radical e participava de protestos. O que Tommy iria fazer com eles? E por Deus... Ela nem era bonita, então o que ele viu nela?

Se tivessem perguntado a mim, em vez de uns aos outros, eu poderia tê-los informado com duas palavras: sexo e comida.

No início, minha avidez no quarto o chocou, mas quando ele percebeu que eu não era uma aberração, apenas uma mulher saudável com um apetite sexual saudável, ele ficou orgulhoso em me agradar. E o apresentei aos cardápios mexicano e francês, espalhando comidas gloriosas sobre a mesa da minha sala de jantar. Desfrutávamos dos dons um do outro e nos sentíamos à vontade juntos. Só tenho um arrependimento: não conversamos. Ele nunca introduziu um assunto nas nossas noites e respondia com monossílabos a todas as perguntas feitas.

Depois dos cumprimentos comuns, nossas conversas se limitavam principalmente aos meus gritos no seu quarto e seus gemidos à mesa da minha sala de jantar. Ele tratava o meu trabalho na CLCS apenas como mais um trabalho.

Uma grande doação ou uma arrecadação de dinheiro bem-sucedida me mandaria brilhando para longe do escritório. Thomas receberia a notícia com um aceno solene e depois folhearia o jornal, para que eu soubesse que ele estava realmente ocupado com a leitura. Suas respostas às perguntas sobre a qualidade do seu dia no trabalho eram geralmente dadas em um tom monótono.

"Foi tudo bem."

Alguém interessante foi preso?

"Não. Apenas as mesmas prostitutas velhas, cafetões e assassinos."

Há criminosos perigosos entre eles?

"Andar na rua é perigoso."

Será que nunca teve medo de criminosos armados?

"Também tenho uma arma e uma licença para carregá-la."

Se não fosse pela minha arrogância, o nosso relacionamento nunca teria progredido para além do alcance dos nossos apetites carnais.

O Writers Guild tinha se reunido no apartamento de Rosa e as pessoas estavam organizando caronas para uma festa noturna no Harlem. Recusei, dizendo que Thomas viria me buscar para me deixar em casa.

Alguém sugeriu que eu o levasse para a festa, mas, antes que eu pudesse responder, outro escritor perguntou se era verdade que o cara era um fiador. Ele era um fiador, e daí? A mulher disse: "Humph", e encolheu os ombros. "Bem, espero que não esteja falando sério sobre ele. Porque com certeza ele não seria bem-vindo na minha casa. Os fiadores são tão ruins quanto os policiais. Ficam vivendo da miséria dos pobres."

Não tive tempo de pensar nas consequências do que ia dizer. A mulher, é claro, não era minha amiga, mas mesmo uma colega educada não tentaria me envergonhar ou me desafiar em público. Ela nunca tinha comprado sequer um quilo de feijão-verde para mim, e não ia ser ela quem iria estragar o meu rosto em meio aos lençóis. Ela poderia ir encher o saco do traseiro dela.

"Eu vou me casar com ele e vou rasgar o seu convite para o casamento."

John Killens se virou. "Que diabos você disse?"

Rosa, que conhecia todos os meus segredos, arregalou os olhos e perguntou: "Desde quando?".

Lidei com todas as perguntas com uma frieza que eu não sentia.

Não era verdade que Thomas me pediu em casamento, e Guy não lhe tinha nenhuma consideração especial. Eu sabia que não estava apaixonada por ele, mas estava sozinha e seria uma boa esposa. Eu sabia cozinhar, limpar a casa e nunca havia sido infiel, nem mesmo com algum namorado. Nossa vida seria tranquila.

Eu estava me acostumando com a ideia e até mesmo gostando dela. Compraríamos uma bela casa em Long Island, onde ele tinha parentes. Eu me tornaria membra de uma igreja e de algumas organizações locais de mulheres voluntárias. Guy não se importaria com outra mudança se tivesse certeza de que seria definitivamente a última. Eu deixaria meu cabelo crescer, o alisaria e usaria bonitos chapéus floridos e luvas, e aparentaria ser uma bela mulher de cor de São Francisco.

Quando contei a Thomas que queria me casar, ele assentiu e disse: "Também tenho pensado nisso. Acho que está na hora".

Guy aceitou a notícia com seriedade. Depois de segundos de silêncio, ele disse: "Espero que você seja feliz, mãe". Ele se virou, depois voltou. "Não vamos nos mudar de novo, né?".

Menti sobre os meus devaneios, lembrando-o de que Thomas tinha um grande apartamento a poucos quarteirões da nossa casa, o que significava que ele não teria que mudar de escola novamente. Pensei comigo mesma: *Talvez não comprássemos nossa casa em Long Island até que Guy fosse para a faculdade.*

O meu anúncio foi recebido com alegria no escritório. Hazel me abraçou e disse: "Não há nada como ter um bom homem". Ela era casada e feliz, então era uma reação esperada. Abbey me olhou de maneira interrogativa. "Maya Angelou, espero que saiba o que está fazendo."

"Não sei, mas vou orar muito."

Ela riu e prometeu orar comigo. Ela estava cuidando com diligência do seu novo casamento, mantendo seu teto imaculado e gravando músicas complicadas com Max.

Rosa era prática. "Ele não é ciumento, né? Se você se casar com um homem ciumento, a vida vai ser um inferno." Eu lhe disse que ele não teria motivos para sentir ciúme.

Rosa escrevia todos os dias, mesmo que isso competisse com sua grande família indisciplinada, com o galanteio por parte de belos diplomatas africanos e com o trabalho em uma fábrica para pagar o aluguel.

Os meus dois amigos mais próximos estavam muito ocupados com tudo o que acontecia e com as próprias vidas para me convecerem a não tomar uma decisão precipitada.

Thomas me deu um anel de noivado e disse que nos casaríamos em três meses. Iríamos nos casar na Virgínia, seu estado natal, na igreja onde seus pais se casaram. Depois, iríamos de carro até Pensacola, na Flórida, porque ele sempre quis pescar no Golfo do México. Guy ficaria com a família dele enquanto estivéssemos fora.

Obviamente ele não precisava da minha concordância, já que não pediu por ela. A decisão de se casar comigo automaticamente lhe deu a autoridade para planejar toda a nossa vida. Ignorei a pontada que tentou me avisar que eu deveria parar e refletir seriamente.

Eu nunca tinha ido à Virgínia ou à Flórida. Viajar era uma coisa adorável pela qual se esperar.

O tempo e a oportunidade iam remodelando minha vida. Fechei a boca e aceitei, com novo pudor.

Capítulo 8

Em uma manhã de segunda-feira, Hazel me contou que, no fim de semana, ouviu um combatente da liberdade sul-africano falar. Era tão meticuloso e tão brilhante que até o maior tolo do mundo seria capaz de enxergar que o Apartheid era ruim e que deveria ser derrubado. Seu nome era Vusumzi Make (pronuncia-se Mah-quei).

Alguns voluntários, de pé do lado externo dos escritórios, também tinham ouvido o orador. Eles se juntaram à conversa com elogios adicionais.

"O africano mais inteligente e calmo que já ouvi."

"Um pouco gordo, mas fofo como ele quer ser."

"Ele me lembrou mais do doutor King do que qualquer pessoa que já vi."

Perguntei seu nome novamente.

Hazel disse que lhe tinha escrito e que o homem estava nos Estados Unidos para fazer uma petição nas Nações Unidas contra a política racial da África do Sul. Ele discursaria de novo no fim da semana. Talvez poderíamos assistir à palestra juntas. Eu disse "talvez".

Havia um monte de caixas de papelão contra a parede do meu escritório. Abri todas. Cada uma continha uma linda bagagem e um bilhete: "Muitas felicidades para minha noiva". Levei a alegria para a minha mesa.

Frank Sinatra, Peter Lawford, Joey Bishop e o Sammy Davis Jr. concordaram em fazer uma apresentação beneficente para a CLCS no Carnegie Hall. Jack O'Dell, um organizador altamente respeitado, juntou-se à organização e estava dividindo os assentos do salão. Stanley, Jack, Jack Murray e eu tivemos que separar as seções e os preços dos assentos.

Tivemos de providenciar acomodações em hotéis para o famoso "Rat Pack" e sua comitiva. Os dirigentes sindicais dos músicos tiveram de ser contatados, e os ingressos, rascunhados e encomendados. Os patronos com salários altos precisavam ser convidados, e os grupos religiosos precisavam ser contatados e convidados a ocupar blocos de assentos.

Estávamos trabalhando além do horário na tarde de sexta-feira quando Hazel disse que precisava ir. Ela me lembrou de que Make iria falar e que ela se encontraria mais cedo com o marido do outro lado da cidade para que conseguissem bons lugares. (Ela sabia que estava fora de cogitação eu conseguir ir junto.)

Enquanto Hazel saía, pedi que fizesse anotações para mim e me contasse tudo na segunda-feira.

O trabalho tomou conta do meu fim de semana. Vi Guy apenas durante poucas horas do sábado, quando veio ao escritório para se juntar a outros jovens voluntários, negros e brancos. Thomas estava trabalhando na escala noturna, então peguei o metrô tarde para o Brooklyn e caminhei por suas ruas tranquilas até em casa. O bilhete de Guy na mesa da sala de jantar me informou que ele estava em uma festa. "Casa às 0h30." Meia-noite e meia era absolutamente o limite. Afinal, ele mal tinha quinze anos. Eu era severa, e ele, geralmente, estava de acordo. Eu me deitaria na cama com um livro e ficaria acordada para garantir que ele honrasse o bilhete.

A manhã me encontrou na mesma posição, e Guy dormia inocentemente em seu quarto.

Make tinha sido mais eloquente do que na vez anterior. Hazel disse que uma pessoa impertinente havia perguntado por que dezesseis milhões de africanos permitiram que três milhões de pessoas brancas os controlassem, lembrando a Make que nós, os americanos negros, éramos apenas um décimo da população dos Estados Unidos, mas nos levantávamos e lutávamos desde que tínhamos sido trazidos para cá como escravizados. Hazel disse que Make foi devastador.

Primeiro, ele falou da luta negra americana. Ele conhecia a história melhor do que a maioria dos americanos negros. Ele falou sobre Denmark Vesey e Gabriel, e todos os líderes conhecidos das rebeliões das pessoas escravizadas. Ele citou Frederick Douglass e Marcus Garvey. Ele disse que o doutor DuBois era o pai do pan-africanismo, que assistiu ao Congresso Pan-Africano em Paris, em 1919, onde ele afirmou nitidamente a ideia de uma África livre e unida. Make então, sistematicamente, explicou como a África apanhou da escravidão, tendo seus filhos e filhas mais fortes roubados e trazidos para construir o país dos escravizados. Falou do colonialismo, o segundo golpe que levou o continente à degradação. Disse que o espírito da África vive, mas é mais vital nos seus descendentes, que lutam para se afastar da pátria. Em casa, na África do Sul, as pessoas precisavam da ajuda e do encorajamento daqueles de nós que, conhecendo a escravidão em primeira mão, descobriram que o opressor era um inimigo formidável, mas resistível.

Anotei para ouvir Make na próxima vez que ele discursasse. Mais uma vez, minhas responsabilidades atrapalharam a minha intenção. John Killens telefonou na manhã de quinta-feira.

"Maya, ouvi Make ontem à noite. Eu esperava te ver lá."

Expliquei que estávamos nos aproximando da data no Carnegie Hall.

"Bem", ele disse, "se estiver livre amanhã à noite, venha até a nossa casa. Grace e eu convidamos algumas pessoas para conhecê-lo."

"Vou trabalhar até tarde amanhã também."

"Venha a qualquer hora. Começaremos por volta das oito. Provavelmente, continuaremos até uma ou duas da madrugada. Make é o representante do Congresso Pan-Africano. Essa é a organização fundamental, mas ele está vindo com Oliver Tambo, o líder do Congresso Nacional Africano. O CNA é para o CPA o que a ANPPC é para os muçulmanos negros. Os dois se dão bem, apesar disso. Tente vir."

Antes de ir para o trabalho na manhã seguinte, acordei Guy e pedi que fosse jantar na casa de John, e disse que o encontraria lá às 21h30.

O desgosto por ser uma mãe caprichosa e muitas vezes ausente me fez ir para a casa dos Killens.

Saí do escritório um pouco mais cedo e, depois que John abriu a porta, atravessei a multidão de conhecidos e desconhecidos para encontrar Guy, Chuck, Barbara e Mamãe Willie na cozinha. Guy olhou para cima e depois para o relógio e sorriu.

Mamãe Willie me ofereceu comida, mas recusei e disse que era melhor ir cumprimentar os convidados de honra.

Guy disse: "Ele vai nocautear você, mãe. Conversamos um pouco. Ele é mais briluz do que as lesmolisas touvas". Guy vinha se esforçando tanto para parecer adulto que fiquei surpresa ao ouvi-lo usar sua frase favorita da infância. Make fez meu filho reservado relaxar e conversar como uma criança de novo.

Fui até a sala e cumprimentei Paule e John Clarke, Sarah Wright e Rosa.

O ar na sala crepitava como estática. John Killens me apresentou a um homem negro, pequeno e arrumado.

"Maya Angelou, conheça Oliver Tambo, um guerreiro da África do Sul." Tambo apertou minha mão e fez uma reverência.

John continuou: "E venha aqui e conheça Vusumzi Make, outro guerreiro sul-africano".

A aparência de Make me surpreendeu. Eu o imaginava muito alto e mais velho. Ele era sete centímetros mais baixo do que eu, e seu rosto de bebê era cercado por gordura. Ele tinha ombros largos e cintura larga, tudo envolto em um terno risca de giz lindamente cortado, e ele tinha trinta e poucos anos.

"Senhorita Angelou. Prazer em conhecê-la. Você representa o herói negro Martin King, assim como eu represento o herói negro sul-africano Robert Sobukwe. Hazel Gray tem me falado sobre você. Se não tivéssemos nos encontrado, eu a teria conhecido de qualquer maneira. Conheci Guy."

Seu sotaque era delicioso. Resultado da deliberação britânica mudada pelo ritmo de uma língua africana e pela graça dos lábios africanos. Eu me afastei depois de sorrir, necessitando me sentar e me recompor. Eu nunca tinha visto um homem assim. Ele era intenso e contido. Seus movimentos eram econômicos e delicados. E ele aparentava não saber que estava decididamente acima do peso. A apresentação de John provavelmente foi adequada. Ele era um guerreiro, certo dos seus inimigos e seguro com seu armamento.

Rosa deixou seu diplomata africano para se juntar a mim no sofá. "Você conheceu Make. Ele estava pedindo para conhecê-la. Vá com calma, criança." Ela sorriu apenas para mim e voltou para seu acompanhante.

Paule Marshall estava na minha frente. "Escute, Maya Angelou. O que você fez com Make? Ele disse que quer te conhecer melhor."

Contei para ela que só disse "oi".

Ela disse: "Deve ter sido um 'oi' dos infernos. Ele me perguntou se eu te conhecia bem e se você era casada". Paule riu e piscou. "Eu não disse nada. Depende de você."

John e Grace encurralaram seus convidados de volta para a sala de estar, onde todos encontraram assentos. Depois que as cadeiras e sofás estavam cheios, as pessoas descansaram nos bancos ou se acomodaram entre os sofás, no chão. John apresentou Oliver Tambo, que falou sobre a África do Sul, o CNA e seu líder, Chefe Albert Luthuli, com uma raiva concisa e controlada.

Aplaudimos o homem e a causa que o trouxe aos Estados Unidos. Então, John apresentou o senhor Make, e meu amor não estava mais nas mãos de Thomas Allen.

Make começou a falar sentado, mas a paixão levantou sua voz e seu corpo da cadeira. Ele tinha sido acusado de traição nos julgamentos após o Massacre de Sharpeville. Os africanos, membros do CNA e do CPA, junto a pessoas que não pertenciam a nenhuma das organizações, se reuniram em 1958 para se opor à opressão no seu país. Eles foram inspirados por Martin Luther King e pela CLCS. (Ele olhou para mim e acenou com a cabeça.) Foram encorajados por Malcolm X e pelos muçulmanos a se separarem de seus opressores.

Quando ele terminou, abriu para perguntas e se sentou, enxugando o rosto com um lenço branco como uma nuvem.

A minha primeira reação foi desejar ser o pano branco em sua mão escura, tocando sua testa, deleitando-me suavemente nos cantos de seus lábios. A inteligência sempre exerceu uma influência pornográfica sobre mim.

Ele abriu para perguntas e ficou imediatamente satisfeito.

"Qual era a organização mais popular na África do Sul?" Ele estava mesmo flertando comigo?

"Luthuli e Sobukwe se davam bem?" Será que os homens gordos faziam amor que nem os magros?

"Quando o sul-africano mediano se tornará politicamente consciente?" Ele era casado?

"O que nós, como negros americanos, poderíamos fazer para acelerar a luta?" Quanto tempo ele ficaria em Nova York?

Make e Tambo compartilharam as perguntas, trocando respostas com a facilidade dos tenistas profissionais.

Make virou-se. "A senhorita Angelou tem alguma pergunta?" A experiência no palco me impediu de me contorcer. Todas as atenções se voltaram para mim, e empurrei minhas perguntas reais para o fundo da minha cabeça e perguntei: "Senhor Make, seria possível resolver o problema sul-africano com o emprego da não violência?".

Ele se levantou e caminhou até o meu canto. "Aquilo que funciona para o seu reverendo King não poderia funcionar na África do Sul. Aqui, seja honrada ou não, existe uma Constituição. Vocês, ao menos, têm leis que dizem 'Liberdade e justiça para todos'. Vocês podem ir aos tribunais e exigir um bocado de sucesso. Testemunharam a decisão da Suprema Corte em 1954. Na África do Sul, nós, africanos, somos excluídos de todos os princípios que tratam de justiça. Não somos considerados nas leis escritas que tratam de equidade. Não somos apenas brutalizados e oprimidos; de fato, somos ignorados pela jurisprudência."

Ele estava de pé sobre mim, e me senti com sorte. Sorte de ser uma americana negra e, em comparação com ele e seu povo, apenas ligeiramente prejudicada pelo racismo. Mas ainda mais tão afortunada. Seus olhos estavam em mim, e eu teria que ser mais grossa que pele de porco crua para não saber que algo em mim o fisgara.

Cruzei os braços e recostei-me enquanto ele usava o tempo para desenvolver seu argumento. Ele terminou sob aplausos de pé e foi envolvido, em segundos, por um grupo de pessoas animadas. Nós nos avistamos em meio aos corpos em movimento, mas ele não voltou mais para o meu canto.

Depois de mais uma bebida, fui buscar Guy; meus dias começavam cedo, e Guy tinha seu trabalho na padaria de novo.

À porta, Make nos parou.

"Senhorita Angelou, só um minuto. Guy, eu ficaria honrado em acompanhar a sua mãe até em casa."

Make sabia que pedir a permissão de Guy agradaria a nós dois. Meu filho sorriu, amando a formalidade do Velho Mundo, diretamente de *Os três mosqueteiros* e *Os irmãos corsos*.

"Obrigado, senhor Make. Estou levando-a para casa."

Eu poderia beliscá-lo até que ele gritasse.

Make disse: "Claro, obrigado de qualquer maneira". O homem grande quase se curvou até a cintura. "Espero que nos reencontremos, senhorita Angelou. Boa noite. Boa noite, Guy."

Ele se afastou e saímos de lá.

"Ele não sabe que você está noiva, ou não teria pedido para levá-la para casa." Guy tagarelou o caminho inteiro. "Mas ele é muito inteligente. É da tribo Xhosa. Sabe, a música 'The Click Song', de Miriam Makeba; bem, essa é a língua dele. Ele era bacharel, isto é, um advogado, antes de ser banido e escapar da África do Sul."

"Quando ele te contou tudo isso?"

"Ele entrou na cozinha e conversou com Chuck, com Barbara e comigo. Ele simplesmente entrou, se apresentou e se sentou."

A maioria dos políticos que eu tinha conhecido, com exceção do Martin Luther King, achava que conversar com as crianças era perda de tempo para os adultos. Eu estava gostando do africano mais e mais. E, era óbvio, eu nunca mais o veria, e, se nos encontrássemos, Thomas e meu iminente casamento estariam entre nós.

Na manhã seguinte, Paule telefonou para dizer que daria uma festinha naquela noite e que eu precisava ir. Eu teria outra noite de trabalho até tarde e, assim que chegasse ao Brooklyn e me trocasse, realmente não estaria a fim de voltar para Manhattan. Ela insistiu para que eu passasse lá depois do trabalho, garantindo-me que a festa seria muito casual. Eu disse que topava.

No fim da tarde, liguei para John a fim de lhe dizer quanto gostei de conhecer Make, acrescentando que ele era muito impressionante. Ele concordou e disse que eu o reencontraria naquela noite, na casa da Paule. A festa estava sendo oferecida para Oliver Tambo e Make. Refleti sobre as possibilidades durante horas. Se nos encontrássemos e ele insistisse, será que eu teria forças para resistir? E eu queria mesmo resistir? É claro, a noite anterior tinha acabado e ele poderia levar uma mulher para a casa de Paule. Se ele persistisse e eu me rendesse, eu teria de romper com Thomas, e o meu sonho de uma segurança tranquila evaporaria. Make deixaria o país e eu voltaria para onde estava, ou ainda pior. Ficaria sozinha e com o coração partido.

Peguei um trem direto para o Brooklyn. Era uma noite de sexta-feira. Guy engoliu sua comida e me deu um beijo. Ele estava indo para uma festa, mas estaria de volta à meia-noite e meia.

Depois do banho, eu me deitei na cama com um livro, uma bebida e um maço de cigarros. O fantasma da festa de Paule invadiu o quarto. Os espectros de pessoas negras rindo, gritando e discutindo se aglomeraram em volta da minha cama. Make estava no meio do grupo, seu lindo rosto de lua cheia intensa, seu sotaque transformando as palavras em novas formas, sua lógica indiscutível. Se eu fosse para a festa... Telefonei para Thomas. Ele não atendeu. Eu tinha uma roupa bonita e novíssima que eu poderia usar, e sandálias abertas de salto alto. Na verdade, não demoraria muito para me vestir e, se pegasse um metrô até a Times Square, faria a baldeação para o trem e desceria a três quarteirões do prédio de Paule. Em meia hora, eu tocava a campainha dela. Lá dentro, homens e mulheres se aglomeravam em júbilo. A vitrola estava ligada em um volume moderado e o jazz se misturava às vozes.

Eu me dirigi para a sala de estar, atravessando o corredor lotado. Ao passar pela cozinha, à minha esquerda, ouvi a voz de Make.

"Senhorita Angelou." Ele veio até mim, com um sorriso de boas-vindas e dentes brancos. "Eu tinha acabado de desistir de você."

Ele pegou a minha mão. "Paule disse que você viria do trabalho. Mas suponho que você tenha ido para casa a fim de se arrumar."

Assenti e pedi licença, dizendo que precisava encontrar Paule. Na verdade, tive de me afastar da eletricidade do homem. Faíscas pareciam sair dele na direção de meus mamilos e de minhas orelhas. Minhas axilas formigavam e o conteúdo do meu estômago despencou na minha virilha. Eu nunca havia desmaiado na vida, mas, naquele momento, senti que mergulhava em uma piscina quente, negra e amigável.

Paule riu ao me ver. "Sei que você não veste isso para trabalhar. Você saiu para pegá-lo, né, Maya Angelou?"

Fiquei zangada e neguei a acusação. "Vou me casar, Paule. Não sou nenhuma mulherzinha medrosa."

Seu temperamento prontamente respondeu: "Bem, me desculpe". E foi se juntar aos outros convidados. Fui uma boba. Menti e ofendi minha amiga ao mesmo tempo. Make não fez mais qualquer tentativa de falar comigo.

A música foi interrompida e pude ouvir a voz de Tambo enquanto a conversa se acalmava. Ele falou de modo breve, repetindo o discurso da noite anterior. Ken Marshall pediu a Make para dizer algumas palavras, e ele caminhou até o centro da sala. Não ouvi suas palavras, mas usei o tempo para estudar seu corpo. Ele tinha cabelos macios e crespos cortados bem curtos e uma pele marrom-escura e uniforme. Grandes olhos negros e redondos que se moviam lentamente, captando os detalhes de seus ouvintes. Tinha alguns pelos no queixo, que ele tocava com as mãos pequenas enquanto falava. Seu peito florescia acima de uma cintura marcada, então seus quadris se alargavam em uma voluptuosidade quase feminina. Coxas gordas se tocavam, sob as calças de vincos marcados, e seus pezinhos se enfiavam em sapatos bem engraxados. Concluí a investigação e decidi que Make era o homem ideal.

Dei-lhe alguns olhares sensuais e, quando ele estava de costas, corri escada abaixo e parei um táxi. Justifiquei a despesa de uma corrida de táxi até o Brooklyn dizendo a mim mesma que estava pagando pela minha honra.

A Sociedade Americana para a Cultura Africana realizou seu baile de gala anual no sábado à noite, no salão de baile de um hotel no centro da cidade, e, como coordenadora da CLCS, era esperado que eu comparecesse. Thomas estava trabalhando até tarde, então Rosa e seu acompanhante me encontraram em Manhattan. Seu diplomata africano vestia uma calça bordada que combinava com a blusa volumosa que chegava ao chão. O homem era preto-azulado e espetacular. Sua indiscutível dignidade desmentia o conceito de que as pessoas negras eram inferiores por natureza. A presença dele, por si só, refutava a ideia de que os nossos ancestrais eram sub-humanos nus vivendo em árvores, três séculos antes, quando as pessoas brancas os atacaram no continente africano. Essa elegância não poderia ter sido aprendida em trezentos anos.

A sala de dança estava cheia de mulheres negras maquiadas, penteadas e lindas em vestidos Dior e Balenciaga ou em vestidos feitos por costureiras locais. As africanas flutuavam, de rosto sereno, em seus coloridos trajes nacionais, e alguns brancos se misturavam aos negros de smoking ou trajes iguais aos do amigo de Rosa. Deixei meus amigos para fazer o meu registro na mesa reservada para a CLCS. Os Grey observavam os casais dançando e, quando os cumprimentei, Hazel pulou.

"Ah, aí está você! Então o conheceu, afinal." Eu sabia sobre quem ela estava falando. "Ele esteve aqui alguns minutos atrás, perguntando por você."

Eu o vi atravessando a pista de dança, como um transatlântico passando por rebocadores, em direção ao píer. Pediu para dançarmos.

Ele se movia surpreendentemente bem para o seu tamanho, e o seu prazer na dança fazia com que parecesse menos sério. Ele me puxou para si, e senti a firmeza sob as camadas de gordura ao redor. Ele riu.

"Está com medo de mim, né? Uma garotona como você, uma americana sofisticada, assustada por causa de um homenzinho negro do Continente Negro."

"Por que eu deveria ter medo de você?"

Ele continuava rindo. "Talvez pense que vou achar que você é uma missionária e que vou devorá-la."

"Não é isso que penso. De qualquer jeito, se mais africanos tivessem comido mais missionários, o continente estaria em melhor forma."

Ele parou de dançar e olhou para mim com aprovação. "Senhorita Angelou, você tem todos os motivos para estar alarmada. Pretendo mudar a sua vida. Vou te levar para a África."

Estiquei o corpo e tornei o meu rosto pouco convidativo.

"Senhor Make, vou me casar em dois meses. Dito isto, seu plano é impossível."

"Eu soube disso, mas onde está o noivo esquivo? Vi você três vezes e, exceto pelo seu filho, você estava sem companhia masculina."

Defendi Thomas. "Meu noivo está trabalhando."

"E o que esse homem diligente faz?"

Ele estava sorrindo. Ele sabia a resposta para a pergunta.

"Ele é fiador. E vou encontrá-lo depois do baile, hoje à noite."

Make agarrou a minha mão e me levou de volta para a minha mesa. Ele puxou a minha cadeira e, depois que me sentei, inclinou-se para mim e sussurrou: "Devo ao nosso povo salvar você. Quando encontrar o seu noivo cruel, diga-lhe que estou atrás de você, que comigo todos os dias são sábado à noite e que sou negro e perigoso".

Ele saiu e meu coração ameaçou parar de bater.

Voltei para casa cedo e sozinha. Guy estava dormindo e a casa era como uma caverna.

Thomas atendeu o telefone. Eu tinha gostado do baile de gala? Não, ele estava cansado demais para vir me buscar. Não, eu não deveria chamar um táxi. Afinal, nós nos veríamos no dia seguinte. Ele me levaria ao cinema.

O sono não veio para mim voluntariamente. Os pensamentos correram, perseguindo uns aos outros como crianças animadas em um pega-pega. Casar-me com um homem com quem eu nem tinha dormido e ir para a África. Deixar Martin Luther King e a minha própria luta. Mas todas as lutas negras eram uma, com um único inimigo e um único objetivo. Thomas atiraria em mim com a sua pistola do trabalho. Por que Make me desejava? Ele não conhecia a mim nem ao meu passado. Mas eu também não o conhecia. E Guy? Certamente, Make não esperava que eu deixasse meu filho. Uma chance para Guy terminar de crescer na África. Suponha-se que o homem fosse gordo demais para fazer amor. Eu sabia de mulheres negras que tinham maridos mutilados que recusavam sexo. Eu não chegaria a esse extremo; por outro lado, não achava que ficaria com um homem que não me satisfizesse. A especulação era perda de tempo. Eu ia me casar com Thomas e teríamos uma vida agradável e complacente no Brooklyn.

Na noite seguinte, o filme estava mortalmente chato. Eu me levantei com o pretexto de pegar um refrigerante e me sentei no salão, fumando e me perguntando o que Make estaria fazendo. Patrice Lumumba estava em Nova York. Rosa iria se encontrar com ele e com seu assistente, Thomas Kanza. Abbey e Max estavam se apresentando no Village. Malcolm X estava discursando em uma reunião pública no Harlem e, em algum lugar, Make estava inundando seus ouvintes com palavras brilhantes. Guy estava participando de um comício de jovens no Washington Square Park. O mundo estava em chamas.

Thomas dirigiu o carro em direção à sua rua.

"Não estou com vontade de ir para a sua casa", eu lhe disse.

Ele olhou para mim, mas mantive o meu rosto virado para a frente.

"Você está bem? Não é aquele 'período do mês', é?"

"Não. Só quero ir para casa."

Não, ele não tinha me ofendido. Não, eu não estava doente.

Contei para ele que vivíamos tempos empolgantes e que, por causa das Nações Unidas, os africanos e os oprimidos do mundo todo faziam de Nova York a arena onde lutavam por justiça.

"Não perdi nada na África e eles não perderam nada no nosso país. Todos podem voltar para o lugar de onde vieram, não me importo. De qualquer maneira, sinto toda a emoção de que preciso no meu trabalho e não quero ouvir falar de política em casa."

Foi um longo discurso para os padrões de Thomas e um desastre para o nosso relacionamento. Eu poderia imaginar futuras conversas interrompidas quando eu fosse silenciada. Dias, semanas, meses se passaram sem que nenhum de nós dois fosse além da conversa-fiada.

Preparei o jantar, em casa, e esperei sozinha pelo retorno de Guy.

Os dias seguintes trouxeram buquês de flores diversas e vasos de rosas vermelhas para cobrir a minha mesa e me fazer sentir uma cortesã desejada. Os cartões que os acompanhavam diziam: "De: Vusumzi Make; Para: Maya Angelou Make". Hazel parecia preocupada e Millie sorria, como se ela e eu compartilhássemos um segredo.

Thomas escolheu o mesmo momento para entregar mais presentes de casamento. Homens jovens e malvestidos carregavam caixas escada acima e as depositavam do lado de fora do meu escritório. "De: Tom; Para: Maya." Abri as caixas e encontrei uma vitrola cara, coberta por couro liso, e mais um jogo de malas. Era um presente lisonjeiro, mas não consegui afastar a ideia de que a vitrola era um item roubado.

Recusei os convites diários de Make para almoçarmos e neguei as ofertas de Thomas para que eu visitasse seu apartamento.

A confusão me encontrou de peito aberto. Eu não podia correr nem me esquivar.

A política do escritório era mais uma irritação. Apesar das longas horas e de eu considerar o meu compromisso diligente, mais dois homens foram contratados para ajudar na administração da organização. Eu não tinha tido parte alguma na decisão de sua contratação.

Depois de um almoço de negócios com a presidenta de um clube nacional de mulheres negras, em que discutimos a venda de uma grande quantidade de ingressos, sugeriu-se que eu relatasse os resultados aos recém-chegados ao escritório. Quando me recusei a fazê-lo, insistindo na minha própria autonomia, a lealdade de outros funcionários começou a mudar. Os sorrisos acolhedores desapareceram ou brilhavam em excesso. Os pequenos grupos de trabalhadores lotavam as mesas dos recém-chegados, enquanto Hazel e Millie aproveitavam todas as oportunidades para entrar no meu escritório, me trazendo notícias ou café, jornais novos ou a correspondência.

Capítulo 9

Na quinta-feira de manhã, concordei em me encontrar com Make para almoçar, a alguns quarteirões do meu escritório. Eu explicaria por que ele tinha de aceitar a minha rejeição.

O Wells Restaurant, o orgulho do Harlem, na intersecção da rua 132 com a Sétima Avenida, era popular desde os anos 1920, quando era a parada preferida na rota dos brancos que visitavam o que muitos chamavam de "Nigger Heaven".[18]

A comida continuava boa, os cardápios ainda listavam itens para pessoas brancas, como os bifes e as costeletas de cordeiro, mas suas principais ofertas — frango frito, costelinhas de porco no bafo, costelas e pães — atendiam ao paladar local.

Make se levantou quando entrei. Ele vestia mais um terno bem cortado e uma camisa feita sob medida. Não precisei olhar para seus sapatos para saber que brilhavam como moedas novas. Ele começou a falar antes que eu me sentasse.

Ficou satisfeito por eu ter superado minha timidez. Minha vinda mostrou que eu tinha coragem, uma virtude que ambos sabíamos ser um pré-requisito para a luta.

Make tinha conversado com Paule Marshall por telefone, e lhe contou que sua intenção era se casar comigo e me levar para a África. Não consegui me concentrar no cardápio, mas fizemos o pedido.

---

18   Em tradução livre, "Paraíso Preto". Referência ao livro *Nigger Heaven*, de Carl van Vechten, que se passa nos anos de 1920, durante o Harlem Renaissance. (N. T.)

Continuou a falar e comi uma refeição que não conseguia ver nem provar.

Ele tinha sido preso por uma ação política na África do Sul. Quando o governo o libertou, a polícia o levou para uma área desértica, isolada, perto do sudoeste da África e o deixou lá, a centenas de quilômetros dos seres humanos mais próximos. Um homem criado na cidade, sem conhecimento algum de campo aberto, escalou cumes rochosos e encontrou água. Ele puxou as lagartas dos arbustos e as comeu (elas têm um sabor parecido com o de camarão). Make encontrou um grupo de hotentotes caçadores e, como ele falava um pouco da língua deles, eles lhe deram carne-seca e uma pequena bolsa de água. Mantendo-se longe das grandes cidades e seguindo as estrelas, ele foi da África do Sul para Bechuanalândia.[19] O domínio bôer e seus espiões também tinham impregnado a região, então ele se manteve na floresta. Make fez um estilingue e matou pequenos animais e os comeu crus, ou cozidos quando estava seguro o suficiente para acender o fogo. As peles desses animais acolchoavam seus sapatos gastos ou eram colocadas dentro da sua camisa a fim de que se aquecesse. Passaram-se dias em que as únicas coisas em movimento que ele via eram os abutres que espreitavam no céu acima dele. Caminhou pela Rodésia do Sul e do Norte, fazendo contatos esparsos com os revolucionários de quem ouvira falar, que estavam escondidos ou fugindo. Deu seu primeiro suspiro de liberdade quando cruzou para a Etiópia.

"Fui o primeiro congressista pan-africano a escapar. Mas, senhorita Angelou, quando saí da prisão, sem água nem comida, pretendia chegar à Etiópia. Quando soube que viria para cá, vim com a intenção de encontrar uma mulher estadunidense negra, forte e bonita, que seria uma companheira, que entendesse a luta e que não teria medo de lutar. Ouvi falar a seu respeito e você parecia ser a pessoa certa. Conheci Guy e fiquei impressionado com sua masculinidade e inteligência — obviamente, seu trabalho —, e então vi você."

---

19   O Protetorado da Bechuanalândia, desde a sua independência, em 1966, adotou o nome de "República do Botsuana". (N. T.)

Ele estendeu a mão por cima da mesa e pegou a minha. Seus dedinhos marrons afunilavam-se em pequenas unhas brancas. Tentei imaginar aquelas mãos delicadas levando lagartas, contorcendo-se, até sua boca.

"Você é exatamente o que sonhei na minha longa marcha. Alta e de olhos claros. Precisando ser amada. Pronta para lutar e precisando de proteção. E não a proteção da droga de um fiador."

Ah, Senhor, isso me fez lembrar.

"Senhor Make, concordei em almoçar com você para te dizer que vou me casar com a droga do fiador."

Ele se recostou na cadeira, e seu rosto escureceu e se nublou com resignação.

"Está partindo o meu coração. Sou um africano com grandes feitos para realizar. Deixei o meu pai e a minha mãe em Joanesburgo e, dado o passar do tempo, nunca mais os verei. A menos que a revolução aconteça durante a minha vida, nunca mais verei aquela terra. Para um africano, a família e a terra... Preciso de você. Quero me casar com você."

"Me desculpe." E Deus sabia que eu quis mesmo dizer isso.

"Terminarei na ONU amanhã. No dia seguinte, voarei para Amsterdã, uma cidade moderna, onde me disseram que o uísque é barato e uma variedade de entretenimento está disponível para um homem solteiro."

Imaginei aquelas mãos delicadas deslizando pelo corpo de mulheres brancas e por seus cabelos longos e lisos. Mas eu não conseguia imaginá-lo beijando lábios brancos.

"E ficarei em Amsterdã por quatro ou cinco dias e depois vou para Copenhague, outra cidade moderna. Meu desejo por você é completo, senhorita Angelou. Quero a sua mente, seu espírito e seu corpo. Afinal, posso ser um africano com um propósito, mas também sou um homem. Tenho que comparecer a uma conferência em Londres, em dez dias, mas antes da conferência, devo tentar tirar os pensamentos sobre você da minha mente." Ele parou de falar, e esperei em silêncio por um segundo antes de pedir licença e ir ao banheiro.

O Wells não desperdiçava nada da sua elegância no banheiro feminino. Tinha apenas dois pequenos cubículos que faziam as vezes de banheiros e uma pequena área externa na qual cabiam apenas duas pessoas.

Uma mulher esbarrou em mim ao sair. Ela viu as lágrimas no meu rosto. "Ei, você está bem? Está passando mal?"

Balancei a cabeça em negativa e entrei pela porta aberta. Ela enfiou a cabeça para dentro. "Tem certeza de que não precisa de ajuda?"

Balancei minha cabeça em um sinal negativo outra vez e agradeci.

O pequeno espelho sobre o lavatório estava livre de poeira, mas olhei nele e vi a miséria em contornos nítidos. Se eu continuasse com o plano de me casar com Thomas, carregaria nosso casamento com tanta decepção que a estrutura não suportaria. Ele era um homem bom demais para ser maltratado, mas eu sabia que eu nunca esqueceria ou perdoaria os fatos. Por causa dele, eu perderia Make, uma vida de aventuras convidativas e a África. África. Eu o odiaria por isso. E Make. Make precisava de mim. Eu o ajudaria. Eu era corajosa. Abbey certa vez me disse que eu era maluca demais para ter medo. Eu seria uma tola se deixasse Make ir direto para um bando de prostitutas brancas em Amsterdã. Na verdade, eu poderia estar traindo toda a luta. Eu não faria isso. E, então, Guy. Guy teria a chance de ter um pai africano. Não poderia existir um futuro mais grandioso para um menino americano negro do que ter um pai forte, negro e politicamente consciente. O fato de ele ser africano adicionaria um tempero enriquecedor.

Admitindo pela primeira vez a decisão que tomei no baile de gala, eu aceitaria a oferta de Make.

Liguei para Abbey de um telefone público. Ela atendeu.

"Só queria ter certeza de que você estava aí."

"O que está acontecendo?"

"Nada ainda, eu te ligo de volta."

"Você está bem?"

"Sim. De verdade. Ligo para você em alguns minutos."

Make se levantou novamente quando cheguei à mesa. Eu me sentei e peguei o guardanapo nas mãos. As palavras se recusavam a se colocar em ordem.

"Senhor Make, farei isso. Farei isso. Irei com você."

Seu rosto se abriu. Uma lua marrom se dividindo, mostrando seu núcleo branco. A sala se encheu com os dentes grandes e uniformes e os olhos redondos e brilhantes.

"Vou me casar com você, senhorita Angelou. Vou fazê-la feliz. Seremos conhecidos como a família mais feliz da África." Ele deu a volta na mesa e me puxou de pé para me beijar. Notei os outros clientes, pela primeira vez, e me afastei.

Make riu, virando-se para as mesas com pessoas negras que nos observavam abertamente.

"Está tudo bem. Ela acabou de dizer que vai se casar comigo."

Aplausos e risos. Nosso povo gostava de uma história feliz.

Ele segurou a minha mão como se eu tivesse acabado de ganhar uma corrida. "Esta é a união da África e da África-América! Dois grandes povos unidos novamente."

Tentei me sentar. Ele ia fazer um discurso. Uma risada retumbou no seu peito e entre os dentes perfeitos.

"Não. Reivindico o meu beijo de noivado."

Seus lábios eram cheios e macios. Abalados pelo toque físico, voltamos a nos sentar. A mulher que se ofereceu para me ajudar no banheiro veio até a nossa mesa.

"Querida, eu deveria saber que você não estava chorando de tristeza." Ela sorriu. "Todos vocês, tomem uma bebida conosco. Estamos casados há dezoito dos melhores anos da minha vida."

Uma voz de homem gritou do outro lado da sala: "Ernestine, ofereça apenas uma bebida ao pessoal e volte aqui e se sente".

A mulher sorriu. "Viu como nos damos bem? Ele manda. Eu obedeço. Às vezes."

Make e eu rimos enquanto ela voltava para sua mesa.

Depois de minutos tensos sem encontrar alguma maneira de dizer todas as coisas que precisavam ser ditas, perguntei a Make se ele estava livre durante a tarde. Ele disse que sim. Pedi licença e fui até o telefone.

"Consegui desta vez, Ab."

"Conseguiu o quê?"

"Isto: eu disse a Vusumzi Make que vou me casar com ele."

"Quem?" Sua voz estava forte com o choque.

"Um combatente sul-africano em prol da liberdade. Ele é brilhante, Abbey, e bonito. Lindo, na verdade. E nos apaixonamos."

"Bem, inferno, Maya Angelou, e o Thomas?"

"Preciso conversar com você sobre isso."

"Acho que você vai ter que falar com Thomas."

Naquele momento, essa tarefa não parecia tão onerosa.

"Eu gostaria que você viesse até o Wells, o conhecesse e o levasse para a sua casa. Tenho que voltar para o escritório, mas encontro vocês depois do trabalho. Você poderia fazer isso?"

Ela não precisou de mais do que um segundo para decidir.

"Claro que posso. Você vai esperar ou simplesmente entro e pergunto pelo africano que vai se casar com Maya Angelou?"

Eu disse para Make que minha amiga, Abbey Lincoln, estava vindo buscá-lo.

Ele reconheceu o nome no mesmo instante e começou a me contar como os discos de Max Roach e Abbey Lincoln foram contrabandeados para a África do Sul e distribuídos como o material revolucionário quente que eram. Ele sabia o título de cada faixa e a maioria das letras de todas as músicas. O homem, de fato, era uma maravilha.

Quando olhei pela janela e vi Abbey estacionando seu sedã Lincoln em fila dupla, nós saímos do restaurante. Abbey saiu do carro e apertou a mão do meu noivo mais recente. Eles se foram, e o restante da tarde passou como um filme em câmera lenta estrelado por uma estranha. Atendi telefonemas, assinei cartas, falei com voluntários, mas minha mente pairava em algum lugar entre as planícies do Serengeti, o apartamento de Thomas no Brooklyn e o doce aroma de patchouli que subia a cada vez que o senhor Make movimentava o corpo pesado.

Max e o senhor Make conversavam e Abbey preparava o jantar quando cheguei ao apartamento da avenida Columbus. Abbey gritou "boas-vindas" da cozinha e os dois homens me abraçaram.

Make disse com orgulho: "Ah, aqui está a minha linda esposa".

Max assentiu. "Maya, você conseguiu um, desta vez. Sim, você conseguiu um homem."

Eu estava sentada, durante o jantar, em estupor. A casa de Max e Abbey não era mais real do que o meu escritório. Um homem que eu tinha conhecido havia exatamente uma semana estava sorrindo de forma possessiva para mim do outro lado da mesa. Max, que já tinha visto o suficiente da vida para ser saudavelmente desconfiado, aprovou o estranho. Mais tarde, quando eu ajudava Abbey a secar a louça, ela disse que achava que eu combinava mais com o desconhecido Make do que com o conhecido Thomas. E, de qualquer maneira, eu era maluca o bastante para fazer dar certo.

Make deslizou para perto de mim sobre as nervuras do sofá de veludo cotelê.

"Estou cansado e gostaria de descansar. Max disse que posso me deitar naquele quarto." Eu deveria concordar. Eu queria pegar sua mão e arrastá-lo para a cama, mas disse: "Senhor Make, eu...".

"Por favor, vamos nos casar, me chame de Vus."

"Vus, sou obrigada a resolver o assunto com Thomas."

Make se recostou no sofá e ficou quieto por alguns minutos.

"Sim. Concordo. Mas, quando você falar com ele, quero estar presente. Ele pode ser difícil."

"Vou falar com ele, a sós, amanhã à noite. E então..."

"Eu não deveria ir com você? Isso pode ser perigoso."

Recusei a oferta. Falar com Thomas era minha responsabilidade. Minha pomposa idiotice tinha me metido na bagunça, e a emoção precipitada complicava ainda mais a trapalhada. E senti um pouco de entusiasmo com o confronto que se aproximava.

"Então, serei eu quem falará com Guy. Vou ser o pai dele e devemos começar nosso relacionamento de maneira adequada."

Vus me colocou em um táxi a caminho do Brooklyn.

Guy estava com a mandíbula cerrada e tinha fogo nos olhos. Ele ligou para o escritório e foi informado de que eu tinha saído mais cedo. Ele foi até a casa dos Killens e eles não tinham notícias do meu paradeiro. Thomas não tinha ouvido falar de mim e Paule Marshall não sabia onde eu estava. Ele não conseguiu encontrar o número da Abbey.

Ele ralhou comigo. Não era justo insistir que ele fosse ponderado e ligasse para casa se eu ia tratá-lo com uma indiferença casual. Eram quase onze da noite.

Três homens esperavam de mim uma prova de devoção.

O meu filho esperava calor, comida, moradia, roupas e estabilidade. Ele podia ter certeza de que, independentemente do rumo que minha sorte tomasse, ele receberia a maioria das coisas que desejava. Estabilidade, entretanto, não era possível no meu mundo e, como consequência, não seria possível no dele. Muitas vezes, tive de recusar as situações que a vida imprevisível me ofereceu, "mãos" com as quais não era possível jogar. Assim, precisei buscar cartas novas com as quais jogar, apenas para permanecer no jogo. Meu filho podia contar com o meu amor, mas nunca esperar que nossas vidas fossem imutáveis.

Thomas também queria equilíbrio. Ele procurava uma boa esposa, que cozinhasse bem e que não fosse nem tão bonita nem tão feia que chamasse toda a atenção para si. Tentei o número dele outra vez. Eu precisava avisá-lo que ele ainda não havia encontrado sua companheira. Ele não atendeu o telefone.

Vus me enxergou como a carne do seu sonho juvenil. Eu lhe traria a vitalidade do jazz e a resistência de um povo que sobreviveu a trezentos e cinquenta anos de escravidão. Comigo em sua cama, ele desafiaria a solidão do exílio. Com a minha coragem somada à dele, ele poria fim ao degradante domínio branco na África do Sul. Se eu já não tivesse as qualidades de que ele precisava, simplesmente as desenvolveria. A paixão me fez acreditar na minha habilidade de me transformar no desejo do meu amado. Isso não seria nada para quem carrega as armas.

Ao amanhecer, Thomas atendeu o telefone. Ele disse que iria me buscar no escritório e recolher os presentes de casamento. Pararíamos na minha casa e, depois do jantar com Guy, voltaríamos para o apartamento dele para "um pouco de você sabe o quê".

O dia se transformou em noite, em meio a paradas e começos. O tempo ou não se movia, ou corria como um redemoinho.

Por fim, e muito cedo, Thomas apareceu na porta do meu escritório, sorrindo, mostrando seus dentes brancos como a morte.

"Ei, querida, onde estão as coisas?"

Eu disse "oi" e apontei para as caixas contra a parede. Enquanto eu dava boa-noite ao pessoal do escritório, ele carregava os presentes para baixo e, quando me juntei a ele na calçada, Thomas os colocava no porta-malas do carro.

Ele ainda estava sorrindo. Conjecturei como alguém poderia dizer adeus para um homem sorridente.

"Gostou das malas, querida?"

"Sim. Onde você as comprou?"

A pergunta limpou o sorriso do seu rosto. "Por quê?"

"Ah, caso eu queira adicionar mais ao conjunto."

Ele relaxou, e o sorriso voltou tão cheio quanto antes.

"Comprei de um conhecido. E, se você quiser mais, pego para você."

Suspeitei que as malas fossem roubadas quando elas apareceram no meu escritório em caixas de papelão de supermercado, e Thomas agora confirmava as minhas suspeitas. Eu precisava de todos os sentimentos feridos que pudesse reunir para a cena de despedida iminente, então me mantive quieta e esperei.

Em casa, Guy assistia à televisão e Thomas lia a seção esportiva do jornal enquanto eu cozinhava o jantar. Eu sabia que, exceto pelos meus planos chocantes, estávamos representando o quadro do nosso futuro. Até a eternidade. Guy estaria em seu quarto, rindo de *I Love Lucy*, Thomas estaria calculando as chances de um atleta ou de um time nacional de beisebol e eu estaria debruçada sobre o fogão, preparando a comida para a "hora brilhante do jantar". Até a eternidade.

Comemos sem entusiasmo e Guy se despediu, voltando para seu quarto.

Thomas se levantou para trazer a bagagem, mas o impedi.

"Preciso conversar com você. Por que não tomamos algo?"

Comecei a falar devagar e baixinho. "Conheci um sul-africano. Ele escapou pelo deserto. Manteve-se vivo comendo lagartas. Os brancos o deixaram para morrer, mas ele sobreviveu. Ele veio para os Estados Unidos e merece o nosso apoio."

Olhei para Thomas, que havia se transformado em uma tartaruga, sua cabeça grande estava retraída nos ombros, seus olhos estavam firmes e sem piscar.

Continuei a história, dizendo que o homem se inspirou no doutor Martin Luther King e veio trazer uma petição às Nações Unidas em nome de seu povo. Usei palavras pequenas e frases curtas, como se contasse um conto de fadas para uma criança. Thomas não estava encantado.

Eu disse: "Haverá uma grande conferência em Londres, onde outras pessoas que escaparam da África do Sul se encontrarão e formarão uma organização conjunta de luta pela liberdade". Até aqui eu estava falando a verdade. Mas como eu não tinha coragem de dizer para Thomas que o estava deixando, eu sabia que estava inventando uma mentira.

O homem na minha frente tinha se transformado em uma grande rocha vermelha, e suas sardas manchavam seu rosto com marrom-escuro.

"Os indianos do Congresso Indiano da África do Sul e os africanos da África do Sul e do sudoeste da África precisarão de duas semanas para elaborar uma carta comum. Como sabemos, 'a união faz a força'."

Não havia luz nos olhos do Thomas.

Ficamos sentados em um silêncio perigoso.

Perdi a minha coragem. "Eles... De qualquer maneira, esse africano que acabei de conhecer me convidou para participar da conferência. Querem uma mulher negra americana que possa explicar a filosofia da não violência." Eu estava chegando lá...

Thomas contraiu os ombros, ergueu o corpo um centímetro e afundou mais na cadeira. Seus olhos ainda não refletiam nada.

"Decidi aceitar o convite e entregar um artigo sobre Martin Luther King."

A invenção veio como uma surpresa maravilhosa. Eu tinha procurado, em vão, durante todo o dia e durante a preparação do jantar, uma forma de dizer o que tinha de dizer, e nada veio até mim. Era óbvio que a apreensão havia aguçado minha imaginação.

"Não sei quanto tempo ficarei fora, mas posso ir para a África depois disso."

Thomas, com um movimento inesperadamente rápido, se sentou ereto. Olhou para mim, seu rosto sábio e duro.

"Você conseguiu outro preto." Ele não tinha levantado a voz. "Toda essa merda foi para me dizer que você conseguiu outro preto."

O momento que eu temia e que menti para evitar tinha chegado.

"Diga. Diga em palavras simples. Diga: 'Thomas'" — ele imitou o meu discurso — "'Thomas, consegui outro preto'. Diga."

Ele era o interrogador, e eu, a suspeita.

"Olha, ele não é um preto."

"Ele é africano, né? Então, ele é um preto como você e eu. Exceto por você tentar agir como uma maldita garota branquela. Mas você é tão negra quanto eu. Assim como a droga do seu santo Martin Luther King, que é outro preto da bunda preta."

Ele sabia que eu abominava a palavra "preto" e não permitiria seu uso na minha casa. Agora, a cada vez que ele a dizia, ele afiava e enfiava a palavra, como um florete, no meu corpo.

"Thomas" — forcei uma doce calma na minha voz. "Thomas, parece que não há mais nada a ser dito."

Ele negou que tivéssemos chegado ao fim da conversa e ao fim do relacionamento. Eu estava atuando acima da minha posição, assumindo ares como se fosse um dos meus amigos esnobes que falavam sobre liberdade e escreviam livros estúpidos que ninguém lia. Pensando ser branca, criando meu filho para usar palavrões e agir como um garoto branco. A irmã dele tinha dito que tivesse cuidado ao se meter comigo. Eu não pretendia machucar Thomas. Eu achava que era melhor do que sua família.

Não me mexi, nem mesmo para pegar a minha bebida. Ele falou, deixando que os palavrões e sua aversão por mim enchessem a sala.

Ele ficaria surpreso se aquele africano não me abandonasse em Londres ou na África, e eu voltasse, com o rabo entre as pernas, tentando fazer com que ele se sentisse grato por ter uma chance de me comer. Bem, que eu não pensasse que ele estaria por perto. Que eu esquecesse seu telefone. Na verdade, amanhã mesmo ele já teria mudado o número de telefone.

Notei, com alívio, que ele já estava falando sobre o amanhã. Seus ombros caíram e ele se recostou na cadeira, sua energia gasta. Ainda não me mexi.

Ele se levantou e saiu da sala, e eu o segui. Ele era tão grande que preenchia a passagem. Em um movimento brusco, puxou para trás a cortina que cobria a janela oval da porta.

"Venha aqui." Tive medo de recusar, então me aproximei dele. "Olhe para aquela mulher."

Do outro lado da rua, uma mulher negra solitária caminhava sob a luz nebulosa da rua carregando duas sacolas de compras cheias. Eu não a conhecia.

Thomas enfiou a mão no paletó e sacou a arma.

"Sabe de uma coisa? Eu poderia estourar a cabeça dela pelas costas e não pegaria nem um dia de pena."

Ele colocou a pistola de volta no coldre, abriu a porta e desceu os degraus até o carro.

Preparei outra bebida e agradeci a Deus por me abençoar mais uma vez. Feri o ego de Thomas, mas não quebrei seu coração. Ele não estava ofendido o bastante para me atacar, mas nunca mais iria querer me ver.

◆

Stanley e Jack Murray receberam a minha novidade sem surpresa. Disseram que não esperavam que eu ficasse. Achavam que, como eu era artista, deixaria a organização assim que me oferecessem um bom contrato em um clube noturno ou um papel em uma peça da Broadway. Esse foi o porquê de eles terem trazido outros trabalhadores dedicados para assumir o meu trabalho. Não me preocupei em lhes dizer quanto estavam errados.

Grace Killens riu de mim.

"Você o conheceu na semana passada na nossa casa, não foi? E esta semana vai se casar com ele. A Mulher do Velho Oeste." Ela ria e ria.

John recebeu a notícia de maneira solene. A preocupação fechou seu rosto e espremeu sua voz em agudeza.

"Ele está falando sério sobre a luta, mas o que mais nós sabemos? Você vai ser a segunda ou a terceira esposa? Como ele planeja cuidar de você? Não se esqueça de Guy. Você o está colocando sob o teto de um homem estranho, e ele próprio já é quase um homem. Como ele se sente a respeito disso?"

Como era o mais importante, deixei Guy para o fim. Vus disse que queria ser o primeiro a lhe falar, e fiquei feliz em aceitar a tão alardeada camaradagem masculina. Deixe os homens conversarem com os homens. Era melhor para uma mulher, mesmo para uma mãe, ficar atrás, se manter quieta e deixar os homens resolverem seus problemas masculinos.

Guy estava passando a noite com Chuck; e Abbey e Max estavam se apresentando, então Vus e eu pudemos usar o apartamento deles. Vus preparou um jantar elaborado com rosbife e legumes salteados e serviu um vinho delicioso. Naquela noite, descobri que ele era um especialista em prolongar o prazer.

Na mesa de jantar, estendeu diante de mim as luzes e as sombras da África. As glórias estavam em uma ordem vibrante. As rainhas guerreiras, com colares de contas azuis e brancas, lideravam os exércitos contra os saqueadores europeus. As meninas em idade de casar dançavam em comemoração às vitórias de Shaka, o rei zulu. A verdadeira terra da África era "negra e forte como as meninas em casa" e brilhava com ouro e diamantes. Os homens africanos cobriam suas noivas com pedras preciosas e especialmente tecidos. Ele me pediu que perdoasse a penúria do dote que tinha para mim e que eu entendesse que, quando voltássemos à Mãe África, ele me adornaria com riquezas que eu jamais tinha imaginado. Quando ele me levou para o quarto de hóspedes escuro e colocou um colar de contas em volta do meu pescoço, todos os meus sentidos se atormentaram. Eu teria achado o panorama de um mês sem água no Saara não apenas emocionante, mas aceitável. As contas de âmbar na minha pele castanha pegaram fogo. Olhei no espelho e vi exatamente o que queria ver e, o mais importante, o que eu queria que ele visse: uma jovem virgem africana, embelezada para o seu líder.

Na tarde seguinte, contei a Guy que o sul-africano que havíamos conhecido na casa dos Killens viria para o jantar. Ele recebeu a notícia com tamanha casualidade que pensei que, talvez, tivesse esquecido quem era Make. Ele foi para o quarto e começou a ouvir discos enquanto eu me atrapalhava colocando a mesa.

Quando a campainha tocou, Guy saiu do quarto no fundo da casa como uma rolha de garrafa e disparou pela cozinha.

"Vou atender."

Antes que eu pudesse colocar o fogo em níveis seguros, ouvi o estrondo de vozes, falando palavras indistinguíveis.

Cheguei à sala de estar no momento em que Vus começava a se sentar na cadeira favorita de Guy. Ele se levantou novamente e apertamos as mãos. Ofereci-lhe o sofá mais confortável. Guy balançou a cabeça e sorriu vagamente. "Essa é confortável também, mãe."

Desde a infância, Guy fazia de certos móveis sua propriedade privada. Dos anos pré-escolares até os oito anos ou mais, toda noite, ele laçava as cadeiras ou as mesas com cordas de brinquedo antes de ir dormir e avisava seus "cavalos" para ficarem no curral. Embora tenha superado a fantasia, seu senso de posse da propriedade permaneceu, e todos o respeitavam. Vus se sentou na cadeira de Guy, e pensei que ele estava começando mal.

Guy se ofereceu para trazer bebidas e, no segundo em que saiu da sala, Vus disse: "Não há motivo para nervosismo. Somos dois homens. Guy entenderá". Balancei a cabeça. Vus pensou que ele compreendia, mas me perguntei quanto do temperamento do meu filho realmente escaparia dele.

Eu me sentei de maneira primorosa no sofá do outro lado da sala. Guy entrou trazendo uma bandeja coberta com guardanapo, gelo, copos e uma garrafa de uísque.

"Mãe, algo está com cheiro de galho seco." Ele caminhou até Vus. "Como gosta da sua bebida?"

Vus se levantou e preparou a própria bebida na bandeja que Guy segurava. Os dois pareciam absortos em um ritual atávico. Eu tinha deixado de ser o centro das atenções.

"Bem, vou cuidar do jantar."

Vus olhou por cima de sua bebida. "Sim. Guy e eu precisamos conversar."

Guy assentiu como se já soubesse de algo.

"Guy, poderia vir até a cozinha um instante?" Ele hesitou, relutante em deixar o nosso convidado.

"Agora, mãe?"

"Sim, por favor."

Ficamos ao lado do fogão aceso e eu abri os braços para abraçá-lo. Ele recuou, cauteloso.

"Por favor, venha. Só quero te abraçar."

Seus olhos dispararam, e ele parecia jovem e indefeso.

Com má vontade, ele caminhou para o meu abraço.

"Eu te amo. Por favor, saiba disso." Eu não queria sussurrar.

Ele se desembaraçou e foi até a porta. Seu rosto, de repente, estava triste e velho.

"Sabe, mãe. Isso parece um adeus."

A sensualidade entre pais e filhos muitas vezes é tão intensa que apenas o controle milenar da sociedade impede o surgimento da sexualidade.

Quando o pai ou a mãe é solteira e do sexo oposto ao do filho, a situação é mais tensa. Como sentir amor e demonstrar afeto sem despertar na mente jovem e inocente a ideia de sexualidade? Muitos pais, alarmados com a terrível possibilidade de criar pensamentos incestuosos na mente de seus filhos, se retraem, recusando qualquer contato físico e deixando os filhos ansiosos e confusos com ideias de indignidade.

Guy e eu passamos anos patinando no gelo fino.

Durante seu décimo segundo verão, fomos a uma festa em Beverly Hills. A festa das crianças aconteceu em uma das extremidades de uma piscina olímpica, e bebi margaritas com os adultos na outra extremidade da piscina.

Naquela noite, quando voltamos para a nossa casa em Laurel Canyon, Guy me assustou.

"Sabe, mãe. Todo mundo fala sobre o corpo da Marilyn Monroe. Mas estávamos observando hoje, e todos os caras disseram que você tinha um formato mais bonito do que o da Marilyn Monroe."

Depois que ele foi dormir, eu me sentei pensando no meu próximo passo. Ele tinha idade suficiente para se masturbar. Se eu começasse a figurar nas fantasias sexuais dele, Guy ficaria marcado, e eu acrescentaria mais um peso a uma vida já difícil.

Naquela noite, revisei o meu guarda-roupa, separando os vestidos provocantes e escolhendo as roupas sóbrias e mais maternais. No dia seguinte, parei no Exército da Salvação com uma sacola grande e nunca mais comprei um vestido justo ou uma blusa com decote profundo.

Continuei a preparar o banquete pré-nupcial, me assegurando de que Guy receberia a notícia com calma.

Enquanto eu colocava a mesa de jantar, abafei de maneira consciente os meus ouvidos e cantarolei uma música bem alto. Eu estava arrumando um marido, e parte desse presente era ter alguém para dividir as responsabilidades e as culpas.

Eles vieram para a mesa, e vi no rosto de Guy que Vus não tinha lhe contado sobre os nossos planos de casamento.

Nós nos sentamos para jantar e eu fingi comer.

A conversa corria solta ao meu redor, sem que eu fizesse contato: o futebol era um esporte tão violento quanto o futebol americano. Sugar Ray Robinson era um cavalheiro, mas Ezzard Charles era do povo. Malcolm X tinha ideias corretas, mas Martin Luther King usava táticas que só tinham surtido efeito na Índia. A África era o verdadeiro "Velho Mundo" e a América foi apropriadamente descrita por George Bernard Shaw, que disse que era "o único país que passou da barbárie à decadência, sem passar nenhuma vez pela civilização".

Guy estava tranquilo e adentrou na troca com sua própria inteligência jovem. Fizeram um ao outro rir, e meu estômago se agitou.

Juntei os pratos e, quando Guy se levantou para ajudar a limpar a mesa, Vus o deteve.

"Não, Guy, preciso conversar com você sobre o nosso futuro. E falarei agora. Podemos ir para o seu quarto?"

Uma sombra de pânico surgiu nos olhos de Guy. Ele se virou para mim à espreita, rapidamente tentando detectar os meus pensamentos. Em um segundo ele se recompôs.

"Claro. Por favor. Venha por aqui."

Ele conduziu o homem grande até o seu quarto; depois que entraram, a porta bateu.

Fiz uma algazarra de pratos e barulho de panelas, batendo-as umas nas outras, e tilintando os talheres em harmonias cacofônicas, na tentativa de abafar os meus próprios pensamentos e quaisquer sons que pudessem deslizar por baixo da porta de Guy e escorregar pelo chão da cozinha e flutuar até os meus ouvidos.

Suponha-se que Guy rejeite o homem e os nossos planos. Ele poderia recusar. Como o mundo branco demonstrava de todas as formas possíveis que ele, um garoto negro, tinha de viver dentro dos limites assassinos das restrições raciais, eu o criei para acreditar que ele tinha voz ao viver essa vida e que, salvo acidentes, ele deveria ter uma palavra a dizer na morte da sua morte. E agora, tão armado, ele era capaz de moldar não só o próprio futuro, mas o meu também.

A cozinha estava limpa; todos os copos, secos; e os pratos, guardados. Com uma xícara de café, eu me sentei à mesa da cozinha, controlando os impulsos opostos de entrar sem bater no quarto de Guy ou de agarrar a minha bolsa e sair pela porta da frente, correndo para o Ray's e para um uísque triplo com gelo.

A risada por trás da porta me trouxe de volta à realidade. Guy tinha aceitado Vus, o que significava que eu estava praticamente casada e a caminho de viver na África.

Eles emergiram do quarto, sorrisos largos esticados nos seus rostos. A cor amarelada de Guy estava avermelhada de alegria, e Vus parecia satisfeito.

"Parabéns, mãe." Desta vez, Guy abriu os braços, me oferecendo um templo seguro. "Espero que isso te faça muito feliz."

Eu estava nos braços de Guy, e Vus riu. "Agora você terá dois homens fortes para cuidar. Nós três seremos os únicos invasores que a Mãe África aceitará de bom grado."

Que noite cheia de risadas e planos! Quando Vus partiu para Manhattan, Guy falou abertamente.

"Você nunca teria sido feliz com o senhor Allen."

"Como você sabe?"

"Eu sei."

"Sim, mas como? Porque ele é fiador?"

"Não, porque ele não te amava."

"E o senhor Make ama?"

"Ele respeita você. E talvez para um africano isso seja melhor do que amar."

"Você sabe muitas coisas, hein?" Não tentei esconder o meu orgulho.

"Sim, eu sou um homem."

◆

Os dias seguintes brilharam, enquanto amigos, recuperados do choque com a minha decisão precipitada, organizaram uma "Terça-feira Gorda" das festas. Rosa ofereceu uma festa caribenha, na qual seus amigos africanos, americanos negros e pessoas brancas liberais discutiram e riram sobre os pratos de seu famoso arroz e feijão. Connie e Sam Sutton, um casal intelectual despretensioso, convidaram os colegas acadêmicos deles para um jantar tranquilo que, com o tempo, se transformou em um encontro barulhento. Por toda a cidade de Nova York, pessoas estranhas me abraçaram, deram afagos no meu rosto e elogiaram a minha coragem. Velhos amigos me diziam que eu era maluca, enquanto lutavam para controlar sua admiração e inveja.

No fim da sequência de festas, Vus e eu partimos para a Inglaterra, deixando Guy na casa de Pete e T. Beveridge, que moravam a algumas quadras da minha casa no Brooklyn.

Nós nos sentamos no avião de mãos dadas, nos beijando, vendo o nosso futuro como um reino de luta e vitória eterna. Vus disse que nos casaríamos em Oxford, uma cidade muito bonita.

Expliquei que queria que minha mãe e meu filho estivessem presentes no meu casamento e perguntei se poderíamos esperar.

Ele deu um tapinha na minha bochecha e disse: "Claro. Em Londres, diremos que nos casamos na América. Quando voltarmos para Nova York, diremos que nos casamos na Inglaterra. Teremos o nosso casamento de acordo com os seus desejos e quando você quiser. Estou me casando com você neste minuto. Vai dizer sim?".

Eu disse sim.

"Então estamos casados."

Nunca mais mencionamos a palavra casamento de novo.

Capítulo 10

O ar de Londres era úmido, seus prédios de pedra eram velhos e cinzentos. As mulheres africanas vestidas com cores vivas nas ruas me lembravam de pássaros tropicais aparecendo de repente em uma floresta de árvores negras. Vus e eu nos mudamos para um apartamento de um cômodo que o CPA mantinha perto do Finsbury Park.

Durante os primeiros dias, fiquei feliz por ficar na cama depois que Vus saía para a conferência. Eu lia, descansava e me regozijava com como a sorte enfim me tratava bem. Eu tinha um homem brilhante e satisfatório e estava vivendo uma vida luxuosa em Londres, muito longe do Harlem ou do distrito de Fillmore, em São Francisco. À noite, Vus me entretinha com uma performance de histórias. Seu sotaque musical, suas mãos persuasivas e o almíscar de sua loção pós-barba me hipnotizavam, me fazendo acreditar que eu vivia ao lado do Nilo e as suas águas cantavam minha canção vespertina. Eu estava com os pastores Masai na cratera de Ngorongoro, enxotando os leões para longe das minhas ovelhas com um aceno de um batedor de pelo de elefante. Fazer amor pela manhã e os recitais noturnos não perderam nada da sua magia, mas o tempo entre estes dois eventos começou a se alongar. Quando eu disse para Vus que não estava acostumada a ter tanto tempo livre, ele disse que providenciaria para que eu conhecesse algumas das outras esposas dos combatentes da liberdade presentes na conferência.

A senhora Oliver Tambo, esposa do chefe do Congresso Nacional Africano, me convidou para almoçar. A casa em Maida Vale era limpa e clara, mas a sensação de impermanência nos cômodos grandes era tão forte que até as flores cortadas poderiam ser alugadas. Ela recebeu a mim e os outros convidados com cordialidade, mas com apenas parte de sua atenção. Eu não sabia, até então, que todas as esposas dos combatentes da liberdade levavam a vida à beira de um desespero gritante.

Quando nos sentamos à mesa, o telefone tocou constantemente, interrompendo a conversa que tentávamos estabelecer. A senhora Tambo abaixava um lado da cabeça e ouvia e, na maioria das vezes, permitia que os toques do telefone se desgastassem até o silêncio. Algumas vezes, ela se levantou, e pude ouvir o som unilateral de uma conversa telefônica.

O almoço foi uma carne cozida lentamente e um mingau firme de milho, chamado mealy. Ela me disse que se deu ao trabalho de preparar um prato tradicional sul-africano para que eu não ficasse chocada quando o reencontrasse. Não lhe contei que nos Estados Unidos comíamos a mesma coisa, que chamávamos de costela assada e mingau de milho.

Uma mulher surpreendentemente bonita falou comigo. Sua pele era preto-azulada e lisa como vidro. Ela tinha escovado o cabelo severamente, e ele caía em pequenas ondulações para trás de uma testa limpa e brilhante. Seus olhos alongados estavam levantados acima das maçãs do rosto salientes, e seus lábios se formavam em um grande arco preto. Quando ela sorriu, exibindo os dentes superiores brancos, mas as gengivas inferiores expostas, eu sabia que era do Quênia. Eu tinha lido que as mulheres da tribo Luo, daquele país, têm os quatro dentes inferiores extraídos para realçar sua beleza. Ela era brilhante e forte, descrevendo a presença maligna da Europa na África.

A senhora Okalala, de Uganda, uma mulher atarracada feito um rebocador, disse que achou irônico, se não completamente estúpido, manter um encontro em que as pessoas discutiam como tirar o pé do colonialismo do pescoço da África, enquanto estavam na capital do colonialismo. Isso a lembrou um ditado africano: "Só um tolo pede a um leopardo que cuide de um cordeiro".

Duas mulheres somali envoltas por mantos cor-de-rosa esvoaçantes sorriram e comeram delicadamente. Elas não falavam inglês e tinham comparecido ao almoço por formalidade. De vez em quando, sussurravam uma para a outra em sua própria língua e sorriam.

Ruth Thompson, uma jornalista caribenha, conduziu a conversa assim que o almoço terminou.

"Para que estamos aqui? Por que as mulheres africanas estão sentadas comendo, tentando agir de um jeito fofo, enquanto os homens africanos discutem temas sérios e as crianças africanas morrem de fome? Viemos para Londres apenas para agradar nossos maridos? Fomos trazidas aqui apenas como bocetas portáteis?"

Eu era a única pessoa chocada com o modo de falar, por isso mantive a minha reação com confidencialidade.

A mulher luo riu. "Irmã, você fez a pergunta que eu ia fazer. Nós, no Quênia, somos mulheres, não apenas úteros. Nós mostramos durante o Mau Mau que temos ideias tanto quanto bebês."

A senhora Okalala concordou e acrescentou: "Em casa, nós lutamos. Algumas mulheres morreram na batalha".

Uma advogada alta e magra, de Serra Leoa, se levantou. "Em toda a África, as mulheres têm sofrido." Ela segurou o tecido do vestido, o pegou e o levantou acima dos joelhos. "Já fui presa e espancada. Vejam, minhas irmãs. Como não contei o paradeiro dos meus amigos, também atiraram em mim." Ela usava uma cinta-liga, e as tiras elásticas brancas na sua perna esquerda dividiam uniformemente uma cicatriz profunda, lisa e preta como o asfalto molhado. "Porque lutei contra o imperialismo."

Nós nos juntamos ao redor dela, tagarelando em solidariedade, tocando com cuidado a pele firme.

"Atiraram em mim e disseram que os meus dias de luta tinham acabado, mas, mesmo que eu ficasse paralítica e só conseguisse levantar as minhas pálpebras, teria olhado na cara das pessoas brancas que oprimem a África até elas irem embora."

O espírito de superação também era familiar para mim. Na minha igreja no Arkansas nós cantamos:

"I've seen starlight
I've seen starlight
Lay this body down
I will lay down in my grave
And stretch out my arms".[20]

As pessoas escravizadas do século XIX que escreveram esta canção acreditavam que teriam liberdade e que, não somente as almas cruzariam o Jordão e marchariam para a glória com os outros santos, mas a própria sepultura seria incapaz de restringir o movimento de seus corpos.

Quando a advogada baixou a bainha do vestido, todas as mulheres a envolveram com braços, corpos e vozes suaves.

"Irmã, a Mãe África tem orgulho de você."

"Uma verdadeira filha de uma verdadeira mãe."

As mulheres somali também tocaram a cicatriz. Falaram palavras ininteligíveis de tristeza e acarinharam as costas e os ombros da mulher de Serra Leoa.

A senhora Tambo trouxe uma garrafa grande de cerveja. "Isto é tudo o que tem na casa."

A advogada pegou a garrafa com as duas mãos e a ergueu para o céu. "A mãe compreenderá." Ela se virou e entregou a cerveja para a senhora Okalala. "Titia, como a mais velha, você deve fazer as honras."

Segui o movimento geral e me encontrei amontoada com as mulheres no centro da pequena sala de estar. A mulher nos encarou, solenemente.

"Para falar com Deus devo falar em lingala."[21] Com exceção das mulheres somali e de mim, todas assentiram.

Ela começou a falar com calma, quase em um lamento. Seu ritmo e o volume aumentaram para um certo cântico. Andava no ritmo e gotejava

---

20   "Vi a luz das estrelas/ Vi a luz das estrelas/ Entregue este corpo/ Vou deitar na minha sepultura/ E esticar os meus braços." (N. T.)

21   Idioma banto falado na região do rio Congo. (N. T.)

cerveja pelos quatro cantos da sala. As mulheres, observando, acompanharam-na em suas línguas, incitando-a, e ela obedeceu. As vozes das mulheres somali uniram-se no encorajamento vocal. Acrescentei "améns" e "aleluias", ciente de que, apesar das distâncias representadas e do som babeliano das línguas, estávamos todas pedindo a Deus que Ele se movesse e se movesse agora. Que parasse o derramamento de sangue. Que alimentasse as crianças. Que libertasse os aprisionados e elevasse os oprimidos.

Falei sobre as organizações negras americanas, lembrando-me das Daughter Elks e da Estrela do Oriente, das Daughters of Isis e das Pythians. Todas organizações femininas secretas com códigos morais rígidos. Todas as mulheres da minha família foram ou eram membras. Minha mãe e minhas avós foram filhas governantes e altas potentadas. Juramentos foram proferidos e promessas vitalícias foram feitas para defender os princípios e permanecer ao lado de cada irmã até a morte.

As mulheres africanas responderam com histórias de rainhas e princesas, meninas e mulheres do mercado que enganaram os britânicos, franceses ou bôeres. Contra-ataquei com a história de Harriet Tubman, que era chamada de Moisés, uma mulher fisicamente pequena e que foi escravizada, e contei como ela escapou. Como ela ficou sobre uma terra livre, acima de um céu livre, a centenas de quilômetros das correntes e chicotadas da escravidão, e disse: "Devo voltar. Com a ajuda de Deus, trarei outros à liberdade", e como, apesar de sofrer com danos cerebrais por causa de uma pancada de um traficante de escravizados, ela andou de um lado para o outro pelas terras da escravidão, várias vezes, e trouxe centenas daqueles de seu povo à liberdade.

As mulheres africanas sentaram-se, extasiadas, enquanto eu falava de Sojourner Truth. Contei a história da ex-escravizada de um metro e oitenta de altura falando em uma convenção de direitos iguais para mulheres brancas no século XIX. Naquela tarde, um grupo de homens brancos, no saguão, já inflamados pelo fato de suas próprias mulheres protestarem contra o sexismo, ficou pálido quando uma mulher negra se levantou para falar. Um dos líderes da cidade gritou da plateia: "Vejo a estatura da pessoa que fala e observo os gestos ferozes. Ouço a baixeza e o timbre da voz de quem fala. Senhores, não estou convencido de que estejamos sendo dirigidos por uma mulher. De fato, antes de tolerar mais falas dessa pessoa, devo insistir que algumas das senhoras brancas levem-na para a câmara interna e a examinem e, então, tolerarei ouvir". Os outros homens gritaram de acordo, mas as mulheres brancas se recusaram a fazer parte de tal humilhação.

Sojourner Truth, no entanto, do palco, pegou a situação nas próprias mãos. Com uma voz estrondosa, que alcançou a fileira mais distante do grande salão, ela disse:

"Subjugada como um boi, lavrei sua terra. E não sou uma mulher? Com machadinhas e machados, cortei as suas matas, e não sou uma mulher? Dei à luz a treze filhos e você os vendeu para serem propriedade de estranhos e para trabalharem em terras estranhas. Não sou eu uma mulher? Amamentei os seus filhos neste peito." Naquele momento, ela colocou suas mãos grandes sobre o corpete. Agarrando o pano, ela o puxou. Os fios cederam, a blusa e a roupa de baixo se separaram, e os seios enormes penderam, soltos. Ela continuou, seu rosto imutável e sua voz sem falhar: "E não sou uma mulher?".

Quando terminei a história, com as mãos puxando os botões da blusa, as mulheres africanas aplaudiram, bateram os pés e choraram. Orgulhosas de sua irmã, que não conheciam, de cem anos atrás.

Concordamos em fazermos encontros mais frequentes durante a conferência e em compartilharmos as nossas histórias para que, quando voltássemos para nossas terras natais, pudéssemos levar mais do que descrições de peles brancas, ruas asfaltadas, banheiros com descarga, prédios altos e chuva fria.

Um ano se passaria até que eu realmente fosse para a África, mas naquela tarde, no apartamento inglês de Oliver Tambo, estive na África, cercada pelos deuses delas e aliada a suas filhas.

A conferência terminou e Vus teve que ir ao Cairo a trabalho pela CPA. Ele me levou ao aeroporto de Heathrow, em Londres, e me entregou uma boa quantidade de libras esterlinas.

"Encontre um bom apartamento, em Manhattan, e o mobilie bem. Ele deve ser grande e central." Fiquei infeliz com a perspectiva de voltar a Nova York sozinha, mas ele me garantiu que voltaria também em duas semanas ou, no máximo, em um mês. Depois de concluir seus negócios no Egito, ele poderia ter que ir para o Quênia.

A cogitação dos seus destinos exóticos animou o meu espírito e fortaleceu minha determinação. Fiquei feliz por voltar a Nova York e pela tarefa de encontrar um apartamento que se encaixasse no seu gosto requintado.

Em uma semana, encontrei um apartamento em Manhattan, no Central Park West, empacotei os livros e contratei uma empresa de mudanças. No dia da mudança, Guy e eu nos sentamos entre as caixas na sala de estar do Brooklyn. Ele queria que eu contasse de novo sobre Londres. Descrevi os oradores conversando na chuva no Hyde Park Corner e os guardas solenes no Palácio de Buckingham, mas ele queria ouvir sobre os africanos.

"Me diga como eles eram. Como caminhavam? Como se chamavam?"

Os nomes eram lindos. "Tinha o Kozonguizi e Make-Wane, Molotsi, Mahomo..."

Guy se sentou, em silêncio. Eu sabia que ele estava treinando os sons em sua mente. Depois de um tempo, ele disse: "Sabe, mãe, tenho pensado em mudar o meu sobrenome. O que acha?".

O que achei foi que o meu casamento com Vus o tinha afetado de maneira profunda, mas não disse nada.

"Johnson é um nome de escravizado. Era o nome de algum homem branco que era dono do meu tataravô. Estou certo?"

Balancei a cabeça em concordância e me senti envergonhada.

"Já escolheu um nome?"

Ele sorriu. "Ainda não. Mas estou pensando nisso. O tempo todo."

Guy passou as semanas seguintes se ajustando à nova escola, e usei o meu tempo para ver meus amigos e para tentar embelezar o apartamento.

Os membros do Harlem Writers Guild e Abbey ouviram com atenção a minha descrição das pessoas africanas em Londres. Assentiram, apreciando a dedicação dos combatentes da liberdade. Eles sorriram para mim, orgulhosos por eu ter estado tão perto da terra-mãe.

Antes de Vus voltar, pintei a cozinha e coloquei um papel de parede colorido no banheiro. O apartamento era fresco e elegante.

Vus retornou para casa como um soldado que volta de um campo de batalha conquistado. Suas sagas sobre o Cairo foram heroicas. Ele havia tomado café com o presidente Nasser e conversado em particular com seu assistente. As autoridades egípcias apoiavam a luta africana pela liberdade, e logo ele levaria Guy e a mim para morar no Cairo.

O entusiasmo afastou as posturas adultas de Guy. Ele pulou, se balançando.

"Vamos para o Egito? Vou ver as pirâmides? Cara, vou andar de camelo e tudo."

Vus riu, feliz por ser a causa de tanta euforia. Guy finalmente levou a sua animação para a cama, e corri para os braços de Vus.

◆

Na manhã seguinte, a minha decoração de interiores foi recebida com uma reprovação pedregosa. O sofá velho era errado para um homem na posição do meu marido, e o conjunto de quarto de segunda mão definitivamente tinha de ir embora.

"Sou um africano. Mesmo um homem dormindo no mato colocará folhas frescas no chão. Não vou dormir em uma cama que outros homens usaram."

Não perguntei o que ele fazia nos hotéis. Certamente não ligava para o gerente e dizia: *Quero um colchão novinho em folha. Sou africano.*

Eu disse: "Mas, se vamos para o Egito, não deveríamos comprar móveis novos".

Ele respondeu: "As coisas que comprarmos serão de qualidade e terão alto valor de revenda. E, de qualquer forma, não vamos nos mudar imediatamente".

Eu o segui mansamente até uma loja de móveis, onde ele escolheu uma cama cara, uma mesa de centro de teca e um sofá gigante de couro marrom.

Ele pagou em dinheiro, tirando as notas de um grande maço de cédulas. A origem do dinheiro de Vus era um mistério. Ele evitava as minhas perguntas com a agilidade de um antílope. Não havia nada para eu fazer a não ser relaxar e aceitar que ele sabia o que estava fazendo. Meu filho e eu estávamos sob seus cuidados, e ele cuidou bem de nós. Era um pai atencioso, fazendo visitas individuais à escola de Guy e se debruçando com ele tarde da noite sobre os livros didáticos. Eles riam muitas vezes e afetuosamente juntos. Quando outros africanos nos visitavam, Vus insistia que Guy participasse dos intermináveis debates sobre violência e não violência, sobre o papel da religião na África, sobre o lugar e a força das mulheres na luta. Tentei ouvir suas conversas interessantes, mas em geral estava ocupada demais com as tarefas domésticas para perder este tempo.

A mim parecia que eu lavava, esfregava, passava pano, tirava o pó e encerava dia sim, dia não. Vus era minucioso. Ele verificava o meu progresso. Às vezes, puxava o sofá da parede para ver se eu tinha deixado passar uma camada de poeira. Se ele confirmasse suas suspeitas, sua reação poderia me murchar. Ele baixava os olhos e balançava a cabeça, o rosto triste de decepção. Eu limpava as paredes porque as marcas de impressões digitais poderiam estragar o dia dele, e passava a ferro as camisas engomadas (ele levava os sapatos para serem engraxados por um profissional).

Cada refeição na casa era uma criação culinária. Frango à moda *kiev* e feijoada, ovos beneditinos e peru *tetrazzini*.

Uma boa mulher colocava lençóis passados na cama e combinava o papel higiênico com a cor do azulejo do banheiro.

Eu estava desempregada, mas nunca tinha trabalhado tanto em toda a minha vida. As noites de segunda-feira no Harlem Writers Guild desafiaram o meu controle. As pálpebras pesadas fechavam os meus olhos, e a melhor leitura da melhor escrita não conseguia prender a minha atenção exausta.

"Uma noiva, vocês sabem." Todos riam, menos Rosa, que sabia o quanto eu estava me esforçando para ser uma boa dona de casa.

"Aquele africano te faz tremer." As mãos bateram palmas pela graça de tudo isso. Mas estavam falando mais verdade do que sabiam. Quando eu não estava cansada em casa, ficava tão tensa quanto um punho cerrado de raiva. Os meus nervos eram como soldados em desfile de gala, afiados, eretos e atentos.

Vivíamos de maneira luxuosa, mas eu não sabia quanto dinheiro tínhamos nem conseguia ter certeza de que as contas estavam pagas. Desde os dezesseis anos, exceto por três anos de casada, eu ganhava e gastava o meu próprio dinheiro.

Agora, recebia uma mesada generosa para os gastos de alimentação e moradia e um pouco de dinheiro para despesas pessoais (táxis e absorventes). Vus recolhia e pagava as contas. A novidade não era divertida e o meu coração não estava em paz.

Membros da United Front da África do Sul foram convidados para ir à Índia e conhecer Krishna Menon. Quando Vus partiu, revirei a casa por alguns dias, sem ver ninguém além de Guy, na tentativa de acomodar uma sensação desconfortável de inutilidade. Quando todas as janelas estavam limpas e todos os armários estavam arrumados como as prateleiras das lojas de departamentos, decidi ir à casa de Abbey. O pré-requisito mais exigido de um amigo é um ouvido acessível.

"Ele não quer que eu trabalhe, mas não sei o que está acontecendo e isso está me deixando maluca."

Abbey escovou a pelagem do seu sofá de pelos longos. "Você queria um homem, Maya Angelou. Você conseguiu um." Ela não fazia ideia do quanto eu estava seriamente chateada.

"Mas, Ab, não desisti de toda a minha vida. Você sabe que isso não está certo."

Ela travou a mandíbula e me encarou por um longo período. Quando falou, sua voz era dura e zangada. "Um homem deve estar no comando. Essa é a ordem da natureza." Ela estava levantando uma discussão que já tínhamos debatido por anos.

O meu posicionamento sempre foi de que ninguém era responsável pela minha vida, exceto eu mesma. Eu era responsável por Guy apenas até ele atingir a maturidade; depois, ele teria que assumir o controle da própria existência. Claro, homem algum jamais tentou me convencer do contrário, oferecendo a segurança da sua proteção. "Bem, então devo ser fora da natureza. Porque não suporto não saber de onde vem o meu ar."

Abbey fez um som cacarejante com a língua e disse: "O maior dano da escravidão foi que o homem branco tirou a chance do homem negro de cuidar de si mesmo, de sua esposa e de sua família. Vus está lhe ensinando que você não é um homem, não importa o quanto seja forte. Ele vai fazer de você uma mulher africana. Só observe". Ela dispensou a discussão e a mim. Mas Abbey não conhecia as mulheres africanas que conheci em Londres ou as mulheres lendárias das histórias africanas. Eu queria ser uma esposa e criar um belo lar para fazer o meu homem feliz, mas tinha mais coisas na vida do que ser uma empregada diligente com uma boceta permanente.

Capítulo 11

A Cultural Association for Women of African Heritage (Associação Cultural para Mulheres de Origem Africana, em tradução livre) teve seu segundo encontro no luxuoso apartamento de cobertura de Abbey, na avenida Columbus.

Várias semanas antes, havíamos concordado com um estatuto, uma declaração de diretrizes e normas e um nome: CAWAH. Parecia exótico. Nós concordamos. A organização recém-fundada incluía dançarinas, professoras, cantoras, escritoras e musicistas. A nossa intenção era apoiar todos os grupos negros de direitos civis. A carta, conforme redigida por Sarah Wright e assinada com unanimidade pelas membras, declarava que, uma vez que todo o poder dos Estados Unidos estava vestido com a fúria contra a existência dos afro-americanos, nós, membras da CAWAH, nos oferecíamos para arrecadar dinheiro, promover e divulgar qualquer reunião sinceramente engajada no desenvolvimento de uma sociedade justa. Afirmava, ainda, que nossas membras multitalentosas concordaram, após votação favorável, em realizar apresentações de dança, festivais de música, desfiles de moda e manifestações em geral.

A sala de estar de Abbey se encheu de vozes estridentes. Deveríamos ou não insistir para que cada membra mostrasse seu compromisso de ser negra usando cabelos naturais? Abbey, Rosa e eu já usávamos um corte curto natural, mas eram as outras mulheres, com as madeixas caídas como crinas de cavalo, que defendiam que os naturais deveriam ser obrigatórios.

"Marquei um horário na próxima sexta-feira. Vou cortar essa merda toda porque acredito que devo anunciar para o mundo que tenho orgulho de ser negra." A mulher colocou as mãos na nuca e ergueu a extensão do cabelo cultivado durante anos.

Eu disse: "Não concordo". Eu sentiria falta de ver seu corte de pajem longo e preto.

Abbey disse: "Também não concordo. O cabelo é parte da glória da mulher. Ela deve usá-lo da maneira que quiser. Não se sai de um truque para cair em outro. Uso meu cabelo assim porque gosto, e Max também. Mas eu pintaria de verde se achasse que ficaria melhor".

Todas rimos e deixamos aquela discussão de lado, nos dirigindo aos planos de um imenso desfile de moda com base em um tema africano e apresentando as estampas africanas. Abbey disse: "No Harlem, estou farta de a galera negra se encontrar nos hotéis das pessoas brancas para falar sobre como elas são podres". Então, Rosa e eu fomos designadas para encontrar um auditório adequado para o evento.

Rosa e eu nos encontramos na rua 125, e a primeira coisa que ela disse foi "Lumumba está morto". Ela continuou com uma voz constrangida, dizendo que soube do assassinato por meio de diplomatas congoleses, mas que isso não seria anunciado até a sexta-feira seguinte, quando Adlai Stevenson, delegado dos Estados Unidos nas Nações Unidas, daria a notícia.

Eu não disse nada. Não conhecia palavras que correspondessem ao vazio daquele momento. Patrice Lumumba, Kwame Nkrumah e Sékou Touré eram o Sagrado Triunvirato Africano que os americanos negros radicais prezavam, e precisávamos desesperadamente dos nossos líderes.

Fomos abusados e abusados por tanto tempo, que a perda de um herói era um revés de tal proporção que poderia nos desanimar e enfraquecer a luta.

Estávamos caminhando sem rumo, em meio à neblina, quando o som de pessoas conversando, se movendo e gritando quebrou o nosso estupor. Nós nos permitimos ser atraídas para o canto onde a Nação do Islã realizava uma reunião em massa.

A esquina se contorcia com o movimento à medida que policiais brancos salvaguardavam nervosamente o cruzamento. Uma multidão extasiada havia chegado o mais perto possível da plataforma onde Malcolm X estava flanqueado por um grupo de homens solenes e bem-vestidos. Equipes de televisão em caminhões-plataforma apontavam suas câmeras para o estrado lotado.

Malcolm estava ao microfone.

"Cada pessoa sob o som da minha voz é um soldado. Ou você está lutando por sua liberdade, ou traindo a luta pela liberdade ou se alistou no exército para negar a liberdade de outra pessoa."

Sua voz, profunda e cheia de nuances, alcançou a multidão e as janelas dos cortiços, do outro lado da rua, onde os ouvintes se inclinavam com metade dos seus corpos para o ar primaveril.

"O homem negro foi programado para morrer. Para morrer por suas próprias mãos ou pelas mãos de seu irmão ou pelas mãos de um demônio de olhos azuis treinado para fazer uma única coisa: tirar a vida do homem negro."

A multidão concordou ruidosamente. Malcolm esperou o silêncio. "O Honorável Elijah Muhammad oferece a única saída possível para o homem negro. Aceite Alá como o Criador, Maomé como o Seu Mensageiro e o estadunidense branco como o diabo. Se não acredita que ele é um demônio, observe como ele transformou a sua vida num inferno."

Os negros gritavam e se agitavam. Os policiais apalparam os coldres desabotoados.

Rosa e eu acenamos uma para a outra. O discurso muçulmano era exatamente o que precisávamos ouvir. Malcolm nos emocionou com seu amor e compreensão pelos negros e com sua aversão aos brancos e à sua crueldade.

Sendo impossível se aproximar da plataforma, entramos na livraria do senhor Micheaux e assistimos e ouvimos da porta.

"Fale, Malcolm."

Malcolm rugiu de volta, com seu rosto de um amarelo-dourado, sob o sol, e seu cabelo vermelho-ferrugem.

"Se querem viver a qualquer custo, não digam nada além de 'sim, senhor' e não façam nada além de se curvar, dobrar e esfolar os seus joelhos para o diabo. Mas, se querem a liberdade, é melhor estudarem os ensinamentos do Honorável Elijah Muhammad e começarem a respeitar suas mulheres. Coloquem em ordem seus assuntos domésticos e parem de trair suas esposas. Sabem a quem estão traindo, na verdade?"

Vozes femininas dispararam como flechas sobre a multidão. "Diga a esses tolos, irmão Malcolm." "Diga que parem de agir como garotinhos." "Explique para eles. Explique para eles." "Deixe bem explicadinho."

Malcolm respirou fundo e se inclinou para o microfone.

"Vocês estão enganando os seus pais e as suas mães e avôs e avós e-você-está-traindo-Alá."

Um homem na plataforma ergueu as mãos, mostrando as palmas de cobre, e cantou em árabe.

Após uma explosão de aplausos, Malcolm fez uma pausa e olhou solenemente para a multidão. As pessoas pararam de se mover; o ar se tornou calmo. Quando falou de novo, seu tom era suave e doce.

"Alguns de vocês pensam que existem pessoas brancas boas, né? Algumas pessoas brancas boas para quem vocês trabalharam ou com quem trabalharam, ou estudaram ou até mesmo com as quais se casaram. Não?"

Os ouvintes trocaram um murmúrio de negação.

Malcolm continuou falando baixo, quase em um sussurro. "Existem pessoas brancas que doam dinheiro para a CLCS, para a ANPPC e para a Liga Urbana. Algumas chegam a marchar com vocês nas ruas. Mas me deixem dizer quem elas são. Qualquer estadunidense branco que diga que é seu amigo é fraco" — ele esperou que a palavra fizesse efeito e, quando falou novamente, sua voz rugiu — "ou é um infiltrado, que pode descobrir seus planos e entregá-lo de volta, acorrentado, para os seus irmãos."

A esquina da rua explodiu com o som da raiva e do reconhecimento colidindo um com o outro. Quando Malcolm terminou de falar, a multidão gritou sua aprovação ao líder fervoroso. Rosa e eu esperamos na livraria até que a maioria das pessoas saísse da esquina.

Caminhamos sem conversar até o Frank's Restaurant. Novamente não havia necessidade de falar. As palavras de Malcolm foram duras, mas muito próximas da verdade amarga para argumentar. Nosso povo estava sozinho. Como sempre, sozinho. Não podíamos esperar a proteção das pessoas brancas, mesmo que fossem nossos familiares. Pais proprietários de escravizados venderam os filhos e filhas negros. Irmãs brancas colocaram suas irmãs negras nos caixões dos escravizados por um preço.

Rosa e eu bebemos no bar, sem olhar uma para a outra.

"O que podemos fazer?"

"O que você acha?" Rosa virou-se para mim tristemente, como se eu tivesse falhado com ela. Estava contando comigo para ser inteligente. Ela continuou, franzindo a testa: "Que merda você acha? Temos que entrar em movimento. Temos que deixar os congoleses e todos os outros africanos saberem que estamos com eles. Quer tenhamos vindo da cidade de Nova York, do sul ou do Caribe, os negros são um povo só e somos igualmente oprimidos".

Pedi outra bebida.

A única ação possível que me ocorreu foi chamar as membras da CAWAH e lançar a ideia para discussão aberta. Entre nós, encontraríamos algo para fazer. Algo grande o suficiente para despertar a comunidade negra americana de Nova York.

Rosa não gostou muito da minha ideia, mas concordou em ir junto.

Cerca de dez mulheres se encontraram na minha casa. Imediatamente o tom se tornou irascível e desconfiado. Como Rosa sabia que Lumumba tinha morrido? Não houve anúncio algum nos jornais.

Rosa disse que obteve a informação de fontes confiáveis.

Algumas membras disseram que achavam que nossa organização tinha sido formada para apoiar a luta pelos direitos civis das pessoas negras americanas. Não estávamos tentando abocanhar demais ao "morder" a África? Com exceção de Sékou Touré e de Tom Mboya, quando os africanos nos apoiaram?

Uma mulher, que era modelo, insinuou que o meu marido e o namorado diplomata de Rosa nos tornaram partidárias da causa africana. Abbey disse que era uma opinião estúpida, que o que acontece na África afeta todas as pessoas negras americanas.

Uma mulher disse que a única coisa que os africanos de fato fizeram por nós foi vender nossos ancestrais como escravos.

Lembrei às conservadoras do nosso grupo que Martin Luther King tinha dito que encontrou grande inspiração e apoio fraternal em sua viagem recente para a África.

Rosa falou abruptamente. "Algumas de nós vão fazer alguma coisa. Não sabemos exatamente o quê. Mas todo o restante de vocês que não está interessado, por que diabos não levanta a bunda e para de nos fazer perder tempo?"

Como era de costume, quando ela ficava furiosa, seu sotaque caribenho dava as caras e a musicalidade em sua voz contradizia as palavras que ela escolhia.

Abbey se levantou e parou na porta. Houve um ruído de roupas, o arrastar de sapatos e a porta bateu, e seis mulheres permaneceram na sala.

Abbey trouxe conhaque e nos pusemos a trabalhar. Depois de uma conversa curta e feroz, tomamos as decisões. Na sexta-feira, assistiríamos à Sessão Geral das Nações Unidas. Levaríamos pedaços de pano preto e, quando Adlai Stevenson começasse a anunciar a morte de Lumumba, nós seis usaríamos grampos de cabelo, prenderíamos véus de luto na frente do rosto, e depois ficaríamos juntas no grande salão. Não era uma grande ação, mas era dramático. Abbey pensou que alguns homens poderiam se juntar a nós. Ela sabia que Max gostaria de ir junto. Amece, irmã de Rosa, conhecia dois revolucionários do Caribe que iriam gostar de ser incluídos. Se os homens se juntassem a nós, faríamos braçadeiras elásticas e, no momento oportuno, eles poderiam colocar as faixas pretas nas mangas e ficar junto às mulheres. Era a ideia. Nenhum movimento em massa, mas ainda assim uma declaração dramática.

Quando a reunião chegava ao fim, me lembrei de um conselho que Vus tinha dado para alguns jovens africanos, combatentes da liberdade:

"Nunca permita ser isolado do povo. Os predadores usam a tática de separação com amplo sucesso. Se for fazer algo radical, vá para as massas. Faça-os saber quem você é. Essa é sua única esperança de proteção".

Citei Vus para as mulheres e sugeri que deixássemos algumas pessoas no Harlem saberem o que pretendíamos fazer. Todas concordaram. Iríamos até o senhor Micheaux; ele poderia espalhar a palavra pelo Harlem mais rápido do que uma orquestra de tambores de conga.

Na tarde seguinte, voltamos à livraria, onde pôsteres de pessoas negras cobriam cada centímetro das paredes não ocupadas pelas prateleiras: Marcus Garvey, vestido com roupas militares, dirigia para sempre um carro aberto, colado em uma parede. W. E. B. DuBois olhava com altivez por cima da cabeça dos leitores de livros. Malcom X, Martin Luther King e uma série de líderes africanos olhavam para baixo, com vários graus de ferocidade.

O senhor Micheaux se movia com agilidade, falava acelerado e era pequeno. Sua pele era da cor de um envelope pardo desbotado. Nós o paramos em um dos seus giros pelos corredores. Ele ouviu os nossos planos impacientemente, balançando a cabeça.

"Sim. As pessoas devem saber. Contem para elas vocês mesmas. Sim, contem para elas." Suas frases curtas em *staccato* lhe saíam da boca como bombas de cereja explodindo. "Voltem hoje à noite. Vou tê-las aqui. Não no tempo dos negros. Na hora. Sete e meia. Contem para elas."

Ele se virou, evitando com cuidado os clientes no corredor cheio.

Pouco depois das sete horas, na esquina da Sétima Avenida, tivemos de abrir caminho por entre uma multidão que se aglomerava nas calçadas. Achamos que os muçulmanos ou a Universal Improvement Association estavam em alguma reunião, ou que Papai Grace[22] e seu rebanho estavam angariando almas para Cristo. Claro, era uma noite quente de primavera e os pequenos apartamentos já estavam sufocantes. Qualquer motivo poderia ter levado as pessoas para as ruas.

---

22 Marcelino Manuel da Graça, conhecido como "Daddy Grace", foi o fundador e primeiro bispo da United House of Prayer for All People, denominação religiosa predominantemente afro-americana. (N. T.)

A voz amplificada do senhor Micheaux nos alcançou quando nos aproximamos da livraria.

"Muitos de vocês dizem que a África não é da sua conta, que não é da sua conta. Mas vocês são tolos. Pretos e tolos. E é isso que o homem branco quer que sejam. Vocês fizeram um racista rir. Ha, ha." Sua voz latia. "Ha, ha, os racistas riem."

Por causa da minha altura, eu conseguia vê-lo em uma plataforma em frente à loja. Ele segurava um microfone, de pé, e virava o corpo da esquerda para a direita, seu paletó esvoaçava e um chapéu marrom de aba curta protegia seu rosto dos olhares.

"Abbey, essas pessoas" — a aglomeração humana era mais densa perto da livraria — "essas pessoas estão aqui para nos ouvir".

Ela agarrou a minha mão e eu segurei o braço de Rosa. Nós prosseguimos.

"Algumas das suas irmãs vão falar com vocês. Falar com vocês sobre a África. Em alguns minutos, vão falar sobre Lumumba. Patrice Lumumba. Sobre os malditos belgas. Sobre as Nações Unidas. Se vocês são pretos ignorantes, vão para casa. Não fiquem. Não escutem. E todos vocês, malditos idiotas na multidão: voltem e contem para os seus donos brancos o que eu disse. Contem para eles o que essas mulheres negras vão dizer. Contem para eles sobre os livros de J. A. Rogers, que provam que os africanos tinham reinos antes que as pessoas brancas soubessem tomar banho. Não se esqueçam do irmão Malcolm. Não se esqueçam de Frederick Douglass. Contem para eles. Todos, exceto os pretos ignorantes, dizem: 'Me solte, Charlie. Saia da porcaria do meu cangote'. Lá vêm elas agora." Ele tinha nos visto. "Vamos, Abbey, vamos, Myra, você e Rosa. Vamos. Subam aqui e falem. Eles estão esperando vocês."

Mãos desconhecidas nos ajudaram a subir na plataforma instável. Abbey caminhou para o microfone, equilibrada e bonita. Rosa e eu ficamos atrás dela, e fitei a multidão.

Milhares de rostos negros, marrons e amarelos olhavam para mim. Isso era mais do que esperávamos. Os meus joelhos enfraqueceram e as minhas pernas vacilaram.

"Somos membras da CAWAH: Cultural Association for Women of African Heritage. Soubemos que o nosso irmão, Lumumba, foi assassinado no Congo."

A multidão gemeu.

"Ah, meu Deus."

"Ah, não."

"Quem o matou?"

"Quem?"

"Nos conte quem."

Abbey olhou para Rosa e para mim. Seu rosto mostrava nervosismo.

O senhor Micheaux gritou: "Contem para eles. Eles querem saber".

Abbey se voltou para o microfone. "Não direi que foram os belgas..."

A multidão gritou. "Quem?"

"Não direi que foram os franceses ou os americanos."

"Quem?"

Era um grande som faminto.

"Vou dizer que as pessoas brancas mataram um homem negro. Mais um negro."

O senhor Micheaux se inclinou para Abbey. "Contem para eles o que vocês vão fazer."

Abbey assentiu.

"Na sexta-feira de manhã, nossas mulheres e alguns homens vão até as Nações Unidas. Vamos nos sentar na Assembleia Geral e, quando anunciarem a morte de Lumumba, vamos nos levantar e ficar de pé até que nos expulsem."

A multidão concordou ruidosamente.

"Já estou indo para lá."

"Estarei lá."

"Eu também."

"Sim, levantem-se e façam-se ouvir."

"Isso mesmo!"

Ouviu-se algumas vozes discordantes.

"Que bobagem! É só isso?"

"Matam um homem e são as garotas que se levantam? Que merda."
E: "Vão atirar nas suas bundas também! Sim, vão mesmo".

A oposição foi abafada pelo incentivo maior.

O senhor Micheaux pegou o microfone.

"Venha cá, Myra." O homenzinho sabia soletrar o meu nome, mas nunca o pronunciava da maneira correta. "Você fala."

Ele se virou para a multidão. "Aqui está uma mulher casada com um africano. Seu marido escapou por pouco dos cães brancos sul-africanos. Vamos, Myra. Diga alguma coisa."

Repeti o que já havia sido dito pelo menos uma vez. A repetição era um código que todos compreendiam e apreciavam. Tínhamos um ditado: *Faça tudo o que você diz duas vezes. Se você disser uma vez, é melhor ser capaz de repetir.* Os ouvidos negros estavam acostumados a serem chamados e a responderem por causa do jazz, do blues e dos discursos dos pregadores negros.

O senhor Micheaux pegou o microfone de mim e chamou Rosa.

Ela olhou para os rostos e falou com muita rapidez.

"Estaremos lá. Qualquer um de vocês que quiser ir, será bem-vindo. Vamos nos encontrar às oito e meia na frente da ONU. Faremos véus extras e braçadeiras, e nossas membras estarão à espera para distribuí-los. Vão todos. Vão e garantam que o mundo saiba que não se pode mais matar líderes negros em segredo. Vão."

Ela entregou o microfone para o senhor Micheaux e acenou para mim e para Abbey. Ajudaram-nos a sair do palco. A multidão se separou e formou um corredor de sons.

"Estaremos lá."

"Oito e meia, na sexta-feira."

"Até já, irmã. Até já, na ONU."

"Deus a abençoe."

Nós nos sentamos quietas no táxi e nos abraçamos. A enormidade da multidão e sua resposta apaixonada nos deixaram mudas. Combinamos de nos encontrar no dia seguinte.

Voltei para uma casa vazia. Os pratos do jantar de Guy secavam no escorredor, e um bilhete apoiado na mesa da sala de jantar me informava que ele estava participando de uma reunião da SANE e que eu poderia esperá-lo às 22h30.

Rosa telefonou. Tivemos de sacar dinheiro da CAWAH. Sua sobrinha, Jean, iria a uma loja de tecidos de manhã. Compraria tule preto e elástico. Rosa compraria grampos de cabelo na Woolworth. Nós devíamos nos encontrar na casa dela a fim de produzir as braçadeiras e prender os grampos nos véus. Concordei e desliguei. Abbey telefonou. Eu ligaria para as mulheres da CAWAH e verificaria o Harlem Writers Guild e, só para garantir, não seria uma boa ideia fazer cem véus e braçadeiras? Concordei.

Guy voltou para casa, pleno com a sua reunião. A SANE estava planejando uma manifestação no sábado, em Nova Jersey. Ele e Chuck gostariam de ir. Se os Killens e eu permitíssemos que eles faltassem a um dia de aula, participariam de uma marcha na sexta-feira, atravessando a ponte George Washington. Ele ficaria bem, mãe. Levariam sacos de dormir e muitos amendoins e, afinal, eu não disse que queria que ele se envolvesse? *Papai* com certeza concordaria, se não estivesse na Índia. Minha geração fez com que a bomba atômica fosse lançada sobre Hiroshima, no ano em que ele nasceu. Então, ele poderia dizer, corretamente, que era um bebê atômico. Ele e Chuck haviam conversado. A bomba nunca deverá ser usada de novo. Centenas de milhares de seres humanos foram mortos e outros milhões, mutilados, e será que eu gostaria de ver as fotos de Hiroshima de novo?

Dei-lhe permissão para ir a Nova Jersey.

Jean, Amece e Sarah cortaram a extensão do tule preto. Rosa costurou tiras de elástico na metade dos quadrados grandes, enquanto Abbey e eu juntamos com grampos o restante.

Jean prendeu um véu no próprio cabelo, e o material rígido se destacou como um leque suavemente plissado. Seus olhos e a sua pele cor de cobre eram levemente visíveis através do material. Ela parecia uma jovem que se tornara viúva por causa de um acidente prematuro. Olhamos para ela e aprovamos. O nosso gesto seria bem-sucedido.

Na manhã da sexta-feira, pulei o saco de dormir de Guy, que ele tinha deixado aberto no chão da sala. Não seria gentil acordá-lo, já que ele dormiria ao relento naquela noite após a manifestação. Ele sabia que eu tinha planejado sair de casa bem cedo para as Nações Unidas. Coloquei uma nota de cinco dólares no saco de dormir com estampa xadrez e saí do apartamento.

A casa de Abbey estava agitada com tanta ação. As mulheres da CAWAH estavam ocupadas, tomando café, colocando os véus em uma caixa, conversando, colocando as braçadeiras em outra caixa, comendo pãezinhos doces que uma professora tinha trazido, sorrindo e flertando com Max, que andava ao nosso redor como um belo paxá em um harém em plena atividade. Partimos para os elevadores, carregando as caixas e saltitando de emoção.

Max e Abbey poderiam levar quatro de nós em seu carro. O restante iria de táxi. Combinamos de nos encontrarmos na calçada em frente à Organização das Nações Unidas. Amece e Rosa estavam com os véus, então pegaram carona com Max. A professora, a modelo, Sarah e eu fomos juntas. Jean e as outras amigas pegariam seus próprios táxis. Não era fácil encontrar um táxi tão cedo na sexta-feira, no Upper West Side, em Nova York. Os empresários tinham táxis controlados por rádio em chamadas regulares, e muitos motoristas brancos aceleravam quando pessoas negras os chamavam, com medo de a corrida ser para o norte, para o Harlem e/ou de receber gorjetas pequenas.

Às 8h50, o nosso táxi saiu da rua 42 rumo à Primeira Avenida. Sarah e eu gritamos ao mesmo tempo. O motorista pisou no freio e todas ficamos chocadas.

"Que diabos está acontecendo aqui?" O alarme do taxista combinou com o nosso. As pessoas se amontoavam na calçada e se espalhavam pela rua. Os cartazes afirmavam: LIBERDADE AGORA, DE VOLTA À ÁFRICA, ÁFRICA PARA OS AFRICANOS, UM HOMEM, UM VOTO em bastões acima da multidão.

Espiamos pelas janelas. Milhares de pessoas circulavam pela rua e todas eram negras. Pagamos e fomos até a multidão.

"Aqui está ela. Aqui está uma delas."

"Irmã, dissemos que estaríamos aqui. Onde você estava?"

"Como entramos? A polícia disse..."

"Não vão nos deixar entrar."

Os gritos e perguntas eram dirigidos a mim. Comecei um cântico e o usei enquanto me movia pela multidão ansiosa: "Eu vou ver. Vou cuidar disso. Vou cuidar disso. Vou cuidar disso". Sem saber quem procurar ou realmente como eu cuidaria de qualquer coisa.

Rosa me esperava em frente ao prédio rigorosamente moderno, diante das grandes portas de vidro.

"Você tinha como imaginar essa multidão? Tantas pessoas. Tantas!"

Ela estava animada, e seu sotaque caribenho estava particularmente perceptível. "E os guardas recusaram a entrada."

"Rosa, você disse que compraria ingressos das delegações africanas."

"Eu sei, mas só o senegalês e o meu amigo da República do Alto Volta apareceram." Ela teve de gritar, pois a multidão começou a cantar.

Ela se inclinou para mim, franzindo a testa: "Só tenho sete ingressos". As pessoas na calçada gritavam. "Liberdade!", "Liberdade!", "Lumumba! Lumumba!"

Ela disse: "Carlinhos está aqui. O cubano, sabe. Ele pegou os ingressos e entrou com Abbey, Max, Amece e as outras. Ele trará os ingressos de volta e levará mais seis. É o único jeito". Carlos Moore era um jovem furioso que se movia pelo céu político do Harlem como um meteoro.

Fitei a multidão negra. Muitas dessas pessoas nunca tinham estado no centro de Manhattan, considerando os quarteirões ao sul do Harlem tão perigosos quanto um território inimigo e uma terra de ninguém. Com o nosso encorajamento casual, eles enfrentaram a jornada perigosa.

Carlos saiu trotando pelas portas duplas. "Irmã, você chegou." Ele sorriu com alegria com seu rostinho de chocolate. "Estou pronto para o próximo grupo. Vamos! Agora!"

Eu me virei e, sem pensar, puxei as primeiras pessoas da multidão.

"Me deem seus cartazes. Vocês vão entrar." Segurei os bastões desajeitados, e Carlos gritou para os homens e mulheres escolhidos.

"Me sigam, irmãos e irmãs. Fiquem perto de mim." Eles desapareceram no salão mal iluminado, e redistribuí os cartazes.

Rosa tinha se afastado para o meio da multidão. Segui seu exemplo e passei pelas pessoas perto do prédio.

"O que está acontecendo, irmã?"

"Os racistas não querem nos deixar entrar, né?"

"Poderíamos quebrar o filho da puta bem no meio."

"Merda, tudo o que temos para fazer é morrer. E isso vai acontecer de qualquer jeito."

Parei nesse grupo. "Nada poderia agradar mais as pessoas brancas do que ter um motivo para abater pessoas negras inocentes. Não lhes dê esse prazer."

Uma senhora agarrou minha manga. "Deus vai te abençoar, querida. Se você mantiver as crianças vivas."

Ela parecia sábia e aparentava ter mais ou menos a idade da minha avó. "Sim, senhora. Obrigada." Peguei sua mão e a puxei para longe da massa fervilhante. Ela entraria com o próximo grupo. Caminhamos juntas até a escada. Eu me virei e levantei a voz para explicar o que, obviamente, tinha acontecido.

Informantes alertaram a polícia de que o Harlem estava chegando à ONU. Portanto, a segurança foi reforçada. Para entrar no prédio, tivemos de usar a restrição. Os policiais estavam nervosos, então, para evitar que algum idiota disparasse contra a multidão, precisávamos manter a calma.

As pessoas concordaram com uma elegância que achei tranquilizadora. A senhora e eu alcançamos os degraus superiores assim que Carlos passou pelas portas. "Mais seis. E avançamos. Agora!"

Carlos reuniu as próximas cinco pessoas junto à velha senhora e as conduziu para dentro do prédio.

Nos trinta minutos seguintes, ao passo que Carlos desviava grupos de seis e os conduzia prédio adentro, mais policiais chegaram para ficar armados e confusos nas calçadas e do outro lado da rua, enquanto homens brancos à paisana tiravam fotos da ação.

Um manifestante agarrou minha manga. "O que pensam que estão fazendo? Vocês disseram para virmos até aqui e agora não conseguem nos fazer entrar." O homem estava furioso. Ele continuou: "Sim, essa é a gente negra para você. Marchando embriagada e sorrindo".

Eu quis explicar como algum idiota havia nos pregado na cruz, mas Rosa apareceu, puxando a minha outra manga.

"Vamos, Maya. Vamos agora." Sua urgência não seria negada. Encarei o homem zangado e menti: "Volto já".

Dentro do salão reluzente, os guardas desarmados esperavam ansiosamente nos seus postos. Próximo da escada larga que conduzia ao segundo andar, Carlos foi cercado por outro grupo de guardas.

"Tenho meu ingresso. Este é o meu." Registros destacados ressaltavam-se no seu punho negro. "Foram dados a mim por um delegado."

Rosa e eu entramos no círculo, forçando os guardas a se afastarem. Rosa pegou o braço dele. "Vamos, Carlos, temos que ir."

Caminhamos juntos em linha reta e moderadamente devagar, controlando o desejo de sair em disparada, ansiosos pela Assembleia Geral.

Embora estivéssemos fora da audição dos guardas, Carlos sussurrou: "A Assembleia começou. Stevenson vai falar em breve".

No andar de cima, mais guardas ficaram em silêncio conforme passávamos. Dois homens negros esperavam no início do corredor, a ansiedade estampada em seus rostos.

"Carlos! Achamos que eles tinham pegado você, cara."

"Nunca vão me pegar, cara. Eu sou o Carlos, cara."

Sua confiança tinha retornado. Rosa sorriu para mim e entramos no auditório escuro e silencioso. A quilômetros de distância, descendo uma rampa íngreme, os delegados sentaram-se diante dos microfones, em um quadrado de luz, mas o balcão superior era muito escuro para que eu distinguisse qualquer coisa com nitidez.

Depois de segundos, a escuridão cedeu e o público se tornou visível. Cerca de setenta e cinco negros se misturavam aos brancos. Algumas mulheres já haviam colocado os véus sobre o rosto.

Amece, Jean e a professora sentaram-se juntas. Max e Abbey estavam do outro lado do corredor, perto de Sarah e da modelo. Uma voz com sotaque pronunciado zumbia de maneira ininteligível.

"Uh, uhm, mm, urn."

O homenzinho branco muito distante se inclinou para o microfone, sua calvície de um branco brilhante. Os óculos de armação escura se destacavam no rosto já conhecido.

Um grito quebrou sua primeira palavra. O som era sangrento, extenso e penetrante. Em um segundo, outras vozes se juntaram a ele.

"Assassinos."

"Lumumba. Lumumba."

"Assassinos."

"Filhos da puta preconceituosos."

Os gritos ainda pairavam alto sobre a cabeça de pessoas atônitas, que se levantavam, agarrando-se umas às outras ou se empurrando em direção ao corredor.

As luzes do ambiente se acenderam. Stevenson tirou os óculos e fitou o balcão. O choque abriu sua boca e fez seu queixo cair.

Um homem perto de mim gritou: "Seus filhos da puta da Ku Klux Klan".

Outro gritou: "Assassinos".

Os diplomatas africanos ficaram tão alarmados quanto seus colegas brancos. Eu também estava abalada. Não havíamos previsto um motim. Esperava-se que ficássemos de pé, veladas e tristes, em um protesto dramático, mas silencioso.

"Assassinos de bebês."

"Capatazes."

As pessoas brancas aterrorizadas da plateia tentavam fugir das pessoas negras que gritavam. Os guardas correram pelas portas nos níveis superior e inferior.

As luzes extravagantes, a debandada dos corpos e o grito contínuo e estridente eram avassaladores. Os meus joelhos fraquejaram, e me sentei no assento mais próximo.

Uma mulher, no corredor ao meu lado, gritou para os guardas: "Não ouse tocar em mim. Não coloque as suas mãos em mim, branco desgraçado!".

Os guardas estavam gritando: "Saia. Saia".

A mulher disse: "Não toque em mim, seu belga canalha".

Embaixo, os diplomatas se levantaram e formaram uma fila ordenada em direção a uma saída.

Quando a gritaria aguda parou, ouvi minha própria voz gritando: "Homicidas. Matadores. Assassinos".

Duas mulheres lutavam contra um guarda no corredor. Carlos tinha pulado nas costas de um homem branco e estava montado nele, no chão. Uma negra corpulenta segurava as lapelas de um homem branco com roupas civis.

"Quem você está tentando matar? Quem você está tentando matar? Você não me conhece, seu cachorro. Não sabe com quem está se metendo."

O homem estava hipnotizado e além do medo, e a mulher o sacudia como um pano de prato.

Os diplomatas tinham sumido e, com exceção dos guardas, as pessoas brancas tinham desaparecido. O balcão era nosso. Assim como nos cinemas segregados do sul, estávamos outra vez no poleiro dos abutres.

Rosa me encontrou, e me levantei e a segui. Pedimos às pessoas que voltassem para a segurança da rua. Os negros passaram orgulhosamente pelos guardas, atravessaram o corredor e saíram pelas portas até a luz do sol.

A multidão que esperava, aumentada pelos retardatários e por mais policiais, tinha mudado de humor. As pessoas que estiveram lá dentro tinham dito para as pessoas de fora que tínhamos nos revoltado e agora uma desordem extravagante era o que as pessoas negras queriam, enquanto os oficiais da lei ansiavam por vingança.

"Vamos voltar para dentro." "Vamos entrar e mostrar a esses desgraçados que estamos falando sério." "Não são as Nações Unidas. São apenas as pessoas brancas unidas. Vamos voltar."

Um grupo de policiais estava parado na escadaria, com os olhos brilhando. Por lei, eram proibidos de entrar no prédio da ONU, mas estavam ansiosos para impedir nossa reentrada.

Algumas pessoas gritaram com a polícia silenciosa e furiosa.

"Vocês mataram Lumumba também. Seus merdas."
"Eu gostaria de arrastar a bunda de vocês pela rua 125."
"Entregue a pistola. Vou chicotear o seu traseiro."
Carlos correu até mim.
"Vamos ao consulado belga. Marchemos juntos."
A voz de Rosa estava alta. "Rua 46. Prédio da Associated Press. Vamos. Vamos."

A multidão começou a se mover por dentro de um corredor de policiais que se estendia até a rua. No início, alguém começou a cantar.

"E, antes de ser escravo, vou ser enterrado na minha sepultura..."

A música se ondulava, ora alta, ora baixa. Captada pelas vozes e abaixada, mas nunca rejeitada.

"E vou para casa, para o meu Deus, e serei livre."

Os policiais montados, sentados em cavalos perigosos, olhavam para baixo enquanto cruzávamos, cantando, a Primeira Avenida.

Rosa e eu caminhávamos lado a lado, no último grupo, quando viramos na rua 43. Eu disse: "Aquele grito começou tudo isso. Eu me pergunto quem gritou".

Ela franziu a testa e riu ao mesmo tempo. "Foi Amece, e ela quase matou Jean."

Os manifestantes ao nosso redor cantavam:

"No more slavery,
No more slavery,
No more slavery over me".[23]

Rosa continuou: "Amece disse que olhou para baixo, viu Stevenson e pensou em Lumumba. Ela estendeu a mão para acariciar a filha, mas Jean pulou e Amece gritou. Infelizmente, ela estava com o braço em volta do pescoço de Jean. Então, quando Jean estremeceu, Amece apertou com mais força e continuou gritando. Ninguém ia machucar

---

23   "Chega de escravidão/ Chega de escravidão/ Chega de escravidão sobre mim." (N. T.)

seu bebê. Então ela gritou". Rosa riu. "Ninguém menos que Amece. Ela quase sufocou Jean até a morte."

A multidão estava marchando e cantando.

Seis policiais montados subiram a calçada e cavalgaram entre os retardatários. As pessoas pularam para fora do caminho quando os cavalos se aproximaram delas.

Um homem negro resistente, impossibilitado de escapar, estava sendo pressionado contra a parede de um prédio. Eu me atirei em direção a ele, batendo nos cavalos, projetando os meus cotovelos nos seus flancos.

"Afastem-se. Movam-se, caramba."

O homem estava encostado na parede, ignorando os cavalos, olhando para os policiais. Eu o alcancei e peguei sua mão.

"Vamos, irmão. Vamos, irmão."

Caminhamos entre os cavalos que se moviam e voltamos para Rosa, que havia parado o grupo.

Rosa sorria, seu rosto cheio de descrença. "Maya Angelou, pensei que você tivesse medo de animais. Você foi para cima daqueles cavalos, foi demais!"

Ela estava certa. Nunca tive um animal de estimação. Eu não entendia a estupidez inteligente dos cachorros ou dos gatos; na verdade, todos os animais me aterrorizavam. A ação do dia tinha retirado o meu eu normal e me tornado incomum. Eu estava literalmente embriagada pela aventura.

Nós nos aproximamos da esquina da rua 46 com a Sexta Avenida, e o cruzamento me lembrou de um noticiário sul-americano. No momento, os policiais fortemente armados e as pessoas enfurecidas pareciam neutralizar a cena. A luz do sol brilhante não deixava nenhum rosto na sombra, e os dois grupos se observavam com cautela, movendo-se sonhadoramente para um lado e para o outro. Para lá e para cá. As mãos dos policiais nunca estavam distantes das suas pistolas, e policiais à paisana falavam na estática dos rádios comunicadores. Os manifestantes negros avançavam pela calçada, fazendo barulho e carregando cartazes desgastados e rasgados.

Os carros da polícia estavam estacionados em fila dupla na rua, e um capitão caminhava entre seus homens, conversando e olhando de soslaio em direção à multidão, tentando avaliar seu humor e suas intenções.

Quando Rosa correu para longe de mim e em direção à multidão que se arrastava, um oficial enfaixado se aproximou de mim.

"Você é uma das líderes?" Seu rosto rosado estava manchado com uma raiva vermelha. Seguindo o conselho negro sulista — *Se um homem branco perguntar para onde está indo, diga a ele onde você esteve* —, respondi: "Estou com o povo".

"Onde está a sua autorização? Vocês precisam de uma autorização para se manifestar."

Três homens negros apareceram de repente, colocando-se entre mim e os policiais.

"O que você quer com essa senhora negra?"

"Cuidado, Charlie. Não mexa com ela."

Instantaneamente, mais policiais cercaram os meus protetores, e as pessoas negras que se arrastavam em linha, vendo a movimentação rápida, correram para cercar os policiais recém-chegados.

Tive de fazer uma demonstração de confiança. Encarei o rosto do oficial e disse: "Autorização? Se deixássemos isto para vocês, pessoas brancas, estaríamos na mesma situação que os nossos colegas na África do Sul. Teríamos de ter autorização para respirar".

Um homem parado do meu lado acrescentou: "Não mesmo. Nós não temos autorização nenhuma. Então é melhor vocês sacarem as pistolas e começarem a atirar. Atirem em nós agora, porque não vamos sair daqui".

Os policiais, ansiosos para aceitar o convite do homem, bufaram e se mexeram como cavalos enfurecidos. O oficial os freou com sua voz. Ele gritou: "Está tudo bem, homens. Eu disse que está tudo bem. Voltem para seus postos".

Houve um breve período de olhares odiosos antes que os policiais voltassem para a rua e nos juntássemos ao grupo maior de pessoas negras que se misturavam pela calçada.

Rosa me encontrou. "Carlos está lá dentro." Seus olhos se apertaram. "Alguém disse que ele está lá há mais de meia hora. O consulado belga fica no décimo primeiro andar. Talvez a polícia o tenha pegado."

O conhecimento do que a polícia faz com homens negros surgiu como um fantasma diante dos meus olhos. Carlos era pequeno e bonito e me lembrava meu irmão. Os policiais estavam em posse de Bailey e talvez ele estivesse sendo espancado ou estuprado naquele exato minuto. Vislumbrei uma imagem horrível de Bailey nas mãos de homens loucos, mas não tinha nada que eu pudesse fazer a respeito.

Eu poderia fazer algo por Carlos.

Eu disse: "Vou entrar. Você mantém as pessoas marchando".

Busquei os rostos mais próximos de mim.

Vus certa vez me disse: "Se estiver em apuros, em nenhuma circunstância peça ajuda às pessoas negras da classe média. Elas sempre acham que estão escoradas no sistema. Procure um *tsotsi*, que é a palavra xhosa para designar um vagabundo das ruas. Um valentão. Um condenado. Ele já vai estar com raiva e vai saber que não tem nada a perder".

Continuei olhando até que vi esse homem. Ele era mais alto do que eu, magro como um trilho e da cor do chocolate amargo. Uma cicatriz profunda ia da borda da narina esquerda até o lóbulo da orelha, e outra ficava entre a linha do cabelo e a sobrancelha esquerda.

Acenei para ele, que veio na minha direção.

"Irmão, o meu nome é Maya. Acho que Carlos Moore está em algum lugar neste prédio. Ele é o líder desta marcha. A polícia pode estar com ele e você sabe o que isso significa."

"Sim, irmã, sim." Ele assentiu sabiamente.

"Quero entrar e ver como ele está e preciso de alguém que vá comigo."

Ele assentiu outra vez e esperou.

"Vai ser perigoso, mas você vai?"

"Claro." A superfície de seu rosto não mudou. "Claro, irmã Maya. Vamos." Ele segurou o meu cotovelo e começou a me impulsionar para os degraus.

Perguntei: "Qual é o seu nome?". Ele disse: "Me chame de Buddy".

A voz de Rosa veio até mim enquanto passávamos pelas portas giratórias. "Tenha cuidado, Maya."

O saguão estava cheio de policiais, guardas e homens brancos em movimento. Embora o meu acompanhante me empurrasse com agilidade na direção dos elevadores, tive tempo de espiar o diretório do prédio. Acima da listagem do consulado belga no décimo primeiro andar constavam as palavras AMERICAN BOOK COMPANY, 10º ANDAR. Um policial gordo e corado parou na minha frente e na de meu companheiro.

"Aonde vocês estão indo?"

O *tsotsi* falou. "Não é da sua maldita conta."

Eu o cutuquei e disse de forma doce: "Vou à American Book Company".

O policial e o *tsotsi* se entreolharam intencionalmente. O ódio correu entre os dois homens como uma corrente elétrica.

"E você? Aonde você acha que vai?"

"Vou com ela. A cada passo do caminho."

O policial ouviu o desafio e estreitou os olhos, e eu ouvi a proteção e me senti como uma garotinha. O policial gorducho nos seguiu até os elevadores, e apertei o botão do décimo andar, segurando a mão do homem negro. A viagem foi tensa e rápida. Saímos para o corredor e nos viramos a fim de observar o rosto do policial até as portas se fecharem.

Eu disse: "Vamos encontrar as escadas".

Perto do canto da parede, vimos o sinal de saída.

"Buddy, entre e deixe a porta fechar, depois veja se consegue reabri-la."

Ele saiu para o patamar e esperou até que a porta se fechasse. Dei um passo para trás quando ele girou a maçaneta e abriu a porta pelo seu lado.

"Venha. Vamos subir lá."

Subimos correndo os degraus até o décimo primeiro andar. Ele agarrou a maçaneta, mas a porta não abria.

"Aquele policial racista. Ele chegou antes de nós. Fique aqui."

Ele se virou e subiu outro lance. Eu o ouvi murmurar. "Esta maldita porta também está trancada."

Ele desceu os degraus pesadamente.

"O que você quer fazer agora?"

Eu não conseguia pensar no momento. Eu tinha apenas um vago plano de chegar ao décimo primeiro andar e "saber a respeito de Carlos". Minha mente não tinha se movido para além da possibilidade de realizar esse feito. Olhei estupidamente para Buddy, que esperava uma resposta.

Depois de alguns segundos, a minha voz veio à tona. "Acho que não há mais nada a fazer além de voltar para a rua. Sinto muito."

Eu esperava ver desgosto ou, ao menos, escárnio no rosto de meu cúmplice, mas ele não demonstrou qualquer emoção.

"Tudo bem, irmã. Vamos."

Voltamos ao décimo andar e empurrei a porta, mas ela resistiu. Devo ter engasgado, porque ele me empurrou para o lado e agarrou a maçaneta. "Deixe que eu faço isso." Ele segurou a maçaneta e encostou o corpo no painel de metal, mas a porta não cedeu. O pânico acelerou meu sangue. Como uma idiota, eu tinha me entregado à morte. Os policiais poderiam abrir a porta a qualquer momento e explodir os meus miolos. Ninguém veria e ninguém seria capaz de me proteger. Vi a imagem do meu filho na sala de aula. Quem lhe contaria e como ele lidaria com a notícia? Meu novo marido receberia um telegrama na Índia. O que pensaria de uma esposa tão frívola a ponto de cometer suicídio? Minha pobre mãe... O homem ao meu lado, que o medo me fez esquecer, segurou os meus ombros em suas mãos.

"Irmã. Irmã. Você não tem nada com o que se preocupar. Estou aqui."

Ele me soltou e ficou na beira do patamar. "Terão que passar por cima do meu cadáver para chegar em você."

Buddy desceu os degraus. Eu o ouvi parar no nono andar, depois os seus passos desceram e pararam de novo e de novo. Em poucos segundos, ele me chamou: "Irmã Maya, venha. Achei uma porta. Venha". Eu o encontrei no patamar do sexto andar. O meu coração estava palpitando, então mal consegui recuperar o fôlego. O corredor e o elevador pareciam para mim como o Canadá deve ter sido para os escravizados que fugiram. Estávamos no saguão quando o meu constrangimento voltou. A minha mão no seu braço o virou.

"Buddy, peço desculpas por entrar em pânico há pouco. Vou contar ao meu marido sobre você."

Ele olhou para mim e balançou a cabeça. "Irmã, neste país, um negro está sempre prestes a ser morto, então isso não é nada. Mas diga para o seu marido que um homem negro estava disposto a oferecer a vida por você. Isso é tudo."

Ele segurou o meu cotovelo e me guiou, passando pela polícia ainda à espera, até a porta. Fui direto para os braços de Rosa.

"Garota, o que aconteceu? Carlos saiu logo depois que você entrou. Alguns de nós estávamos nos preparando para ir buscá-la." Nós nos abraçamos fortemente. Eu disse: "Rosa, você precisa conhecer esse irmão", mas, quando me virei para apresentar Buddy, ele tinha desaparecido na multidão cada vez menor.

Rosa continuou: "Você ficou lá por quase vinte minutos". Essa foi uma notícia surpreendente. Eu tinha sido ousada, flagrante e audaciosa. Eu tinha sido boba, irresponsável e despreparada. O meu corpo tinha sido cercado pelo pânico, e a minha mente, imobilizada pelo medo. Um desconhecido tinha mostrado a coragem de Vivian Baxter e a generosidade de Jesus. E tudo isso aconteceu em vinte minutos.

Os repórteres do rádio e da televisão caminhavam entre os manifestantes remanescentes em busca de entrevistas.

Uma mulher falou em um microfone. "Sim, nós somos malucos. Vocês nos capturam como se fôssemos lebres. Pode apostar que sim, nós somos malucos." Um homem que caminhava atrás dela acrescentou: "Lumumba estava no Congo. O Congo fica na África e nós somos africanos. Entendeu?".

As membras da CAWAH concordaram que não faríamos declarações públicas, então viramos o rosto quando os jornalistas se aproximaram. A fila de manifestantes estava exausta. As pessoas começaram a perder a casca. Seus ombros pendiam, e elas caminhavam pesadamente. Sabiam que seu último protesto não tinha adiantado nada. Eram o bando de Josué, gritando e berrando, cantando e bradando entre as muralhas, mas Jericó permaneceu de pé, inalterada.

Naquela noite, fui jantar na casa de Rosa e assistir ao noticiário da noite. As câmeras capturaram corpos negros saindo pelas portas da ONU e manifestantes cantando ao longo da rua 46. Rostos raivosos de perfil deslizavam pela tela, gritando acusações. Quando um homem desconhecido e bem-vestido apareceu e, falando de maneira pomposa, disse que assumia total responsabilidade pela manifestação, Jean retrucou, chamando-o de aproveitador e desligando a televisão.

O eco da empolgação daquele dia e a maravilha do poder da CAWAH em trazer todas aquelas pessoas do Harlem nos mantiveram em silêncio por alguns minutos. Quando as conversas retornaram, falamos sobre os nossos próximos passos. O dia provou que o Harlem estava em comoção e que a raiva estava além do controle da ANPPC, da CLCS ou da Liga Urbana. A fúria se voltaria contra si mesma se não fosse direcionada para fora. Haveria um aumento de esfaqueamentos e tiroteios conforme as pessoas negras atacassem umas às outras, descarregando a tensão e procurando cegamente uma trégua para suas vidas sofridas.

Rosa e eu dissemos "os negros muçulmanos" e sorrimos, porque pensávamos igual e ao mesmo tempo. É claro que os muçulmanos, com sua disciplina extraordinária e sua posição absoluta nas relações entre pessoas negras e brancas, saberiam como usar e controlar o furor no Harlem. Deveríamos ir direto a Malcolm X e depositar a situação em seu colo. Seria interessante ver o que ele faria. E seria um alívio transferir a responsabilidade.

No dia seguinte, Guy pulou de emoção. "Mãe, você é ótima. Realmente ótima. Eu gostaria de ter estado lá. Cara, eu gostaria de ter visto o rosto do Stevenson. Cara, isso é fantástico."

John Killens me telefonou. "Por que não me avisou que fariam um motim? Sempre estou pronto para um motim. Você sabe disso, meu anjo."

Quando expliquei que esperávamos apenas algumas pessoas, ele resmungou e disse que havíamos caído no mesmo truque onde os brancos estão. Subestimamos a comunidade negra.

Dois dias depois, Rosa e eu estávamos entrando em um restaurante muçulmano. Marcar aquela reunião tinha sido a parte mais fácil. Então, telefonei para a Mesquita e perguntei se o senhor Malcolm X poderia ceder meia hora para duas senhoras negras. Depois de uma breve pausa, me passaram um horário e um lugar. Colocar os meus pensamentos em uma ordem respeitável foi mais difícil porque, depois que eu soube que Malcolm nos veria, fiquei horrorizada com nossa presunção.

Falamos à garçonete que tínhamos ido ver o senhor Malcolm X. Ela assentiu e se afastou, desaparecendo por uma porta no final do longo balcão. Ficamos paradas, nervosas, no centro do salão. Após um momento, Malcolm apareceu à porta dos fundos. Sua aura era muito brilhante e sua força masculina me afetava fisicamente. Uma tempestade quente no deserto formou redemoinhos ao redor dele e correu para mim, fazendo a minha pele se contrair e os meus poros se fecharem. Ele se aproximou, e tudo o que meu cérebro fez por mim foi se dar conta de sua chegada. Eu nunca tinha sido tão afetada por uma presença humana.

Assistir a Malcolm X na televisão ou mesmo ouvi-lo falar em um púlpito não foram uma preparação para encontrá-lo cara a cara.

"Senhoras, *salaam aleikum*."[24] Sua voz era de um barítono negro e musical. Rosa apertou a mão dele, e fui capaz de acenar silenciosamente. De perto, Malcolm X era um grande arco vermelho por onde se poderia passar para a eternidade. Seu cabelo era da cor de brasas ardentes e seus olhos eram penetrantes. Ele nos ofereceu duas cadeiras à mesa e pediu chá para uma garçonete nervosa, que foi trazido em xícaras trêmulas.

Rosa era mais contida do que eu, então começou a explicar a nossa missão. O som da sua voz me ajudou a me livrar da coação da mudez. Eu me juntei à narrativa e distribuímos nossa história igualmente, como a tagarelice de uma dupla de *vaudeville* de longa data.

"Nós somos a CAWAH..."

"Cultural Association of Women of African Heritage."

---

24   "A paz esteja com você." (N. E.)

"Queríamos protestar contra o assassinato de Lumumba, então..."
"Planejamos uma pequena manifestação. Não esperávamos..."
"Mais de cinquenta pessoas..."
"E vieram milhares."

Malcolm estava recostado na cadeira, o queixo inclinado para baixo, sua atenção era totalmente nossa. Ele se endireitou abruptamente.

"Soubemos da manifestação, mas os muçulmanos não estavam envolvidos. Os repórteres do *New York Times* me telefonaram, e eu disse para eles: 'Os muçulmanos não se manifestam'."

Rosa e eu nos entreolhamos. Malcolm X, como o líder mais radical do país, era a nossa única esperança, e, se ele não aprovou a nossa ação, então talvez tivéssemos entendido tudo errado.

"Vocês estavam erradas na direção de vocês." Ele continuou falando e olhando diretamente nos nossos olhos. "O povo do Harlem está furioso. E ele tem motivos para estar furioso. Mas ir à Organização das Nações Unidas e gritar, segurando cartazes, não é algo que vai conquistar a liberdade de ninguém nem impedir que os demônios brancos matem outro líder africano. Ou um líder negro-americano."

"Mas..." Rosa estava ficando irritada. "O que deveríamos fazer? Nada? Não concordo com isso." Ela tinha mais coragem do que eu.

"O Honorável Elijah Muhammad nos ensina que a integração é uma armadilha. Uma armadilha para acalmar o negro e fazê-lo dormir. Devemos nos separar do homem branco, deste homem branco imoral e da sua religião branca. É uma hipocrisia praticada por cristãos hipócritas."

Ele continuou. Os cristãos brancos eram culpados. Os padres católicos portugueses derramaram água-benta nos navios negreiros, suplicando a Deus para que desse passagem segura às tripulações e cargas nas viagens através do Atlântico. Os proprietários de escravos americanos usaram a Bíblia para provar que Deus queria a escravidão, e até mesmo Jesus Cristo admoestou os escravizados a "prestarem obediência a seus senhores". Enquanto o homem negro olhasse para o Deus dos brancos em busca de sua liberdade, o negro permaneceria escravizado.

Tentei não demonstrar a minha decepção.

"Obrigada. Obrigada pelo seu tempo. Senhor X... Ah, não sei o seu sobrenome. Quer dizer, como você prefere ser tratado?"

"Sou o pregador Malcolm. Meu sobrenome é Shabazz. Mas me chame apenas de pregador Malcolm."

Rosa tinha se levantado, a irritação em seu rosto.

Malcolm disse: "Sei que estão desapontadas". Sua voz tinha se suavizado e, por um momento, o pregador islâmico desapareceu. "Vou lhes dizer algo. Ao meio-dia, alguns líderes negros vão ser como Pedro na sua Bíblia cristã. Eles vão negar vocês. Haverá declarações dadas para a imprensa, não apenas refutando o que vocês fizeram, mas acrescentarão que vocês são perigosas e provavelmente comunistas. Esses pretos" — ele disse a palavra sarcasticamente — "pensam que são diferentes de vocês e que o homem branco os ama por causa de sua diferença. Vão vender vocês repetidamente como escravizadas. Agora, eis o que nós, a Nação do Islã, não faremos. Não pediremos ao povo do Harlem que marche para qualquer lugar a qualquer momento. Não mandaremos homens negros, mulheres negras e crianças negras diante de demônios brancos armados e malucos, e não vamos negar vocês. Faremos duas coisas. Ofereceremos a eles a religião do Islã, o Profeta Maomé e o Honorável Elijah Muhammad. E faremos uma declaração à imprensa. Direi que a manifestação de ontem é um símbolo da raiva neste país. Que os negros estavam afirmando que nem sempre dirão 'sim, senhor' e 'por favor, senhor'. E nem sempre permitirão que as pessoas brancas cuspam neles nas lanchonetes para comerem cachorro-quente e beberem coca-cola." Ele se colocou em pé; a nossa reunião tinha acabado. De repente, Malcolm X estava indiferente e frio, sua energia removida. Ele disse: "*Salaam aleikum*" e se virou para se juntar a alguns homens que o esperavam no balcão.

Saímos do restaurante em meio a uma névoa de derrota. O desespero negro ainda era real, os assassinatos continuariam, e tínhamos acabado de esgotar o nosso último recurso. Quando Rosa e eu nos abraçamos no metrô, não houve euforia na nossa despedida.

Naquela noite, o rádio, a televisão e os jornais confirmaram as previsões de Malcolm.

Líderes negros conservadores se posicionaram contra nós. "Aquela manifestação feia foi realizada por um elemento irresponsável e não reflete a disposição da comunidade negra em geral."

"Nada de bom pode resultar do flagrante desrespeito de ontem na ONU." "Foi indigno e desnecessário."

Malcolm X foi tão bom quanto sua palavra. Ele disse: "As pessoas negras estão deixando os americanos brancos saberem que está chegando a hora das cédulas ou das balas. Sabem que é inútil pedir justiça ao inimigo. E certamente as pessoas brancas são as inimigas das negras, caso contrário, como chegamos a este país, para início de conversa?".

Capítulo 12

Vus estava de volta a Nova York, um pouco mais pesado e distraído. Ele disse que o curry indiano era irresistível e que suas reuniões foram bem-sucedidas, mas que levantaram novas questões com as quais ele teve de lidar imediatamente. Saiu de casa cedo e voltou muito depois de ter escurecido. Guy estava envolvido nos mistérios que cercam os garotos de quinze anos: a forma astuta com a qual as garotas eram feitas. A agonia deliciosa de vê-las caminhar. O entendimento doloroso de que nenhuma das criaturas belas se permitiria ser segurada e tocada. Exceto pela geladeira, o telefone era seu único elo importante com a vida. Certa manhã, percebi que semanas tinham passado desde que eu havia participado de uma conversa com alguém. Quando Max me convidou para ler um roteiro com Abbey, aceitei de bom grado. Ele havia composto a trilha para a peça de Jean Genet, *The Blacks*, que estrearia no fim da primavera, em teatros fora do circuito da Broadway. Quando entrei no apartamento deles, um pequeno grupo de músicos estava afinando ao lado do piano. Fui apresentada à equipe de produção.

    Sidney Bernstein, o produtor, era um homenzinho frágil que se sentava sorrindo com timidez, seus olhos vagando pela sala, sem foco. O diretor enérgico e intenso, Gene Frankel, virou a cabeça da direita para a esquerda e vice-versa em pequenos solavancos, lembrando um pássaro predador empoleirado em um penhasco alto. O diretor de palco, Max Glanville, um homem negro alto e robusto, estava à vontade na sala. Ele se sentou sereno enquanto seus dois colegas se contorciam.

Quando Frankel disse que estava pronto para ouvir a música, tinha impaciência em sua voz.

Sidney sorriu e disse que tinha bastante tempo.

Abbey e eu sentamos frente a frente, segurando cópias do roteiro marcado. Dividíamos os papéis de maneira uniforme e, quando a música começava, líamos, às vezes contra a música, por cima dela, ou esperávamos em intervalos enquanto as notas assumiam o centro do palco. Nenhuma de nós conhecia a peça e, como sua estrutura era extremamente complexa e sua linguagem, elaborada, lemos em tom monótono, nem mesmo tentando ter algum sentido dramático. Por fim, chegamos às últimas notas. A noite parecia interminável. Gene Frankel foi o primeiro a se levantar. Correu até Max, pegou sua mão e mirou profundamente em seus olhos. "Ótimo. Ótimo. Simplesmente ótimo. Temos que ir. Ok. Obrigado, senhoras. Obrigado. Boa leitura." Frankel se virou como um gatinho tentando pegar o próprio rabo. "Tudo bem, Sidney? Vamos. Glanville." Ele se virou novamente. "Músicos? Ah, sim, obrigado, pessoal. Ótimo."

Em um segundo, ele estava na porta, com a mão na maçaneta. Sidney foi até os músicos, apertando as mãos, dando a cada um deles um leve sorriso. Agradeceu Max, Abbey e a mim. "A música estava perfeita." Glanville olhou maliciosamente para os parceiros brancos e sorriu para nós. Seu olhar escorregadio dizia que estava indo embora com eles apenas porque precisava, e nós entenderíamos.

"Ok, pessoal. Obrigado. Obrigado, Max. Falaremos com você." Quando a porta se fechou atrás deles, eu ri, em parte de alívio. Max perguntou o que era engraçado. Eu disse que a peça e os produtores.

"Isso quer dizer que você não entendeu." De repente, ele ficou com raiva e começou a gritar comigo. Ele disse que *The Blacks* não era apenas uma boa peça, e sim uma ótima peça. Foi escrita por um francês branco que passou muito tempo na prisão. Genet entendia a natureza do imperialismo e do colonialismo e como esses dois males corroem o bem natural das pessoas. Era importante que o nosso povo visse a peça. Todo negro nos Estados Unidos deveria assisti-la. Além disso, como uma mulher negra casada com um sul-africano e criando um garoto negro, eu deveria entender a peça muito bem, antes de começar a rir dela. E quanto a ridicularizar os homens brancos, pelo menos eles iam produzir a peça, e eu só conseguia rir deles. Eu deveria ter mais bom senso.

Os músicos fizeram muito barulho ao arrumar os próprios instrumentos. Abbey ficou quieta, olhando para Max; eu me levantei e peguei minha bolsa. Eu queria pelo menos alcançar a porta antes que as lágrimas caíssem.

"Boa noite."

Abbey me chamou: "Obrigada, Maya. Obrigada pela leitura". Eu estava quase no elevador quando ouvi a porta e a voz de Max ao mesmo tempo.

"Maya, espere." Ele caminhou na minha direção. Achei que ele estivesse arrependido por ter falado com tamanha severidade. "Pegue isto." E me entregou um pacote embrulhado. "Leia." Ele estava quase latindo. "Leia, entenda. Depois veja se vai rir." Peguei o manuscrito, e ele se virou e voltou para o apartamento.

Vus estudava os comunicados políticos, Guy fazia as tarefas escolares e eu lia *The Blacks*. Na terceira releitura, comecei a enxergar através da linguagem tortuosa e mítica, e o significado da peça ficou evidente. Genet sugeria que o colonialismo desmoronaria sob o peso da própria ignorância, arrogância e ganância, e que os oprimidos assumiriam as posições de seus antigos senhores. Não seriam melhores, mais corajosos nem mais misericordiosos.

Discordei. As pessoas negras nunca seriam como as brancas. Éramos diferentes. Mais respeitosas, mais misericordiosas, mais espirituais. As pessoas brancas enviavam irresponsavelmente os próprios pais idosos para instituições onde seriam cuidados por desconhecidos e morreriam sozinhos. Nós generosamente mantivemos tios e tias, avós e bisavós em casa, débeis, mas necessários; senis, mas aceitos como membros naturais de famílias naturais.

A nossa misericórdia era bem conhecida. Durante a Depressão dos anos 1930, vagabundos brancos abandonavam os trens de carga e procuravam os bairros negros. Apareciam famintos na casa daqueles que tinham sido os últimos a serem contratados e os primeiros a serem demitidos, e nunca eram rejeitados. Os migrantes recebiam biscoitos, restos de feijão, mingau e tudo o que as pessoas negras pudessem dispensar. Durante séculos, cuidamos e amamentamos, muitas vezes nos nossos seios, os filhos de quem nos desprezavam. Tínhamos cozinhado a comida de uma nação de racistas e, apesar das muitas oportunidades, existiam poucas histórias de empregados negros envenenando as famílias brancas. Se isso não mostra misericórdia, então entendi mal a palavra.

Quanto à espiritualidade, éramos cristãos. Demonstramos os ensinamentos de Cristo. Viramos a outra face com tanta frequência que nossas cabeças pareciam girar na ponta do pescoço, como os velhos sinais de parada e de partida. Quantas vezes devemos perdoar? Jesus disse setenta vezes sete. Perdoamos como se perdoar fosse o nosso talento. A nossa música na igreja mostrava que acreditávamos que havia algo maior do que nós, algo além do nosso eu físico, e que esse algo, esse Deus e Seu Filho, Jesus, estavam sempre presentes, a quem podíamos chamar "na hora da meia-noite" e com quem conversaríamos quando o "sol se levantava para caminhar pelo céu da manhã". Poderíamos cantar aos anjos do céu e trazê-los aos milhares para se amontoarem na cabeça de um alfinete. Poderíamos pedir para Jesus que estivesse presente para "andar em volta" do nosso leito de morte e nos reunir no "seio de Abraão". Contamos a Ele tudo sobre as nossas tristezas e apreciaríamos o momento em que seríamos contados entre aqueles que iriam marchar. Caminharíamos pelas ruas do céu, comeríamos leite e mel, calçaríamos os sapatos prometidos e descansaríamos nos braços de Jesus, que nos embalaria e diria: "Você trabalhou na minha vinha. Você está cansada. Está em casa agora, criança. Muito bem". Ah, não havia dúvida de que éramos espirituais.

The Blacks era a ideia de um estrangeiro branco sobre um povo que ele não compreendia. Genet havia sobreposto a mesquinhez e a crueldade de seu próprio povo a uma raça que ele nunca havia conhecido, uma raça já quase curvada, levando o fardo da ganância e da culpa do homem branco, e que, ao mesmo tempo, carregava a própria insuficiência. Joguei o manuscrito em um armário, farta de Genet e de suas pequenas conclusões limitadas.

Max Glanville telefonou dois dias depois.

"Maya, queremos você na peça." A peça? Eu tinha descartado Genet e seu drama mal pensado.

A voz de Glanville chegou ao telefone. "Existem dois papéis, e não temos certeza de qual seria mais adequado para você. Então, gostaríamos que viesse e lesse para nós."

Agradeci, mas disse que não e desliguei. Comentei sobre a ligação com Vus apenas porque isso me deu um assunto para introduzir na conversa do jantar. No entanto, ele me abalou com sua risada. "Os americanos são muito lentos ou terrivelmente arrogantes. Não sabem ou não se importam que exista um mundo além de seu próprio mundo, onde a tradição dita a ação. Nenhuma esposa de um líder africano pode subir num palco." Ele riu novamente. "Pode imaginar a esposa de Martin King ou de Sobukwe ou de Malcolm X num palco, sendo examinada por homens brancos?" A imagem improvável fez com que ele balançasse a cabeça, em uma negativa. "Não. Não, você não se apresenta em público."

Eu já tinha recusado o convite de Glanville, mas a reação de Vus fervilhou nos meus pensamentos. Eu era boa atriz, não ótima, mas sem dúvida competente. Durante anos, antes de conhecer Vus, meu aluguel tinha sido pago e meu filho e eu comemos e nos vestimos com o dinheiro que eu ganhava trabalhando nos palcos. Quando dei a Vus o meu corpo e a minha lealdade, não incluí todos os direitos sobre a minha vida. Não sentia lealdade alguma com *The Blacks*, já que não tinha conquistado a minha aprovação, e ainda assim me irritei com a atitude controladora de Vus. Eu não disse nada.

Abbey foi convidada a participar da peça. Contei-lhe que Vus tinha dito que não me daria permissão. Ela disse que Max achava a peça importante e, como Vus respeitava Max, talvez eles devessem conversar. Abbey desligou e em instantes Max telefonou, perguntando pelo meu marido.

Ouvi Vus desligar o telefone na sala de estar. Ele entrou na cozinha. "Vou me encontrar com Max para uma conferência." Todo encontro era uma conferência e toda conversa era uma discussão profunda. Balancei a cabeça e continuei a lavar a louça.

Vus voltou para casa e pediu o manuscrito. Busquei a peça no fundo do armário e lhe entreguei. Guy e eu jogávamos *Scrabble* na mesa da sala de jantar ao passo que Vus se sentava sob uma lâmpada na sala de estar. Ele se levantava de vez em quando e ia até a cozinha a fim de pegar uma bebida fresca. Em seguida, voltava silenciosamente para o sofá e para *The Blacks*.

Guy foi para a cama. Vus ainda lia. Eu sabia que ele estava indo e voltando no roteiro. Ele mal ergueu os olhos quando eu disse boa-noite. Eu estava em um sono pesado quando ele me acordou. "Maya. Acorde. Preciso conversar com você." Vus se sentou na beira da cama. As páginas amassadas estavam espalhadas ao seu lado.

"Esta peça é ótima. Se ainda a querem, você deveria fazer esta peça." Acordei como a minha mãe — imediata e inteiramente consciente.

Eu disse: "Não concordo com o desfecho. As pessoas negras não vão se tornar como as brancas. Nunca".

"Maya, você é tão jovem, tão, tão jovem." Ele me amparou como se eu fosse a pastorinha e ele, o velho do Kilimanjaro. "Querida esposa, isso é racismo reverso. As pessoas negras são humanas. Nem mais, nem menos do que isso. Nossas origens, nossas histórias, nos fazem agir de maneira diferente."

Peguei um cigarro na mesa de cabeceira, pronta para adentrar na discussão. Listei o nosso respeito, a nossa misericórdia, a nossa espiritualidade. A réplica dele me paralisou. "Somos pessoas. A raiz do racismo e o seu resultado primário são que as pessoas brancas se recusam a nos ver, simplesmente, como pessoas."

Argumentei: "Mas a peça diz que, se oferecida a chance, as pessoas negras agirão de modo tão cruel quanto as brancas. Não acredito nisso".

"Maya, essa é uma possibilidade muito real e contra a qual devemos nos proteger vigilantemente. Veja, minha querida esposa" — ele falou devagar, inclinando seu grande corpo para mim — "minha querida esposa, muitos revolucionários negros, muitos radicais negros, muitos ativistas negros, não querem realmente a mudança. Querem a troca.

Esta peça aponta para essa probabilidade. E nosso povo precisa encarar a tentação. Você deveria atuar em *The Blacks*".

Ele continuou a falar na cama e adormeci em seus braços.

Na manhã seguinte, Abbey e eu fomos ao Saint Mark's Playhouse, na Segunda Avenida. Os atores sentaram-se em silêncio nos assentos mal iluminados e Gene Frankel andou no palco. Max Glanville nos viu entrar. Ele acenou com a cabeça em reconhecimento e caminhou até a beira do palco. Parou Gene no meio do caminho e sussurrou. Frankel ergueu a cabeça e olhou para fora.

"Maya Make. Maya Angelou Make. Abbey Lincoln. Venham aqui na frente, por favor." Encontramos assentos na primeira fila.

Glanville voltou e se sentou. "Abbey, queremos que você leia o papel de Snow. Mas, Maya, não decidimos se você deve fazer a Rainha Negra ou a Rainha Branca."

Eu disse: "Com certeza, a Rainha Negra".

"Só leia um pouco de ambos os papéis." Ele se levantou e foi embora, voltando com um manuscrito aberto.

"Leia esta seção." Ele virou as páginas. "E depois leia esta parte sublinhada."

Subi no palco baixo e, sem levantar a cabeça para olhar para o público, comecei a ler. A seção era curta, e virei o roteiro para as próximas páginas sublinhadas e recitei o outro monólogo sem adicionar inflexão vocal.

Recebi aplausos dispersos quando terminei, e uma voz rouca familiar gritou: "Você conseguiu todos os papéis, querida". Outra voz disse: "Sim, mas vamos ver suas pernas".

Godfrey Cambridge se enterrou em um assento na terceira fileira e Flash Riley se sentou ao seu lado. Eu me juntei a eles e conversamos sobre *Cabaré para a Liberdade*, enquanto Frankel, Bernstein e Glanville ficaram juntos murmurando no palco.

Frankel gritou: "Luzes", e as luzes da casa foram acesas. Ele caminhou até a beira do palco. "Senhoras e senhores, eu gostaria de apresentá-los uns aos outros e, por favor, marquem seus roteiros. Godfrey Cambridge é Diouf. Roscoe Lee Brown é Archibald. James

Earl Jones é Village. Cicely Tyson é Virtude. Jay Riley é o Governador, Raymond Saint é o Juiz. Cynthia Belgrave é Adelaide. Maya Angelou Make é a Rainha Branca. Helen Martin é Felicity, ou a Rainha Negra. Lou Gossett é Newport News. Lex Monson é o Missionário. Abbey Lincoln é a Snow e Charles Gordone é o Serviçal. Max Roach é o compositor, Talley Beatty é o coreógrafo e Patricia Zipprodt é a figurinista. Ethel Ayler é a substituta de Abbey e de Cicely. Roxanne Roker é a substituta de Maya e de Helen."

Olhei em volta. Ethel e eu trocamos sorrisos. Tínhamos sido amigas anos antes, durante a turnê europeia de *Porgy and Bess*.

Frankel seguiu: "Temos uma peça ótima e vamos trabalhar duro".

Os ensaios começaram com uma jovialidade infantil que, com o passar dos dias, acelerou para a seriedade de uma guerra em grande escala. Amizades e panelinhas logo se formaram. O personagem central foi interpretada por Roscoe Lee Brown e, em uma semana, ele também se tornou a figura principal fora do palco. Sua dicção requintada e seus hábitos meticulosos foram, felizmente, combinados com sagacidade. Ele era imperturbável.

James Earl Jones, um belo touro de cor bege, observava Frankel com olhares ferozes, lendo seus lábios, examinando a linha do cabelo e do queixo, os lóbulos das orelhas e o pescoço. Então, de repente, James Earl se fechava em si mesmo, assim como se fecha uma porta.

Lou Gossett, magro e jovem, se lançava dentro e fora do palco, inocente e interessado. Apesar de toda a sua limitação infantil, desenvolveu a escuta para uma arte, levantando uma orelha para o orador, seus olhos suaves e cuidadosos, e o seu corpo inteiro, tenso pela atenção.

Godfrey e Jay "Flash" Riley competiram pelo posto de comediante. Quando Flash venceu, Godfrey mudou. A palhaçada começou a desaparecer e ele se tornou sóbrio, um ator monótono e estudioso.

Cicely, uma negra rósea delicada e linda, era séria e distante. Sentava-se no fundo do teatro, sua cabecinha inclinada para o manuscrito, guardando seu entusiasmo para a personagem e seus sorrisos para o palco. Raymond, que parecia um ídolo de matinê, e Lex eram amigos de longa data. Estudavam seus papéis juntos, e faziam o outro morrer de rir com encenações exageradas. Helen e Cynthia eram profissionais; só de observá-las, eu sabia que elas entregariam suas falas, se lembrariam das oposições do diretor e seguiriam os passos da coreografia de Talley sem erros e em um tempo menor do que qualquer um de nós. Charles Gordone, um homenzinho amarelado e elegante, zombava de tudo e de todos, inclusive de si mesmo, fazendo de si outro alvo de sarcasmo.

Houve um tanto de resistência à direção de Frankel, alegando-se que, como era branco, ele era incapaz de entender a motivação negra. Em outras partes, houve uma submissão que beirava a subserviência e que trazia à mente as caracterizações do Stepin Fetchit.

A cada dia, a tensão nos envolvia enquanto caminhávamos para o teatro. Ela pairava como uma névoa matinal baixa pelos corredores.

Abbey e eu, com a solidariedade de uma amizade já provada, líamos e estudávamos juntas, ou acompanhadas por Roscoe, almoçávamos em um restaurante próximo onde discutíamos as agitações políticas do dia.

Nós três não nos chamaríamos apenas de atores. Abbey era cantora de jazz, eu era ativista e, embora Roscoe tivesse interpretado os papéis de Shakespeare e ensinado teatro, também tinha sido campeão de corrida e executivo de uma grande empresa de bebidas. No início, concordamos que *The Blacks* era uma peça importante, mas "a peça" não era a única coisa em nossas vidas.

Eu tinha apenas alguns meses de casada, Vus ainda era um enigma que eu não tinha solucionado e o mistério era sexualmente excitante. Eu estava apaixonada. As notas de Guy melhoraram, mas ele raramente estava em casa. Quando me ofereci para convidar os pais de seus novos amigos para jantar, ele riu de mim.

"Mãe, isso é antiquado. Aqui não é Los Angeles, é Nova York. As pessoas não fazem isso." Ele riu de novo quando eu disse que as pessoas na cidade de Nova York têm pais e que pais também comem.

"Nem eu mesmo conheci a maioria dos pais desses caras. Olha, mãe, alguns deles têm dezessete, dezoito anos. Como eu ficaria se dissesse: 'Minha mãe quer conhecer a sua mãe'? Bobagem."

O Harlem Writers Guild aceitava que eu passasse a maior parte do tempo no teatro, mas isso não me isentou da obrigação de comparecer às reuniões e continuar a escrever.

Ao fim da primeira semana, Frankel havia concluído a encenação e Talley estava ensinando aos atores a coreografia. O cenário estava em construção e eu trabalhava nas falas.

Raymond, Lex, Flash, Charles e eu encenávamos os "brancos".

Usávamos máscaras exageradas e nos apresentávamos sobre uma plataforma de três metros acima do palco. Abaixo de nós, os "negros" (o restante do elenco) representavam, para o nosso proveito, um estupro seguido de assassinato cometido por um homem negro (interpretado por Jones) contra uma mulher branca (Godfrey Cambridge mascarado). Em retaliação, nós, o poder colonial — a realeza (a Rainha Branca), a igreja (Lex Monson), a lei (Raymond St. Jacques), os militares (Flash Riley) e o equívoco liberal (Charles Gordone) —, descemos até a África para que os negros pagassem pelo crime. Após um duelo entre as duas rainhas, os negros triunfam e matam os brancos, um a um. Então, em uma imitação sarcástica dos "brancos" derrotados, os vitoriosos negros subiam a rampa e ocupavam a plataforma de seus antigos senhores.

A peça ficou deliciosa para o nosso gosto. Estávamos apenas atuando, mas éramos atores negros em 1960. Naquele pequeno palco de Nova York, refletíamos os confrontos da vida real que ocorriam diariamente nas ruas dos Estados Unidos. As pessoas brancas viviam acima de nós, odiando, temendo e ameaçando a nossa existência. As pessoas negras zombavam, por trás de suas máscaras, dos governantes que tanto odiavam quanto invejavam. Jogaríamos fora a opressão branca que nos forçava a uma genuflexão eterna.

Comecei a gostar do meu papel. Usei a Rainha Branca para ridicularizar as mulheres brancas mesquinhas e os homens brancos brutais que muitas vezes feriram a mim e aos meus. Cada postura fútil e atitude arrogante que já vi encontraram seu lugar na minha Rainha Branca.

Genet estava certo em, pelo menos, uma coisa. As pessoas negras devem ser usadas para encenar as brancas. Durante séculos, sondamos seus rostos, os ângulos de seus corpos, os sons de suas vozes e até mesmo seus odores. Com frequência, a nossa sobrevivência dependia da precisão da leitura da risada de um homem branco ou do aceno desdenhoso da mão de uma mulher branca. As pessoas brancas, por outro lado, sempre souberam que nenhuma penalidade séria os ameaçava se interpretassem mal as pessoas negras. As pessoas brancas foram isoladas, com segurança, das nossas preocupações. Quando quisessem, poderiam erguer a cortina racial que nos separava. Podiam se satisfazer em aventuras sexuais, aumentar nossas famílias com bastardos mulatos, fazer fortunas com a nossa música e castrar os nossos homens; depois, em segundos, poderiam se afastar e retornar ilesas para sua segurança intocada. O clichê de que as pessoas brancas ignoram as negras não era somente verdadeiro, mas compreensível. Ah, mas os conhecíamos com a intimidade do bisturi de um cirurgião.

Eu me vesti com os gestos odiosos e fiz a Rainha Branca observar com ódio as pessoas negras podres, fedorentas e estúpidas, que, embora inocentes, assim como os animais, eram, no entanto, repugnantes.

Era óbvio que os outros atores também tinham encontrado motivação eficaz. A peça tornou-se uma paródia tão cruel da sociedade branca que eu tinha certeza de que seria um fracasso. As pessoas brancas não eram tão masoquistas a ponto de favorecerem uma peça que as ridicularizava e insultava, e os espectadores negros eram escassos.

James Baldwin era amigo de Gene Frankel e comparecia aos ensaios com frequência. Ele ria alto e aprovava as nossas apresentações, e eu conversava com ele amiúde. Quando o apresentei a Vus, eles receberam um ao outro com entusiasmo.

No ensaio geral, na véspera da noite de estreia, amigos negros, familiares e investidores convidados assobiaram e bateram os pés durante toda a apresentação. Mas considerei suas respostas como naturais. Estavam ligados a nós, como companheiros negros, simpatizantes negros ou investidores.

Vus e Guy sorriram e me garantiram que eu era a melhor artista do palco. Aceitei os elogios com facilidade.

No dia da estreia, pela manhã, o elenco se reuniu no salão do teatro, passando o nervosismo de mão em mão, como numerosos ovos crus. Procurei Abbey, mas ela não tinha chegado.

Quando entramos no teatro escuro, Gene Frankel gritou do palco. "Todo mundo aqui na frente. Todo mundo."

Ele estava tendo um ataque de nervosismo mais sério do que o nosso, que tínhamos de encarar o público da noite. Eu ri. Roscoe Brown se virou para mim e fez uma cara de inocência maliciosa.

Preenchemos as primeiras filas, enquanto Frankel percorria toda a extensão do palco. Ele parou e olhou para os atores.

Sua voz tremeu. "Não temos música. Nenhuma música, e Abbey Lincoln não abrirá esta noite. Max Roach tirou sua música do espetáculo."

Ele descarregou a informação e esperou, deixando as palavras descansarem em nossas mentes.

Olhares ansiosos foram trocados na primeira fila.

"A substituta de Abbey está pronta. Está ensaiando a manhã toda."

Nós nos viramos e vimos Ethel sentada à esquerda do palco. Frankel acrescentou: "Podemos continuar. Temos que continuar, mas há uma música e uma dança, para as quais não temos uma maldita nota".

Os gemidos e murmúrios se ergueram no ar. Aguentamos o trabalho, as noites e as madrugadas de concentração, as longas viagens de metrô, as famílias abandonadas, a complexa coreografia de Talley Beatty e a encenação exigente do diretor.

Max Roach era um gênio, um músico responsável e meu amigo. Eu sabia que ele tinha uma razão.

Eu me levantei e fui até o telefone público.

Max atendeu, soando como um trombone deslizante. "O filho da puta deu para trás. Nós tínhamos um acordo e os produtores o quebraram."

"E Abbey está fora da peça?"

"Você está certíssima."

"Bem, Max, você não vai me odiar se eu continuar, né?"

"Claro que não. Mas a minha esposa não vai subir naquele palco."

Frankel havia dito que estrearíamos com ou sem música.

Perguntei: "Max, tudo bem se eu escrever as músicas? Podemos nos dar bem com duas canções".

"Não ligo. Só não quero que aquele desgraçado use a minha música."

"Ainda serei sua irmã."

Max era um irmão atencioso, mas podia ser um inimigo violento.

"Sim. Sim. Você é a minha irmã."

E bateu o telefone.

Se parasse para pensar no meu próximo passo, poderia me convencer a me retirar disso. O povo negro dizia: "Siga a sua primeira opinião".

Chamei Ethel do corredor. Ela se levantou e entramos no salão. Ethel tinha formação musical, e eu compus as músicas para o meu álbum e para Guy. Juntas, poderíamos facilmente escrever a melodia para aquelas duas canções.

Ethel tinha o ar de uma mulher que nasceu bonita. Os anos de adoração familiar, os elogios de pessoas estranhas e a inveja das mulheres comuns lhe deram uma boa parcela de confiança.

"Claro, Maya. Podemos fazer isso. São apenas duas melodias, certo? Vamos para o piano."

Descemos até o palco onde Frankel estava em reunião com Talley e Glanville.

"Nós vamos escrever a música."

"O quê?"

"Vamos escrevê-la agora à tarde."

Acrescentei: "E ensiná-la ao elenco".

Frankel quase pulou nos braços de Sidney Bernstein. "Você ouviu isso?"

Bernstein sorriu e assentiu a cabeça com alegria.

"Ouvi. Ouvi. Vamos deixá-las fazer isso. Se elas dizem que podem, vamos deixá-las fazer. Boa, garotas. Boa, senhoras! Deixe que façam."

O pequeno corpo de Sidney tremia de ansiedade. "Dispense o elenco. Deixe que elas fiquem com o teatro."

Frankel assentiu.

Ethel e eu nos sentamos juntas no banquinho do piano. A velha parceria de *Porgy and Bess* ainda era boa para nós. Concordamos que o tom de dó, sem bemóis ou sustenidos, seria mais fácil de aprender para os atores que não cantavam. Ethel tocou uma melodia no registro agudo e eu acrescentei notas. Falamos a letra e ajustamos a melodia para que coubesse. Em uma hora, havíamos composto duas músicas. O elenco voltou do intervalo. Ficaram ao redor do piano e ouviram as nossas melodias. Eu me virei ao primeiro riso, pronta para defender o nosso trabalho, porém, quando olhei para os atores, vi que o riso deles era comigo e com eles. Ethel Ayler e eu não havíamos feito nada fora do comum. Simplesmente, tínhamos provado que as pessoas negras precisavam ser habilidosas, inteligentes e extremamente rápidas.

Naquela noite, a peça começou com um tom alto de desprezo. O teatro se transformou em um santuário sardônico onde nós zombávamos dos santos brancos e cuspíamos nos deuses brancos. A maioria das pessoas negras da plateia reagiu com diversão às nossas revelações blasfemas, embora tivesse havido algumas que tossiram ou grunhiram em desaprovação. Ficaram constrangidas com o nosso descaramento, preferindo que o nosso povo mantivesse a raiva por trás de máscaras e, como sempre, sob controle.

No entanto, os brancos amaram *The Blacks*. Ao fim da peça, o público aplaudiu desordenadamente e berrou "Bravo, bravo". O elenco concordou em não se curvar nem sorrir. Olhamos para os rostos pálidos, não mais os atores interpretando os papéis escritos por um francês a milhares de quilômetros de distância. Éramos negros corajosos, encarando o inimigo diretamente nos olhos. A nossa impudência excitou ainda mais o público. Os aplausos altos continuaram por muito tempo depois de deixarmos o palco.

Berramos nos nossos camarins. Se o público deixou escapar a intenção indiscreta da peça, então os racistas eram entorpecidamente insensíveis. Por outro lado, se entenderam e ainda assim gostaram da tragédia, estavam psiquicamente doentes, algo de que nós suspeitávamos, de qualquer forma.

Fomos um sucesso e ficamos felizes.

As pessoas negras entenderam e gostaram da peça, mas todas as noites no teatro as pessoas brancas superavam o meu povo, em uma proporção de quatro para um, e esse fato era desconcertante. As pessoas brancas não vieram para o Lower East Side de Nova York a fim de saber que eram indelicadas, injustas e desleais. Os oradores negros, mais eloquentes do que Genet, já estavam informando aos americanos brancos, durante três séculos, que as nossas condições de vida eram intoleráveis. David Walker, em 1830, e Frederick Douglass, em 1850, revelaram a angústia e a dor da vida das pessoas negras nos Estados Unidos. Martin Delaney e Harriet Tubman, Marcus Garvey e o doutor DuBois, Martin King e Malcolm X explicaram com raiva, paixão e persuasão que estávamos vivendo de maneira precária no limite da vida e que, se caíssemos, toda a estrutura que tinha nos proibido a sala de estar poderia desmoronar também.

Assim, em 1960, os americanos brancos deveriam saber tudo o que precisavam sobre os americanos negros.

Por que, então, eles se aglomeravam no St. Mark's Playhouse e ficavam boquiabertos enquanto atores negros jogavam palavras sujas e significados imundos em seus rostos? A pergunta continuou comigo como um grão de areia preso entre os dentes. Não é doloroso, mas é uma irritação constante.

Por fim, um mês depois de termos estreado, recebi uma resposta. Naquela noite, o elenco vestiu roupas normais e se reuniu no salão para encontrar alguns amigos. Uma jovem branca, com aproximadamente trinta anos, vestida com luxo e bem cuidada, agarrou a minha mão.

"Maya? Senhora Make?" Seu rosto estava úmido de lágrimas. Seu nariz e a área ao redor dele estavam vermelhos. Imediatamente, senti pena dela.

"Sim?"

"Ah, senhora Make." Ela começou a soluçar. Perguntei a ela se gostaria de ir ao meu camarim. O meu convite foi como um balde de água fria em sua emoção.

Ela balançou a cabeça. "Ah, não. Nada disso. Claro que não, estou bem."

O fluxo de sangue desaparecia de seu rosto e, quando ela falou de novo, sua voz estava mais nítida.

"Eu só queria que você soubesse... Só queria dizer que já vi a peça cinco vezes." Ela aguardou.

"Cinco vezes? Estamos nos apresentando há apenas quatro semanas."

"Sim, mas muitos dos meus amigos..." — agora ela se controlava novamente — "muitos de nós já vimos a peça mais de uma vez. Uma mulher do meu prédio vem duas vezes por semana."

"Por quê? Por que vocês voltaram?"

"Bem" — ela se endireitou — "bem, nós apoiamos vocês. Quer dizer, entendemos o que estão dizendo."

Um borrão de barulho flutuava ao nosso redor, mas éramos uma inserção isolada, uma imagem da sociedade americana. Uma branca e uma negra conversando entre si.

"Quantas pessoas negras moram no seu prédio?"

"Ora, nenhuma. Mas isso não significa..."

"Quantos amigos negros você tem? Quer dizer, sem contar a sua empregada?"

"Oh." Ela deu alguns passos para trás. "Você está tentando me insultar."

Eu a acompanhei. "Você pode aceitar os insultos se eu for uma personagem no palco, mas não pessoalmente, é isso?"

Ela olhou para mim com ódio suficiente para murchar o meu coração. Estendi a mão.

"Não me toque." A sua voz era tão afiada que chamou a atenção de alguns espectadores. Roscoe apareceu abruptamente. Ainda no personagem, fazendo uma pequena reverência. "Olá, Rainha."

A mulher se virou para sair, mas a puxei pela manga.

"Você me levaria para casa com você? Você se tornaria minha amiga?"

Ela puxou o braço e cuspiu. "Vocês. Vocês." E foi embora.

Roscoe perguntou: "Por favor, o que foi isso?".

"É uma de nossas fãs. Vem ao teatro e nos permite amaldiçoá-la e repreendê-la, e essa é a contribuição dela para a nossa luta."

Roscoe balançou a cabeça devagar. "Ah, querida. Uma dessas..."

O assunto foi encerrado.

Capítulo 13

A mancha de batom não era minha nem o perfume vinha dos meus frascos. Coloquei a camisa de Vus na cadeira e pendurei seu terno na maçaneta. Então, me sentei para esperá-lo sair do banho.

Não tínhamos discutido a infidelidade, eu simplesmente nunca tinha pensado no assunto. Todavia, na terceira vez que as roupas de Vus vieram manchadas com a evidência da maquiagem de outras mulheres, tive de encarar a possibilidade.

Ele entrou no quarto, amarrando o cinto de seu roupão de caxemira. "Querida, vamos tomar café da manhã? Tenho uma reunião no centro. Poderíamos ir à Broadway e depois..."

"Vus, quem é a mulher? Ou melhor, quem são as mulheres?"

Ele se virou para mim e deixou cair as mãos na lateral do corpo. Seu rosto estava tão inexpressivo quanto uma ripa de madeira.

"Mulheres? Que mulheres?" Os olhos redondos que eu amava estavam vidrados, me cercando. "Que bobagem é essa que você está dizendo?"

Mantive a voz baixa. Estava perguntando porque eu era filha da minha mãe e eu deveria ser corajosa e honesta. Eu não queria uma resposta honesta. Queria que ele negasse tudo ou me fornecesse qualquer explicação artificial.

"O batom. É fúcsia. Não é meu. Desta vez, o perfume é Tweed. Nunca usei esse perfume."

"Ah", ele sorriu, esticando e abrindo os lábios finos, me permitindo um vislumbre dos dentes uniformes. "Ah, minha querida, você está com ciúme." Ele se aproximou, pegou as minhas mãos e me puxou para cima da cadeira. Manteve-me perto, e sua barriga se agitou contra a minha. Estava rindo de mim.

"Minha querida esposa está com um pouco de ciúme." Sua voz e seu corpo retumbaram. Ele me soltou e olhou nos meus olhos.

"Minha querida, não há outras mulheres. Você é o único amor no meu mundo. Você é a única mulher que eu sempre quis e é tudo o que tenho."

Isso era o que eu queria ouvir, entretanto, como uma mulher negra americana, eu tinha uma história a respeitar e um dever a cumprir. Olhei diretamente para ele.

"Vus, se você se apaixonar por Abbey, Rosa ou Paule, eu poderia entender. Eu ficaria chateada, mas não ofendida. São mulheres que não pretenderiam me machucar, mas o amor é como um vírus. Pode acontecer com qualquer um e a qualquer momento. Mas, se você me ofender, pode se machucar, e eu falo sério."

Vus se afastou. Estávamos cara a cara, mas ele se retirou para dentro de sua privacidade.

"Nunca me ameace. Sou um africano. Não me assusto facilmente e não fujo de jeito nenhum. Não me questione de novo. Você é a minha esposa. E isso é tudo o que você precisa saber."

Ele se vestiu e saiu sem repetir o convite para o café da manhã.

Andei pela casa pensando nas minhas alternativas.

A separação não era possível. Muitos amigos me aconselharam contra o casamento, e o meu orgulho não me permitiria provar que estavam certos. Guy nunca me perdoaria se eu nos fizesse mudar mais uma vez, e não poderia arriscar perder a única pessoa que me amava de verdade. Se eu pegasse Vus em flagrante me traindo, conseguiria uma arma e explodiria sua bunda ou esperaria até que ele dormisse e despejaria soda cáustica fervente em sua boca. Eu jamais usaria veneno; poderia demorar muito tempo para agir.

Pendurei o terno perto de uma janela aberta e lavei a mancha de batom de sua camisa.

Havia uma triste ironia na verdade de que eu era mais feliz no teatro empoeirado do que no meu lindo apartamento no Central Park West.

Apesar do choque de culturas, Guy e Vus estavam construindo uma amizade. Meu filho fazia um esforço extenuante para entender os costumes do "papai". Estava interessado em saber como foi ser um homem negro crescendo na África. Vus ficou satisfeito com o interesse de Guy e aceitou sua educação livre e curiosa, embora fosse estranha à dele. Quando Guy questionou os anúncios do padrasto, Vus se deu ao trabalho de explicar que um africano mais jovem nunca perguntaria a alguém mais velho por que ele tinha feito ou dito determinada coisa. Em vez disso, os africanos mais jovens aceitavam de maneira cortês as declarações dos mais velhos e depois saíam por conta própria para encontrar as respostas que lhes convinham. Sentavam-se juntos, rindo, conversando e jogando xadrez. Ficavam satisfeitos com os jantares que eu preparava, mas, quando chamava a atenção deles para as flores frescas na mesa ou para um vestido novo que estava usando, suas reações eram idênticas.

"Que bom, minha esposa."

"Adorável, mãe. Realmente muito adorável."

"Guy, sua mãe preparou uma linda casa para nós."

Eles me tratavam como se eu fosse uma funcionária da família, gentil e competente.

Guy tinha esquecido os anos em que o encorajei a me interrogar, a questionar minhas regras, a tentar analisar todas as minhas conclusões. Não houve pai algum que trouxesse equilíbrio ao meu padrão parental, então ele tinha o direito de questionar e eu tinha a responsabilidade de explicar. Agora Vus estava lhe ensinando a ser um homem africano, e Guy era um aluno competente. A ambiguidade me retesava como um elástico. Eu ansiava pela nossa antiga proximidade e por sua dependência, mas sabia que ele precisava de um pai, de uma figura masculina, de um homem na sua vida. Fui criada em um lar sem pai, então nem sabia o que os pais conversavam com as filhas e, certamente, não tinha a menor ideia do que eles ensinavam aos filhos.

Eu sabia que Guy estava me tratando de uma maneira nova e desagradável. O meu rosto não era mais examinado em busca de aprovação, e ele também não pesava a minha voz em busca da raiva. Ele ria com Vus e consultava Vus. Foi o que eu disse que queria, mas tive de admitir para mim mesma que, para o meu filho, eu tinha me tornado apenas uma conveniência confiável. Algo de pouquíssima importância.

Em casa, Vus lia jornais americanos, europeus e africanos, recortando artigos que mais tarde copiava e enviava para os colegas no exterior. Passava as manhãs nas Nações Unidas, cercando os delegados, conspirando com outros combatentes africanos da liberdade e na tentativa de convencer a imprensa de que a revolução da África do Sul faria com que a guerra de sete anos na Argélia parecesse um piquenique na escola dominical. Conversava com todos que considerava influentes — banqueiros, advogados, clérigos e corretores da bolsa. Resolvi aceitar que a maquiagem que manchava seus colarinhos e os aromas doces que perfumavam suas roupas vinham de encontros com as secretárias de homens poderosos.

Comecei a ir cedo para o teatro e a voltar para casa com relutância.

Nos bastidores, Roscoe Lee Browne e eu encenamos um drama de dois personagens que trouxe cor à minha vida, que desbotava lentamente. As nossas expressões mais fortes eram silenciosas, e o toque físico limitava-se a beijos escrupulosos nas bochechas um do outro. Mais pitoresca do que bonita, sua atenção não continha qualquer ameaça ou promessa de intimidade. Embora os outros parceiros de elenco parecessem alheios ao meu sofrimento, ele percebeu, mas foi discreto demais para me envergonhar com perguntas.

Quando eu estava sentada no meu camarim, solucionando as palavras cruzadas ou dando forma a algum poema, os passos leves de Roscoe soavam para além da porta.

"Olá, minha querida. Está lá fora. Perto da porta."

Eu pulava para vê-lo, mas o corredor estava sempre vazio, exceto por um buquê elegante encostado na parede ou por uma flor embrulhada em um papel verde frágil.

A constância e a delicadeza da preocupação de Roscoe fizeram dele o herói ideal para a imaginação e o contraste necessário para a minha vida real. Ele era o prazer completo e sem delito, excitação sem responsabilidade. Se tivéssemos nos abraçado, ou se alguma vez tivéssemos discutido o tormento do meu casamento, o nosso ritual secreto de romance teria fracassado, sobrecarregado pela banalidade. Se há sorte o bastante, uma fantasia solitária pode transformar por completo um milhão de realidades.

A minha paranoia controlada me impediu de perceber a seriedade de um telefonema que recebi certa noite.

Quando peguei o telefone, uma voz rouca de homem sussurrou: "Maya Make? Vusumzi Make não vai voltar para casa".

A declaração me surpreendeu, mas não fiquei alarmada. Perguntei: "Ele pediu para você me dizer isso? Por que ele mesmo não me ligou? Quem é você?".

O homem disse: "Vusumzi nunca mais voltará para casa". Ele desligou o telefone.

Andei pela sala em busca de entender a mensagem. O inglês era rebuscado, mas não consegui identificar a origem daquele sotaque. Vus conhecia tantos estrangeiros que aquele homem poderia ser de qualquer país do mundo. Ele também conhecia muitas mulheres e, possivelmente, um diplomata africano suspeitava que sua esposa e meu marido estavam tendo um caso. Ele telefonou, não tanto para ameaçar Vus, mas para despertar as minhas suspeitas. Havia desperdiçado seu tempo e seu dinheiro. Quando saí para o teatro, Vus ainda não tinha voltado para casa.

Durante a peça, a lembrança do telefonema ficou logo abaixo das falas decoradas. Helen Martin e eu estávamos ocupadas com o duelo final da peça, quando me passou pela cabeça que Vus poderia estar em perigo. O marido furioso já poderia tê-lo machucado. Talvez ele tivesse sido pego com a esposa daquele homem e tivesse sido baleado ou esfaqueado. Finalizei a peça e só Roscoe notou a minha distração. A cada vez que eu olhava para Roscoe, ele levantava uma sobrancelha, franzia os lábios ou me lançava um olhar questionador.

Depois do olhar final do elenco para o público, eu me virei e corri para o camarim, mas Roscoe me alcançou no corredor atrás do palco.

"Maya, você está bem?"

O cuidado em seu rosto ativou as minhas lágrimas. "É Vus. Estou preocupada."

Ele balançou a cabeça. "Ah, sim, eu notei." Ele não conseguiria entender e eu não conseguiria contar. Entramos no salão a caminho dos camarins e Vus saiu da multidão de espectadores.

"Boa noite, minha querida." Ele estava inteiro e lindo.

Roscoe sorriu enquanto eles apertavam as mãos. Ele disse: "Senhor Make, a nossa rainha é uma grande atriz. Ela se destacou hoje à noite". Ele inclinou a cabeça na minha direção e foi embora. Eu sabia que Vus não aprovava demonstrações públicas de afeto, então abracei-o rapidamente e fui me trocar.

Não conseguia conter o meu alívio. No táxi, acariciei sua coxa grande e gorda e coloquei a minha cabeça em seu peito, respirando seu cheiro vivo. "Você vai me amar esta noite." Ele riu, e o som ressoou docemente no meu ouvido.

Em casa, ele preparou bebidas e nos sentamos no sofá de boa qualidade. Ele pegou a minha mão.

"Você está muito nervosa. Estava agitada. O que aconteceu no teatro?"

Contei-lhe sobre o telefonema, e seu rosto mudou.

Vus começou a mastigar a parte interna do lábio inferior, e seus olhos estavam profundos e confidenciais.

Fingi uma risada leve e disse: "Achei que algum marido bravo tivesse pegado você e a esposa em flagrante, e talvez ele...".

E calei a boca. Soei boba até para mim mesma. Vus estava distante.

Quando ele falou, sua voz estava fria e sua fala ainda mais precisa que o normal.

"Precisamos mudar o número. Estou surpreso que tenham demorado tanto."

Não entendi. Ele explicou. "Era alguém da polícia sul-africana. Eles fazem esse tipo de coisa. Telefonam para as esposas dos combatentes da liberdade e dizem que seus maridos ou filhos estão mortos." Ele resmungou: "Acho que deveria me sentir ofendido por terem começado justamente com você. Isso indica que não estão me levando a sério". Ele virou o grande corpo para me encarar. "Amanhã, vou mudar o número. E vou intensificar a minha campanha."

O incidente telefônico me aproximou mais da realidade política sul-africana do que todos os discursos que eu tinha ouvido. Aquela voz ficou no meu ouvido como a melodia fútil de um comercial. Quando eu menos esperava, ela rosnava: "Maya Make? Vusumzi Make nunca mais voltará para casa".

Eu queria ficar ao lado de Vus, acompanhá-lo a todos os lugares. A minha preocupação o seguia pelas ruas, nos táxis, seguia Vus até a ONU. Mesmo quando estávamos em casa, eu não ficava satisfeita a menos que estivéssemos no mesmo cômodo. As tentativas de Vus de me tranquilizar foram inúteis. A preocupação veio morar comigo e ficava na palma das minhas mãos como gotas de suor, que retornavam mesmo após eu secá-las.

O segundo telefonema aconteceu aproximadamente duas semanas depois.

"Maya Make? Você sabe que seu marido está morto?" A voz era diferente, mas o sotaque era o mesmo. "A garganta dele foi cortada." Desliguei o telefone e, um segundo depois, peguei-o e gritei obscenidades mais alto do que o zumbido do tom de discagem. "Você é um cachorro mentiroso. Seu filho da puta racista, amante do Apartheid e assassino de bebês." Quando coloquei o telefone no gancho, tinha usado cada palavra profana que conhecia e em todas as combinações possíveis. Quando contei para Vus, ele disse que mudaria o número de novo. Ele temia que essas táticas me confundissem. Eu poderia esperar isso e coisas piores. Decidi que, se os telefonemas continuassem, eu mesma lidaria com isso e guardaria a notícia comigo.

Ter um pai presente surtiu um efeito visível no meu filho. Durante toda a vida, Guy tinha sido casual a ponto da total indiferença em relação às suas roupas, mas sob a influência de Vus ele se interessou por roupas com cores combinando. Vus o levou a um alfaiate para que lhe ajustasse dois ternos. Comprou sapatos esplêndidos e camisas de botão para o meu filho de quinze anos, e Guy reagiu como se tivesse aguardado tanta elegância por toda sua vida.

Os telefonemas prosseguiram. Disseram-me que eu poderia recolher o corpo do meu marido em Bellevue e que ele havia sido morto a tiros no Harlem. Sempre que eu estava sozinha em casa, observava o telefone como se fosse uma cobra enrolada. Caso tocasse, eu agarrava sua cabeça e o segurava. Eu nunca dizia alô, esperava a voz de quem ligou. Se eu ouvisse "Maya Make", começava a explicar calmamente que a África do Sul algum dia seria livre e, então, seria melhor que todos os brancos racistas fossem nadadores de longa distância ou tivessem botes salva-vidas bem abastecidos, porque os africanos iam conduzi-los direto para o oceano. Depois da minha declaração, eu desligava o receptor suavemente e pensava: *Isto deve atendê-los.* Geralmente, eu poderia passar cerca de uma hora me elogiando pelo meu controle brilhante, antes que a preocupação se infiltrasse nos meus pensamentos. Então, usava o mesmo telefone para tentar localizar Vus.

Mburumba Kerina, da Organização do Povo do Sudoeste Africano, era amigo de Vus e morava no Brooklyn. Eu telefonava, e Jane, a esposa negra americana de Kerina, atendia.

"Oi, Jane. É a Maya."

"Ah, olá, Maya. Como vão as coisas?"

"Tudo bem, e com você?"

"Ah, nada. E com você?"

"Nada." E então, ela destruía minhas esperanças de que meu marido estivesse na casa dela. "Como está Vus?"

"Ah, tudo bem. E Mburumba?"

"Muito bem. Devemos nos encontrar em breve."

"Sim, muito em breve. Bem, cuide-se."

"Você também. Tchau."

"Tchau."

Jane nunca soube quanto eu invejava sua segurança rara. Ela era mais nova do que eu e trabalhava como guia na ONU quando conheceu Kerina. Eles se apaixonaram e se casaram, e ela se adaptou à vida nervosa de esposa de um combatente da liberdade com a frieza de quem tivesse se casado com o pastor de uma igreja batista de cidade pequena.

Quando eu encontrava Vus depois de vários telefonemas, apresentava os motivos inventados para as minhas interrupções.

"Vamos jantar depois da peça."

"Vamos direto para casa depois da peça."

"Vamos a um bar depois da peça."

Vus era um mestre da intriga, então suponho que nunca o tenha enganado com a minha astúcia amadora, mas ele foi simplesmente generoso o bastante para fingir que sim. Em uma tarde, atendi o telefone e fui atingida por um medo e por uma raiva subsequente tão densos que fiquei temporariamente surda.

"Alô, Maya Make?" Fragmentos do sotaque sulista ainda pairavam na voz da mulher branca. "Sim? Maya Make falando." Pensei que a mulher provavelmente era jornalista ou crítica de teatro, querendo uma entrevista com a Maya Angelou Make, atriz.

"Estou te ligando por causa de Guy." Minha mente mudou rapidamente de uma expectativa agradável para a apreensão.

"Você é da escola dele? Qual é o problema?"

"Não, sou do hospital do centro da cidade. Sinto muito, mas houve um acidente grave. Gostaríamos que você viesse imediatamente para cá. Ala de emergência."

Ela desligou. Peguei a minha bolsa e as chaves, bati a porta, desci correndo as escadas e estava na calçada antes de perceber que não sabia o endereço do hospital. Felizmente, um táxi parou perto do semáforo. Corri e perguntei ao motorista se ele sabia onde ficava o hospital do centro da cidade. Ele assentiu e eu entrei no táxi e disse: "Por favor, rápido. É o meu filho".

Meu relógio marcava onze horas, então Guy estava na escola e não poderia ter se machucado em um acidente de trânsito. Talvez tivesse sido uma briga de gangues. O taxista passou na frente dos carros, fazendo com que os outros motoristas buzinassem e cantassem os pneus, mas parecia que o tempo e o táxi se arrastavam.

Paguei com notas que nunca vi e corri pelas portas principais da ala de emergência. Uma jovem enfermeira negra, na recepção, olhou para mim com um cansaço extremo.

"Sim?"

Contei para ela que o meu filho estava ferido e eu queria saber a gravidade, onde ele estava e se eu poderia vê-lo. Eu lhe disse o nome dele e ela começou a percorrer uma lista com o dedo. Continuou examinando a página seguinte. Não encontrou o nome de Guy. Contei-lhe que eu tinha recebido um telefonema. Ela disse que não tinham internado nenhum Guy Johnson e perguntou se eu tinha certeza do hospital. Ouvi a voz da mulher ao telefone. "Sou do hospital do centro da cidade..."

Era mentira. Ela era do serviço sul-africano. Os pensamentos atingiram minha consciência como golpes no coração. Pela primeira vez desde que ouvi "Estou te ligando por causa de Guy", notei que estava pensando. Fui até um telefone público e liguei para a escola de Guy. Depois de alguns minutos, descobri que ele estava na aula de História. Caminhei pela Central Park West em direção ao nosso apartamento, zangada demais para saborear o alívio. Pensei nos imorais gananciosos que reivindicavam, através da força, a terra de um povo e negavam a existência de outros seres humanos por causa de sua cor. Eu tinha me oposto ao regime racista por princípio porque era feio, violento, degradante e assassino. O meu marido tinha as próprias razões para tentar derrubar o governo de Verwoerd, e eu o apoiava. Mas, à medida que eu caminhava sob as árvores verdes e sentia o aroma das jovens flores do verão, senti um espasmo de ódio contrair a minha garganta e apertar o meu peito. Quebrar o coração de uma mãe sem nenhum proveito foi o ato mais miserável que eu poderia imaginar. Meu desafio a partir de agora seria pessoal.

Ethel Ayler tinha um dos papéis principais em uma peça nova da Broadway, por isso estava deixando *The Blacks*. Conversamos nos bastidores em sua última noite.

Ethel disse: "Maya, Sidney deveria nos pagar alguma coisa pela nossa música". Concordei.

Tínhamos tentado arrancar dinheiro do produtor em três ou quatro ocasiões, mas, a cada vez que mencionávamos ser pagas por compor as duas músicas, ele ria e nos convidava para almoçar ou jantar. Agora que Ethel estava encerrando o trabalho, decidimos fazer uma última tentativa. Trocamos de roupa com agilidade e corremos para o salão, onde vimos Sidney Bernstein sozinho.

Ethel e eu fomos até ele. Ethel disse: "Sidney, sabe que esta foi minha última noite. Começarei a ensaiar *Kwamina* amanhã".

Sidney se virou e deu a Ethel um sorrisinho sem graça. "Sim, Ethel, parabéns. Espero que seja um sucesso."

Eu disse: "Ela também, Sidney. Mas queremos conversar com você sobre dinheiro. Você tem que nos pagar alguma coisa por termos composto as músicas para este espetáculo". Ele ergueu o queixo e olhou para a minha cara. Nem tentou diluir seu desprezo.

"Saiam do meu pé, viu? Vocês não compuseram nada. Eu vi. Vocês simplesmente se sentaram ao piano e inventaram qualquer coisa."

Ethel e eu olhamos para ele e depois uma para a outra. As pessoas que Sidney esperava chegaram e o pegaram e, rindo, desceram as escadas.

Vi Ethel controlar as próprias feições. Ela fechou os lábios e deixou os olhos vazios. Quando encolheu os ombros, imaginei o que ela iria dizer.

"Ele é um idiota, Maya. Deixe-o." Eu tinha previsto corretamente. Ela segurou com delicadeza o estojo de cosméticos com a mão esquerda e acenou para mim elegantemente com a direita. "Fique calma, Maya. Vamos manter contato." Ethel foi embora. O sucesso na Broadway era seu futuro, por isso, ela poderia ignorar a injustiça de Sidney Bernstein. No entanto, eu não consegui. E a afirmação de que não compus nada, que simplesmente me sentei ao piano e a música surgiu, obstruiu o movimento do meu cérebro.

Vus e James Baldwin estavam à espera no pé da escada, então deixei a confusão cair sobre eles.

O que isso significava? O desgraçado estúpido fazia parte dos outros ladrões arrogantes que roubavam o trabalho dos artistas negros, sem sequer ameaçá-los com as pistolas em punho. Eu não estava presa a *The Blacks*.

Vus ainda pagava a maior parte das contas, então eu não dependia do trabalho e, como não tinha ambições teatrais, não precisava ter medo de que os produtores falassem mal de mim dentro e fora da Broadway. Vus e Jim permaneceram quietos.

Vus segurou os meus ombros e pressionou os polegares nos músculos macios da articulação dos meus braços. A dor me fez esquecer Sidney Bernstein, Ethel Ayler, a música e *The Blacks*. Parei de chorar e ele me soltou.

"Minha querida. Você nunca mais voltará a este teatro. Você acabou por aqui."

Olhei para Jim Baldwin. A declaração de Vus foi tão chocante quanto a negação feita por Bernstein. Eu sabia que Jim entenderia que eu não tinha como simplesmente deixar de voltar ao teatro. Ele explicaria que, como membra do Equity, o sindicato teatral, eu era obrigada a avisar com, pelo menos, duas semanas de antecedência. Jim estava em silêncio. Embora nós três estivéssemos próximos uns dos outros, ele observava Vus e a mim como se fôssemos atores de cinema e ele estivesse sentado, separado em um auditório distante.

Eu disse: "Não posso encerrar sem um aviso. O meu sindicato vai me acusar. Bernstein pode me processar...".

Vus foi até a beira da calçada e chamou um táxi. Sussurrei para Jim: "Diga para ele que não posso fazer isso. Por favor, explique. Ele não entende".

Jim sorriu, seus grandes olhos brilhando de prazer. "Ele entende, Maya. Entende mais do que você sobre o que o Bernstein fez. Não se preocupe, você ficará bem."

Nós nos amontoamos no banco de trás do táxi. Vus inclinou-se em direção ao motorista.

"Nos leve, por favor, para o escritório da Western Union mais próximo."

O motorista hesitou por alguns segundos, depois ligou o motor e nos levou até a Broadway. Durante o caminho, Vus e Jim se inclinaram sobre mim, concordando sobre a arrogância sanguinária dos brancos. Era irônico que o produtor de uma peça que expunha a ganância branca de forma tão eloquente pudesse ser ele próprio um comilão. Quer estivéssemos nas minas da África do Sul ou no teatro liberal de Nova York, nada mudava. Os brancos queriam tudo. Achavam que mereciam tudo. O fato de quererem possuir todas as matérias da terra era por si só perturbador, mas o fato de também quererem controlar a alma e o orgulho das pessoas era inexplicável.

Entramos no escritório da Western Union. Jim e eu ficamos conversando enquanto Vus preenchia um formulário.

Ele o entregou ao telegrafista. Quando o homem terminou de copiar a mensagem, Vus pagou e, depois, pegando o formulário de volta, caminhou até nós e leu em voz alta: "A senhora Maya Angelou Make não voltará ao *The Blacks* nem ao St. Mark's Playhouse. Ela resiste à exploração de si mesma e de seu povo. Ela encerrou. Assinado: Vusumzi Linda Make, Congresso Pan-Africano, Joanesburgo, África do Sul. Atualmente, peticionário nas Nações Unidas".

Vus continuou: "Essa será a última vez que você ouvirá falar dessas pessoas, minha querida. A menos que Bernstein queira um incidente internacional".

Jim riu alto. "Veja, Maya Angelou, eu te disse, você não tem nada com o que se preocupar."

Saímos do escritório e, de braços dados, entramos no bar mais próximo.

O xhosa gordo, o nova-iorquino magro e a sulista alta beberam a noite toda e compartilharam histórias nada surpreendentes sobre o tema da agressão branca e da vulnerabilidade negra. E, de alguma forma, rimos.

Eu me sentei ao lado do telefone no dia seguinte. A ressaca e o drama de sair da peça me deixaram rápida e pronta para explodir os ouvidos de Bernstein, de Frankel, de Glanville ou de qualquer um que ousasse me ligar sobre o telegrama de Vus. O telefone nunca tocou.

Capítulo 14

Ativistas negros e brancos começavam a pressionar fortemente a consciência da nação. Em Monroe, na Carolina do Norte, Rob Williams se opôs a uma força de ódio branco e encorajou os homens negros a se armarem e a protegerem a si mesmos e às suas casas e famílias. Mae Mallory, uma amiga do protesto da ONU, se juntou a Rob. Julian Mayfield, autor dos livros *The Big Hit* e *Grand Parade*, escreveu um artigo contundente sobre a posição de Williams e depois viajou para o sul a fim de lhe prestar apoio físico. Stokely Carmichael e James Foreman fundaram um novo grupo, o Comitê Coordenador Estudantil Não Violento (CCEN), um desdobramento das organizações resistentes do Sul, e estavam lutando pela liberdade para aldeias e vilas, onde o ódio branco era arraigado e a aceitação negra do estatuto inferior era uma norma histórica. Malcolm X continuava a aparecer na rede de televisão nacional. Os jornais estavam cheios de reportagens que prestavam tributo a Martin Luther King e de editoriais homenageando sua ideologia não violenta. A população liberal branca crescia. Estudantes brancos se juntaram aos estudantes negros em Freedom Rides, viajando por transporte público para cidades do sul que eram redutos racistas.

Ralph Bunche era o embaixador dos Estados Unidos na ONU e recebeu o Prêmio Nobel por seu trabalho como mediador no conflito palestino. Quando seu filho foi rejeitado como membro do completamente branco clube de tênis Forest Hills, o doutor Bunche fez uma declaração que revelou sua visão. O representante internacionalmente respeitado, que tinha pele clara o bastante para permitir que ele se passasse por branco, disse: "Agora sei que, enquanto o meeiro negro mais humilde do sul não for livre, eu também não serei".

A peça *Purlie Victorious*, de Ossie Davis, estreou na Broadway, e sua esposa, Ruby Dee, interpretando a pequena Lutie Belle, fez o público branco gritar por sua própria ignorância e ganância. O livro *Soul Clap Hands and Sing*, de Paule Marshall, foi publicado, e os leitores foram brindados com histórias bem escritas sobre esperança, desespero e derrota negra. O livro *And Then We Heard the Thunder*, de John Killens, expôs a ironia dos soldados negros lutando por um país branco em um exército segregado. O livro *Da próxima vez, o fogo*, de Baldwin, foi um aviso implacável de que o racismo não era apenas homicida, mas também suicida. Em Little Rock, Daisy Bates conduziu nove crianças até uma escola secundária branca segregada e, quando o governador do Arkansas, Orval Faubus, ordenou que a polícia local impedisse a entrada dos alunos, o presidente Dwight Eisenhower enviou tropas federais para manter a paz.

Harry Belafonte e Miriam Makeba realizaram apresentações para arrecadar fundos para a luta pela liberdade. Max e Abbey viajaram pelo país apresentando sua "Freedom Now Suite".

Guy estava totalmente ocupado com a escola, com a SANE, com a cultura ética e com as meninas. Vus viajou para a África Oriental, para a África Ocidental, para Londres e para a Argélia, e eu fiquei em casa. Eu não tinha emprego e só restava o dinheiro de Vus para gastar. A minha saída da CLCS foi tão precipitada que fiquei com vergonha de voltar e oferecer meus serviços, mesmo como voluntária. Eu não era muçulmana nem estudante, por isso, não havia lugar para mim nem na organização de Malcolm X nem no CCEN. Eu me afastei dos meus amigos e até mesmo do Harlem Writers Guild.

Finalmente, Vus retornou de sua última viagem mais extensa. Como sempre, trouxe presentes para mim e para Guy, além de histórias que nos deixavam tensos de empolgação e boquiabertos de admiração. Meu presente era uma blusa e um sári de seda laranja. Foi delicado e firme quando enrolou o pano em volta dos meus quadris e colocou a ponta sobre meus ombros. Não perguntei onde ou como ele aprendeu a técnica. Eu estava me tornando uma boa esposa africana.

Entramos no saguão do Hotel Waldorf-Astoria e o silêncio era intimidador. Homens brancos vestindo smoking seguravam os cotovelos de mulheres brancas vestidas com roupas caras e não faziam barulho enquanto deslizavam pelo chão com carpete. Segurei o braço de Vus e, vestida com meu sári laranja, estiquei a cabeça e o pescoço até acrescentar mais alguns centímetros ao meu corpo de um metro e oitenta. Vus tinha me ensinado um pouco de xhosa, e falei em alto e bom som na língua do "clique". Quando entramos no elevador, senti todos aqueles olhos brancos sobre as minhas costas. Eu era uma africana no bastião do poder branco e o meu rei negro iria me proteger.

A comitiva do embaixador de Serra Leoa era festiva, com pessoas de cor marrom e preta em trajes africanos e melodias ao estilo highlife,[25] de Gana. Vus me levou até o embaixador, que estava com um grupo de mulheres perto da janela.

O embaixador viu Vus e sorriu. "Ah, senhor Make. Seja bem-vindo. Senhoras, gostaria que conhecessem o nosso irmão revolucionário da África do Sul, Vusumzi Make." Vus sorriu e se curvou, a luz atingiu as maçãs de seu rosto e fez seu cabelo brilhar.

Ele se levantou e falou: "Excelência, apresento a minha esposa, Maya Angelou Make".

O embaixador pegou minha mão. "Ela é linda, Make." Ele também se curvou. "Madame Make, ouvimos falar de você na África. O senhor Make prestou um grande serviço ao continente. Bem-vinda."

Apertei a mão do embaixador e de cada uma das mulheres e, de repente, descobri que a multidão havia se dispersado. Vi Vus perto de uma mesa onde um barman uniformizado preparava bebidas. O embaixador estava dançando com uma mulher linda, que usava um vestido decotado, e fiquei à janela. Um garçom que perambulava me

---

25   Highlife é um gênero musical de Gana, Serra Leoa e Nigéria, caracterizado por instrumentos de sopro e guitarras. Fela Kuti é um dos artistas mais destacados desse gênero. (N. T.)

ofereceu uma bandeja com bebidas. Escolhi uma taça de vinho e olhei para as luzes de Nova York.

Idiomas desconhecidos giravam ao meu redor, e o cheiro de uma especiaria, conhecida entre os negros do Arkansas como chiltepin, tornou-se forte na sala. Parei o garçom e peguei um copo de uísque da bandeja. Vus substituiu o embaixador e agora estava dançando com a pequena mulher atraente, segurando-a muito perto, olhando profundamente em seus olhos. Reencontrei o garçom em um grupo de convidados risonhos, peguei outro uísque e voltei para a janela à procura de beber e pensar.

Eu usava um novo corte de cabelo e vestia a roupa mais bonita que tinha. Eu sabia falar francês e espanhol muito bem e conversava de maneira inteligente sobre vários assuntos. Conhecia de maneira íntima a política nacional e moderadamente bem os assuntos internacionais. Era casada com um africano importante, combatente da liberdade, e havia espalhado com discrição um perfume francês pelo corpo. Mesmo assim, ninguém falou comigo. Tomei outra bebida.

As luzes da rua começaram a ficar turvas, mas pude ver nitidamente que Vus ainda dançava com a mulher. Eu saberia o que fazer se a festa fosse dada por afro-americanos, ou mesmo se houvesse convidados afro-americanos. Ou se todos os convidados africanos fossem mulheres. Mas Vus estava me ensinando com sucesso que havia uma forma particular e absoluta de uma mulher abordar um homem africano. Eu só sabia como uma esposa se dirigia a um marido africano. Eu não sabia como iniciar uma conversa com um homem desconhecido, mas sabia que certamente estava ficando bêbada. Se eu conseguisse comer logo, poderia interromper o rápido efeito do álcool no meu cérebro e no meu corpo. Fui à cozinha.

Quase colidi com o embaixador. Ele recuou e sorriu. "Madame Make, espero que esteja se divertindo."

Eu me obriguei a sorrir. "Obrigada, Excelência", e continuei.

Uma mulher negra com um vestido caseiro estava curvada, tirando fôrmas do forno. Quando ela se endireitou e me viu, fez uma cara e uma voz desinteressadas.

"Posso ajudá-la, senhora?" Seu sotaque sulista era forte.

"Só queria comer alguma coisa. Qualquer coisa."

"Senhora, vão servir em alguns minutos."

"Você é a esposa do embaixador?" Minha pergunta poderia ter parecido estúpida, considerando o modo como ela estava vestida. Mas eu sabia que às vezes as tarefas da festa podem aumentar, de modo que os convidados chegavam antes que as últimas tarefas fossem concluídas e a anfitriã tivesse tempo de se trocar.

A mulher riu alto. "Eu? Meu Deus, não. Senhora Embaixadora? Eu?" Ela riu, abrindo bem a boca, sua língua mexeu. "Não, senhora. Sou negra. Sou a cozinheira." Ela voltou para o fogão, seu corpo tremendo de alegria. Ela murmurou. "Eu?"

Esperei até que ela se virasse para mim novamente.

"Eu posso te ajudar? Também sou cozinheira." A risada deixou seu rosto enquanto me examinava. Seu olhar deslizou do meu cabelo e brincos de ouro para meu colar, vestido e mãos.

"Não, querida. Talvez você saiba cozinhar, mas não é uma cozinheira."

Puxei uma cadeira da pequena mesa de jantar e me sentei. Ela estava certa sobre minha profissão, mas éramos ambas mulheres, negras e americanas.

Eu disse: "Sou casada com um africano que está por aí dançando bastante e lentamente. E ninguém falou comigo. Então...".

A mulher colocou as mãos nos quadris e balançou a cabeça. Ela disse: "Querida, esses homens, eles não mudam. Você precisa de um gole". Uma bebida era a última coisa de que eu precisava, mas ela se abaixou ao lado da geladeira e tirou uma garrafa de gim da própria bolsa. Serviu generosamente em uma xícara de café. Peguei enquanto ela colocava um pouco de gim em outra xícara e a erguia para mim.

"Querida, nós, mulheres, temos que ficar juntas. É isso." Ela engoliu o gim, fez uma careta e resmungou, e eu segui seu exemplo. "Sente-se e pegue leve." Ela se virou e mexeu uma panela com molho borbulhante, ainda falando comigo por cima do ombro. "O que vai fazer a respeito disso? Você pode se sentar aqui, no entanto, cedo ou tarde, terá que ir lá e enfrentá-lo. Mas sirva-se do gim."

Eu o fiz.

A cozinheira servia chili em uma grande tigela chinesa quando Vus entrou pela porta da cozinha. O vapor e a bebida desfocaram a minha visão. Quando o vi surgir em meio à névoa, comecei a rir. Ele lembrou a mim o gênio do Aladdin, só que maior.

Talvez a garrafa de gim da cozinheira fosse uma lâmpada, que eu certamente estava esfregando.

Vus ficou muito perto de mim, perguntando do que eu estava rindo. Mas, a cada vez que eu inspirava para poder explicar, Vus parecia crescer, como se estivesse de alguma forma preso à minha respiração, e o riso contraía o meu peito e eu não conseguia verbalizar nenhuma palavra.

Vus saiu e a cozinheira veio até mim.

"Esse é o seu marido?" Assenti com um sinal de cabeça, ainda rindo.

"Bem, menina, é melhor você ir. Ele é gordo. Quando um homem gordo fica bravo, uh... não importa se ele é africano ou não. Nenhum homem gordo no mundo quer ser ridicularizado." Ela me entregou a minha bolsa. O som de sua voz tinha um leve efeito de moderação, mas quando tentei lhe contar por que estava rindo, caí na risada de novo.

"É melhor você sair daqui, menina, antes que aquele homem volte. Vi a cara dele e ele não achou graça."

Por fim, o conselho dela chegou ao meu cérebro em funcionamento. Eu me levantei, agradeci e saí da cozinha pela porta da sala que ia até o corredor. Apertei o botão do elevador e, quando as portas se abriram, Vus saiu correndo do apartamento, me viu e veio apressado pelo corredor, gritando, me dizendo que esperasse. Nós dois entramos no elevador um pouco cheio.

Vus começou a falar. Eu era sua esposa, a esposa de um líder africano. Eu o tinha envergonhado. Sentada na cozinha, me embebedando com a cozinheira. Quando ele tentou falar comigo, ri na sua cara. Nenhuma senhora africana traria tal desgraça ao marido. Olhei para as outras pessoas no elevador, mas elas desviaram seus rostos brancos. Como nem Vus nem eu existíamos no mundo real delas, elas simplesmente tinham de esperar até chegarmos ao térreo e, então, nossos sons e sombras desapareceriam.

Vus continuou seu discurso conforme o elevador parava na nossa descida, pegando pessoas de outros andares. Quando chegamos ao saguão, os outros ocupantess se espalharam como flocos de neve. Caminhei, com a cabeça erguida, em direção à entrada principal. Vus me seguia, conversava, reclamava, dizia a vergonha que eu havia causado à sua cabeça, ao seu nome, à sua família. Que decepção eu era. Como eu tinha sido desrespeitosa com um filho da África.

Decidindo não sair para a rua, eu me virei com brusquidão nas portas giratórias e voltei para os elevadores. A voz de Vus, em um tom estrondoso e monótono, se elevou de súbito.

"Aonde você está indo? Não volte para a festa. Eu te proíbo. Você é a minha esposa. Nós vamos para casa." No elevador, fiz uma rápida rotação e caminhei em direção ao balcão da recepção, e Vus me seguia, ainda falando.

Os recepcionistas, vestidos com tanta formalidade quanto agentes de uma funerária cara, me lançaram suas caras tristes por um longo tempo. Passei por eles com altivez. Vus agarrou meu braço, mas apenas roçou a minha manga. Eu me afastei dele e apertei o passo. Quando cheguei à porta da frente pela segunda vez, espiei por cima do ombro e vi que seu rosto estava banhado de suor. Com uma curva oblíqua, desviei-me de um pequeno grupo de homens brancos que entrava no saguão e aumentei a velocidade. A respiração de Vus ficou mais difícil e suas frases eram explosões curtas. "Pare! Mulher tola! Imbecil! Idiota!" Eu poderia ser todas essas coisas ou nenhuma delas, mas ele não ia me pegar. Comecei a correr. Corri em volta dos sofás, fazendo os hóspedes tirarem as pernas do caminho. Vus estava a menos de trinta centímetros atrás de mim. O rosto de um recepcionista apareceu de repente ao meu lado, ansioso e ofegante. Poderíamos ser dois nadadores subaquáticos em uma piscina transparente. Com apenas um pouco de energia, rapidamente me distanciei dele. Vus gritou: "Não toque nela. Ela é minha esposa". Ele enfatizou o pronome possessivo.

Um homem negro vestido de maneira conservadora parou no meu caminho. Corri em sua direção, mas no último segundo mudei a rota e ele puxou sua pasta para cima e a aninhou nos braços. Ouvi seu suspiro de alívio depois que passei por ele.

Quando cheguei novamente aos elevadores, olhei para trás. Vus estava quase ao alcance do meu braço. O recepcionista o seguiu e, atrás do recepcionista, um policial uniformizado e um homem de terno cinza, que imaginei ser o gerente, vinham na retaguarda. A presença do policial me deu mais energia. Este parecia ser o melhor momento que eu poderia ter. Eu mostraria que, se não tivesse de me esquivar das balas, se fosse uma corrida justa, só eu e ele, eu poderia fugir de qualquer policial de Nova York. Coloquei minha bolsa debaixo do braço e estiquei as pernas.

Gritos flutuavam pelo saguão. "Pare ela!" e "Quem é ela?", e de Vus: "Não toquem nela".

Hóspedes assustados ficaram juntos debaixo do lustre de cristal, enquanto percorríamos o saguão. Gritei de volta: "Todos vocês podem ir para o inferno".

Uma parte vazia da porta giratória se movia com lentidão, então mergulhei nela e a empurrei com rapidez. Ouvi um baque e, quando pisei na calçada, olhei pela janela lateral. Vi que Vus, o funcionário e o policial bateram na porta ao mesmo tempo e caíram no chão. Naquele momento, me virei e vi uma mulher descendo de um táxi. Antes que ela pudesse bater a porta, corri e pulei ali dentro.

Não seria sensato voltar para casa, por isso informei ao motorista o endereço de Rosa, na Riverside Drive.

Fiquei sentada tomando café puro e observando Rosa rir da minha descrição da corrida no saguão do Waldorf-Astoria. Eu tinha ficado sóbria de novo. Minhas ações foram imperdoáveis. Eu tinha mostrado a todos aqueles brancos que os negros não tinham dignidade. Eu havia envergonhado o meu marido, que arriscava a vida pelo nosso povo. Ele me chamou de idiota e estava certo. Rosa continuou a rir, mas não havia mais nada de engraçado para mim.

Vus telefonou na manhã seguinte e veio me buscar.

Ele trouxe flores para Rosa e perfume para mim. Nós nos beijamos; ele declarou seu amor. Não mencionou minha exibição ultrajante e eu não disse nada sobre seu flerte vulgar. Estávamos completamente reconciliados.

Os xerifes-adjuntos apareceram armados e solenes no meu apartamento em uma tarde de inverno. Quando se asseguraram de que eu era a senhora Make, um deles me entregou um pedaço de papel ao passo que o outro pregou um aviso na porta principal. Moviam-se com a precisão da prática e partiram antes que eu pudesse organizar as minhas dúvidas. Fiquei no corredor da entrada lendo o formulário e depois olhei o aviso. Fomos despejados por falta de pagamento do aluguel. Tínhamos de sair do apartamento em vinte e quatro horas, ou aqueles homens colocariam os nossos móveis na rua.

Guy ainda estava na escola. Vus estava na ONU. Calmamente, fiz um bule de café e me sentei na cozinha para pensar. Nunca tinha sido expulsa de casa alguma em toda a minha vida. A minha mãe teria um de seus famosos ataques de raiva se soubesse do meu despejo. O meu filho sem dúvida ficaria envergonhado e mais inseguro. Os meus amigos teriam pena de mim e meus inimigos sacudiriam a cabeça e sorririam.

Reli o formulário. Estava segurando o terceiro e último aviso, o que significava que Vus tinha recolhido os outros dois e não tinha me dito nada. Então, a responsabilidade era dele. Eu tinha interpretado a dona de casa que era cuidada pelo marido, que não ganhava dinheiro. Não pedi essa posição, mas aceitei o papel que o casamento me impôs. Eu me convenci de que não tinha culpa e que a responsabilidade total de como e onde Guy e eu morávamos estava nas mãos de Vus.

Eu poderia pedir dinheiro emprestado para os Killens, para a minha mãe ou para Rosa, mas, de acordo com o aviso de despejo, era tarde demais para pagar o aluguel. Não tivemos outro recurso senão desocupar o local.

Fui ao supermercado do bairro e peguei algumas caixas de papelão. Quando voltei, o aviso de despejo parecia ter sido ampliado. Cobriu a porta de cima a baixo. Depois de reler, entrei e comecei a fazer as malas. Coloquei todas as nossas roupas nas malas e no baú que trouxe da Califórnia. Escolhi as melhores panelas e frigideiras dos armários da cozinha e as coloquei nas caixas de papelão. Os móveis, o sofá caro, as camas e cadeiras de qualidade tinham sido escolhidas por Vus, então sua arrumação ou arranjo poderia esperar.

Houve um som frenético de chave sendo arranhada e porta sendo aberta. Guy e Vus chegaram juntos. Eles se amontoaram na entrada.

Guy falou primeiro. "Mãe, você viu essa porta? Você viu o...?" Eu me sentei no sofá, observando-os se desembaraçarem. Vus entrou na sala seguido por Guy. "Você falou com alguém?"

Era uma pergunta estranha. Eu não sabia o que ele queria dizer, então balancei a cabeça em uma negativa. Quando Guy perguntou para mim, e não para Vus, o que íamos fazer, eu sabia que, embora eu tivesse renunciado à minha responsabilidade, e embora Guy parecesse aceitar Vus como o chefe da nossa família, em um momento crítico, ele se voltou para mim.

Vus pediu para Guy que fosse para o próprio quarto. Pela primeira vez em meses, Guy analisou o meu rosto. Assenti e ele entrou em seu quarto com relutância e deixou a porta entreaberta.

Vus se sentou com um peso que não podia ser creditado apenas ao seu tamanho.

Sua primeira declaração me pareceu tão estranha quanto a sua primeira pergunta. "Tenho muito dinheiro, então não há nada com o que se preocupar."

Em poucas horas, estaríamos na rua. Era suficiente que não tivéssemos onde dormir, mas o nosso endereço e número de telefone deixariam de nos pertencer. Na verdade, em breve, perderíamos tudo o que nos identificava na nossa comunidade, exceto os nossos nomes, e Vusumzi Make se sentou na minha frente e disse: "Não há nada com o que se preocupar".

As pequenas rugas ao redor de seus olhos se aprofundaram, e ele começou a arrancar violentamente os pelos do queixo. Ele não me ouviu oferecer uma bebida ou um bule de café fresco, então não repeti as ofertas.

Depois de minutos, ele se levantou da cadeira e pegou sua pasta. Virou-se para a porta e se voltou na minha direção, mas sem me encarar de verdade nos olhos, e falou:

"Como eu disse, não há nada com que se preocupar". Ele abriu a porta, saiu e a fechou em silêncio.

Guy saiu do quarto, cheio de preocupação.

"Mãe, o que vai acontecer? O papel dizia 'vinte e quatro horas'. Para onde estamos indo? Como isso aconteceu? O que você fez?"

A visão do meu lindo menino comprido trouxe de volta a lembrança de um antigo incidente.

Meu então marido, Tosh, Guy, que tinha sete anos, e eu estávamos andando na nossa caminhonete em uma linda manhã de domingo. Tínhamos acabado de terminar o nosso passeio semanal até o lixão da cidade de São Francisco, onde Tosh e Guy jogavam o nosso lixo do escritório e doméstico na pilha de lixo acre e em chamas. Estávamos de bom humor na volta para casa. Guy fez trocadilhos e Tosh riu deles. Eu me sentia segura. Tinha um marido amoroso e meu marido tinha um emprego. Meu filho, que era saudável e inteligente, recebia amor e, a meu ver, a quantidade necessária de castigo. O que mais eu, uma jovem negra sem estudos, poderia querer? Estava vivendo no meu paraíso terrestre.

Esperávamos no cruzamento da Fulton com a Gough que o semáforo mudasse. De repente, um carro bateu no lado do passageiro da caminhonete. Fui arremessada para a frente, a minha testa bateu no para-brisa e os meus dentes foram triturados no topo do painel da cabine. Quando recuperei a consciência, Tosh assoprava a minha cara e murmurava. Perguntei sobre Guy e Tosh me disse que, quando o carro bateu, eu tinha agarrado Guy e o envolvido com os braços. Agora, ele estava parado na esquina, ileso.

Saí da caminhonete e fui até o meu filho, que era consolado por estranhos. Quando me abaixei ao seu lado, ele deu uma olhada no meu rosto machucado e, em vez de cair nos meus braços, começou a gritar, a me atacar e a se distanciar.

Tosh teve de o convencer a entrar no táxi. Por dias, Guy andou pela casa evitando o meu olhar. A cada vez que eu me virava rápido o bastante para pegá-lo me fitando, tremia com a acusação cheia de ódio nos seus olhos.

Não tínhamos causado o acidente. Tosh foi o motorista e eu era a pessoa mais ferida. Mas eu era a mãe, a pessoa mais poderosa do mundo dele, e quem poderia tornar tudo melhor. Por que os deixei piores? Eu poderia ter evitado o acidente. Eu não deveria ter permitido que a nossa caminhonete estivesse naquele lugar, naquela hora. Se eu não tivesse sido tão negligente, meu rosto não teria sido cortado, meus dentes não teriam sido quebrados e ele não teria sentido tanto medo.

Agora, oito anos depois, Guy se perguntava por que eu, ao negligenciar o meu dever, coloquei seu orgulho em risco? Será que pensei que ser casada eliminava minha responsabilidade de manter o mundo no eixo e o universo em ordem?

Guy ficou abrindo e fechando os punhos, como se apertasse e soltasse, e depois apertasse as perguntas novamente. Permaneci quieta, saboreando um pequeno, mas saboroso, nó de satisfação. Ele tinha transferido a lealdade para Vus, me deixando apenas com migalhas de atenção. Agora, na crise, eu voltava a ser a pessoa importante.

Quando percebeu que eu não ia falar, se sentou no sofá ao meu lado. De repente, eu não sabia o que dizer. Se, quando ele voltou para sala, eu tivesse dado uma explicação ou proposto alternativas, nossas vidas teriam continuado no mesmo ritmo indefinidamente. Mas esperei muito tempo para falar.

Observei meu filho. Quando deslizou no sofá, abriu seus longos braços para me abraçar e disse: "Vai ficar tudo bem, mãe. Vamos sobreviver a essa também", caí em prantos. Meu adolescente estava crescendo.

Vus retornou após o anoitecer. Ele havia providenciado a venda dos nossos móveis, e uma transportadora chegaria na manhã seguinte para levar os nossos pertences pessoais para um hotel onde alugou e pagou por um apartamento mobiliado. Também deu o pontapé inicial para irmos ao Egito. Deu a notícia para mim, mas piscou para Guy e ergueu a cabeça. Guy fitou Vus com um olhar vazio e disse: "Isso é ótimo, pai", e entrou no quarto.

Durante três semanas, no hotel mofado distante da Central Park West, levamos uma vida estranha a tudo o que eu tinha conhecido. Pessoas aposentadas, doentes e descartadas se arrastavam pelos corredores, sussurrando de maneira apaixonada para si mesmas. A qualquer hora, caminhavam com os pés frágeis pelo carpete gasto do saguão. Nunca olhavam para cima nem falavam com ninguém, apenas continuavam seu percurso, permanecendo perto das paredes, de cabeça baixa, empurrando o ar úmido.

Guy começou a falar em um registro mais baixo e Vus e eu sussurrávamos até no quarto. Nossas idas e vindas eram furtivas e silenciosas. Somente Rosa me visitou durante essas semanas. Eu não queria que ninguém soubesse que havíamos nos mudado para a clandestinidade e nos juntado a um bando de toupeiras trágicas.

Continuei dizendo a mim mesma que seria apenas por três semanas. Uma pessoa poderia permanecer sob tortura ou jejuando por três semanas. Ainda bem que saímos de Nova York sem alarde e sem despedidas tristes. Vus foi para o Egito a fim de preparar um lugar para nós enquanto Guy e eu viajávamos para São Francisco. Eu precisava ver minha mãe. Precisava que me dissesse apenas mais uma vez que a vida era o que fazíamos dela e que cada banheira deveria ficar em seu próprio buraco. Tive de a ouvir dizer: "Soletraram meu nome m-u-l--h-e-r porque a diferença entre uma fêmea e uma mulher é a mesma diferença entre merda e titica".

Ela parecia cansada no aeroporto, embora usasse muito pó marrom e o batom fosse tão espesso que, quando nos beijamos, nossos lábios fizeram um barulho de sucção. Sua felicidade ao nos ver foi breve.

No caminho para casa, ela confirmou as suspeitas que surgiram no momento em que a vi. Ela dirigiu mal seu carro grande e falou sobre assuntos insignificantes. Vivian Baxter estava muito chateada.

Ela acomodou Guy em seu antigo quarto, no andar térreo da grande casa vitoriana, e me convidou para acompanhá-la até a cozinha. Começou a falar, tomando muitas bebidas fortes.

Ela tinha me enviado uma fotografia de seu novo marido. Era um homem negro e bonito, e ela o elogiou nas suas cartas para mim. Navegaram juntos e se divertiram nas praias do Taiti e de Fiji, e nos bares de Sydney, na Austrália. O casamento deles parecia uma brincadeira: dois amantes em um barco navegando no mar calmo. Mas enquanto mamãe falava, sentada à mesa da cozinha, percebi que o relacionamento estava com dificuldades e ela estava forçando todos os músculos para mantê-lo flutuante.

"Ele tem boas intenções, bebê, e tenta se sair bem, mas é a bebida. Ele simplesmente não sabe como controlá-la."

Seu rosto estava triste e sua voz tremia enquanto ela colocava gelo fresco e uísque em nossos copos. O marido dela estava fora, em uma longa viagem, e ela estava achando difícil administrar a solidão.

As semanas seguintes trouxeram uma mudança no nosso relacionamento que nunca esperei: invertemos os papéis. Vivian Baxter começou a se apoiar em mim, a buscar apoio e sabedoria em mim, e eu, automaticamente, sem pensar a respeito, comecei a atuar como a autoridade esperta, a judiciosa, a mãe. Guy ficou desconcertado com as novas posições na família. Tornou-se rigidamente cortês, sorriu menos e assumiu uma imponência sóbria que caía de maneira estranha sobre os ombros de um adolescente.

Vus ligou do Cairo para dizer que nossas passagens estavam à nossa espera em uma agência de viagens, e foi impossível esconder o meu alívio.

Quando eu disse à mamãe que partiríamos em breve, ela saiu de sua crise para algumas horas de comemoração. Estava grata, disse ela, não apenas pelo meu apoio, mas por ter criado uma mulher capaz de enfrentar uma crise. Ela me lembrou de que havia muitas idosas e que nem de longe havia quantidade suficiente de mulheres de verdade. Estava orgulhosa de mim, e esse foi meu presente de despedida.

Saímos de São Francisco com a garantia dela de que resolveria as dificuldades de sua própria vida e que não deveríamos nos preocupar. Sua última oferta não foi cumprida com facilidade. Fiquei sentada durante toda a viagem, de São Francisco até Los Angeles, de Londres até Roma, com a preocupação pela minha mãe no meu colo. Só quando saímos do aeroporto Fiumicino, de Roma, é que comecei a pensar no Egito, em Vus e na vida que meu filho e eu estávamos começando.

Se o nosso novo começo terminaria em sucesso ou fracasso, não passou pela minha cabeça. O que eu sabia, e sabia conscientemente, era que já era emocionante.

Capítulo 15

O nosso avião pousou no Cairo em uma tarde límpida e, logo além das janelas, o Saara era um mar bege e ondulante, sem costa. Guy e eu passamos pela alfândega, cada um olhando através de um vidro fosco para ver Vus.

Homens descalços, vestidos com camisolas compridas e sujas, caminhavam ao nosso lado, falando árabe e fazendo perguntas. Quando balançamos a cabeça e encolhemos os ombros, demonstrando falta de compreensão, puseram-se a rir, batendo nas laterais do corpo e se curvando. A risada em uma língua desconhecida tem um efeito perturbador. Guy e eu caminhamos juntos, com os ombros encostados, até o terminal principal.

A sala era cavernosa e quase vazia, e Vus não estava lá. Um funcionário perguntou na sua versão em inglês se queríamos um táxi. Balancei minha cabeça em uma recusa. Eu tinha dinheiro, quase mil dólares em cheques de viagem, mas não ia pegar um táxi em um país desconhecido. Então percebi, com um choque entorpecente, que não tinha endereço. Eu não poderia pegar um táxi nem se quisesse.

Pensei em Guy e agarrei o suspiro antes que ele pudesse vir à tona.

"Mãe, o que vamos fazer? Você passou a hora da chegada para o papai, né?"

"Claro. Vamos até ali e nos sentamos." Não comentei a acusação em sua voz, mas a percebi. Tínhamos passado a nossa bagagem por um grupo de carregadores e zeladores sorridentes quando dois homens negros vestidos com elegantes ternos ocidentais se aproximaram.

"Irmã Maya? Irmã Make?"

Assenti com a cabeça, aliviada demais para falar.

"Bem-vinda ao Cairo. E Guy? Bem-vindo."

Apertamos as mãos e eles mencionaram seus nomes multissilábicos. Vus estava em uma reunião com um alto funcionário e se juntaria a nós o mais rápido possível. Ele havia pedido que nos buscassem e nos levassem ao escritório.

Eles nos ajudaram a entrar em uma Mercedes-Benz em ruínas, como se colocassem a realeza em uma carruagem estatal. Meu filho e eu nos elevamos à altura da ocasião. Nenhum de nós proferiu uma palavra quando, nos arredores do Cairo, o motorista desviou com cuidado para evitar bater em um camelo, apesar de eu ter forçado o cotovelo no flanco de Guy ao passarmos pelas belas vilas brancas de Heliópolis. Os reluzentes carros europeus, as grandes vacas com chifres, os táxis cambaleantes e as multidões de pedestres, cabras, mulas, camelos, as ocasionais limusines e a incrível dispersão de crianças faziam das ruas uma sinfonia visual e tonal de caos.

Quando entramos no centro do Cairo, as avenidas se abriram com tanta força de cores, pessoas, ação e cheiros que perdi a fria compostura.

Toquei o homem que estava no banco do passageiro e gritei para ele: "O que está acontecendo? Hoje é feriado?".

Ele olhou para fora, através das janelas abertas, e se virou para mim, balançando a cabeça.

"A multidão? Você quer dizer a multidão?"

Assenti com a cabeça.

"Não." Ele sorriu. "Este é apenas o Cairo de todo dia."

Guy ficou tão feliz que riu alto. Olhei para a cena e me perguntei como iríamos gostar de viver um ano de Terça-feira Gorda.

Homens magros, com longas túnicas esfarrapadas, se agitavam e vociferavam contra mulas pesadamente carregadas. Limusines elegantes passavam pelos excrementos de camelos que ondulavam casualmente os traseiros largos enquanto balançavam à sombra dos arranha-céus. Mulheres bem-vestidas, em duplas ou acompanhadas de homens, não ligavam para as irmãs, cobertas da cabeça aos pés por volumosos e pesados mantos pretos. Crianças corriam por toda parte, gritando sob as rodas de carroças frágeis, se esquivando dos pneus dos táxis cambaleantes. Vendedores ambulantes exibiam suas mercadorias, acenando para os transeuntes. Os meninos ofereciam bebidas de frutas frescas e, nas esquinas, os homens se curvavam sobre a comida preparada em grelhas abertas. O aroma de especiarias, esterco, escapamento de gasolina, flores e suor corporal tornavam o ar no carro quase visível. Depois do que pareceram horas, nos dirigimos para um bairro calmo, em comparação com aquilo. Os nossos acompanhantes estacionaram o carro e depois nos conduziram por um jardim frontal cuidadosamente arrumado até um prédio de escritórios caiado. Colocaram a nossa bagagem na porta principal, apertaram a mão de Guy e a minha e, garantindo que Vus chegaria em breve, nos deixaram no saguão.

Os africanos iam e vinham, acenando para nós ao passar. Assim que a exaustão começou a tomar conta do meu corpo, Vus entrou pelas portas abertas. Ele gritou quando nos viu e veio correndo para segurar a mim e Guy em seus braços. Sorriu abertamente e parecia ter cerca de dez anos. Eu não tinha dúvidas, naquele momento, de que faríamos um ao outro levianamente feliz. O Cairo seria o cenário de dois amantes contemporâneos.

Vus me soltou e abraçou Guy, rindo o tempo todo. Ele era um Papai Noel sexy de pele negra, cujo amor e generosidade eram somente para nós.

"Venham, vamos para casa. Nós moramos do outro lado da rua." Falei com Guy e apontei para a bagagem. Vus balançou a cabeça e disse: "Elas serão levadas até nós". Caminhamos pelo jardim, de braços dados, e seguimos para a Ahmet Hishmat, número 5.

Vus nos conduziu pelas escadas do grande edifício com fachada de mármore. Na escada, um homem negro vestido com roupas sujas sorriu e fez uma reverência. "Bem-vindo, senhor Make." Vus colocou algumas moedas na mão estendida do homem e falou com ele em árabe. Ao entrarmos no corredor fresco e escuro do prédio, Vus nos disse que o homem era Abu, o *boabab,* ou porteiro, e que ele entregaria nossas malas. No fim do corredor, destrancou uma porta esculpida e adentramos em uma luxuosa sala de estar. Um sofá de cetim listrado de dourado e vermelho foi o primeiro objeto que me chamou a atenção.

Uma tapeçaria discreta estava pendurada na parede acima do outro sofá de aparência rica. No meio da sala, uma mesa baixa de parquete requintado repousava sobre um antigo tapete oriental.

Vus se perguntou em voz alta se eu gostava do cômodo e Guy emitiu sons de aprovação, mas eu não conseguia imaginar como um locador poderia deixar peças tão importantes e caras em um apartamento alugado.

Guy gritou à distância. "Você precisa ver isso, mãe."

Vus segurou o meu cotovelo e me conduziu para o próximo cômodo, onde um sofá e cadeiras de brocado ao estilo Luís XVI repousavam sobre outro tapete suntuoso. A sala de jantar estava repleta de móveis franceses antigos. Os grandes quartos continham camas enormes, armários, penteadeiras e mais tapetes orientais.

Sorri porque não sabia mais o que fazer. Quando chegamos à cozinha vazia, um pouco de bom senso voltou a mim.

Uma lamparina incrustada de fuligem jazia sobre uma prateleira com pratos empilhados, um monte de talheres baratos e copos grossos.

Vus tossiu, envergonhado. "Eles usam isso" — ele indicou a lamparina — "para cozinhar. É um fogão Sterno. Ahm... ainda não consegui arrumar a cozinha. De qualquer modo, fogões comuns são muito, muito caros. Pensei em esperar até você chegar."

"Quer dizer que somos donos de toda essa porcaria?" Devo ter gritado, porque Guy, que estava amontoado conosco no pequeno cômodo, franziu a testa para mim e Vus me lançou um olhar altivo e zangado.

"Tentei fazer uma linda casa para você, a ponto de ignorar o meu próprio trabalho. Sim, adiei assuntos importantes do CPA para decorar este apartamento, e você chama isso de porcaria?" Ele se virou e passou pela porta. Guy balançou a cabeça em reprovação, enojado com minha falta de gratidão e graça, e seguiu Vus cozinha afora. Sua partida silenciosa conseguiu me humilhar. Vus era um homem generoso. Na verdade, eu só tinha visto esse tipo de mobília em anúncios elegantes de revistas ou nas casas de estrelas de cinema brancas. O meu marido estava elevando a mim e meu filho para uma atmosfera rarefeita e, em vez de agradecê-lo pela elevação, fui ácida e insatisfeita.

Um profundo sentimento de inutilidade fez com que eu deixasse de possuir coisas boas, móveis caros, tapetes raros. Era exatamente assim que a gente branca queria que eu me sentisse. Eu era negra, então era óbvio que não merecia ter armários brilhantes com bom folheado francês ou tapeçarias, onde guerreiros montados travavam suas antigas batalhas em fios de seda. Não, decidi esmagar esse sentimento de indignidade. Eu era digna de cada coisa bonita e merecia colocar os meus longos pés pretos em tapetes orientais tanto quanto Madame Astor. Se Vus pensava que queria que sua esposa vivesse lindamente, ele não era menos homem (e tive de entender isso por baixo das camadas de inferioridade no meu cérebro) do que um Rockefeller ou um Kennedy.

A bagagem tinha sido colocada no centro do chão da primeira sala de estar. Ouvi as vozes de Vus e de Guy na varanda, então fui me juntar a eles com um sorriso caloroso o suficiente para derreter a neve do monte Everest.

"Esta é a casa mais linda que já vi." Vus assentiu e sorriu para mim como se eu fosse uma criança recalcitrante que tivesse recuperado as boas maneiras após um acesso tolo de raiva. Guy sorriu. Ele sabia que sua mãe iria sobreviver. Ficamos observando as costas de um homem que estava abaixado, arrancando as ervas daninhas do que Vus disse ser nosso jardim particular. Tínhamos um porteiro e nosso próprio jardineiro. A informação era um caroço de tamanho razoável, mas o engoli.

As primeiras semanas no Cairo foram ocupadas com apresentações aos combatentes pela liberdade de Uganda, do Quênia, de Tanganica, da Rodésia do Norte e do Sul, da Basutolândia e da Suazilândia. Diplomatas de países africanos já independentes passaram pelo nosso apartamento para conhecer a esposa americana de Vus Make, que tentava ser tudo para todos.

Jarra Mesfin, da embaixada da Etiópia, e sua esposa, Kebidetch Erdatchew, chegaram cedo e ficaram até tarde. Joseph Williamson, encarregado de negócios da Libéria, e sua esposa A. B., nos convidaram para sua residência.

Eu era a heroína de um romance repleto de mulheres enfeitadas com joias, homens bonitos, intrigas, espiões internacionais e perigos. Tecidos opulentos, perfumes exóticos e o serviço de empregados pessoais ameaçaram arrancar da minha mente todas as lembranças de ter crescido nos Estados Unidos como uma cidadã de segunda classe.

Vus, Guy e eu almoçamos perto da Necrópole de Gizé, de onde observamos os cavaleiros de camelo galopando ao redor da base da Esfinge. Os rádios dos carros, quase no volume mais alto, lançavam a triste música árabe no ar empoeirado.

Eu tinha contratado Omanadia, uma mulher mais velha, baixa e atarracada, do Sudão, como cozinheira-governanta, depois de Vus ter dito que a minha relutância em ter uma empregada na casa não era prova de um espírito democrático, mas antes de um esnobismo burguês, que guardava de um trabalhador necessitado um bom emprego. De qualquer forma, ela era cozinheira e sabia manejar o fogão Sterno, que continuava sendo o único fogão que eu tinha.

Guy estava matriculado no American College, em Mádi, e era levado diariamente de ônibus para a viagem de 24 quilômetros do Cairo até sua escola. Pode ter sentido a necessidade de se exibir para os colegas de escola e para os novos professores, ou a mudança cultural abrupta pode tê-lo motivado, mas seja qual foi o motivo, ou os motivos, ele se saiu extremamente bem nos estudos. Não houve necessidade de incentivá-lo a fazer o dever de casa, e o humor que o visitou nos meses mais recentes em Nova York e em São Francisco se dissipou. No Cairo, ele tinha clareza, era alegre, tagarela e era meu filho pequeno novamente. Nós nos envolvemos em uma competição para ver quem teria o maior vocabulário árabe e falaria com o melhor sotaque.

Houve uma Afro-Asian Solidarity Conference (Conferência de Solidariedade Afro-Asiática, em tradução livre) no centro do Cairo, e Vus achou que eu gostaria de participar.

A vista do enorme auditório me fez recuperar o fôlego. Mesas compridas, organizadas em uma inclinação fácil, continham fones de ouvido e microfones, e homens de todas as cores, vestindo vários trajes típicos de sua nacionalidade, vagavam pelos corredores, conversando em voz alta em muitas línguas desconhecidas aos meus ouvidos. A disposição dos assentos, os microfones e as pessoas de várias nacionalidades me lembraram a Assembleia Geral das Nações Unidas, meu coração bateu forte e estendi a mão para Vus, que, odiando demonstrações públicas de afeto, a menos que ele as iniciasse, afastou-se, mas ficou perto o suficiente para sussurrar.

"Eles não te deixam nervosa, né?"

Eu me endireitei e me afastei dele tanto quanto ele tinha se afastado de mim. "De jeito nenhum. Não me assusto facilmente."

Isso era mais papo do que verdade, mas levantei a cabeça e entrei no meio da mistura de homens. Vus pegou meu braço e me parou.

"Quero apresentá-la ao seu compatriota." Olhei ao redor e me deparei com um jovem magro, vestido com um terno bem cortado, sorrindo para mim. Ele era único. Seus olhos eram amendoados; seu rosto, longo e suavemente moldado em forma oval; seu sorriso era longo e fino, e ele era da cor de uma amêndoa levemente torrada. Vus disse: "Este é David DuBois. Ele é jornalista no Cairo e meu grande amigo. David, conheça a minha esposa, Maya".

Suas primeiras palavras foram um bálsamo curativo espalhado sobre uma dor que eu não tinha percebido. "Olá, Maya Angelou Make. Ouvi falar de você. Todo o Egito ficará feliz em recebê-la. E dizem que você também sabe cantar."

A voz de um negro americano adulto tem texturas inegáveis. Tem uma qualidade de brilho, escorregadio como um ônix polido, ou pode ser protuberante e entalhada com aspereza. A voz pode ser sonora como um solo de baixo ou leve e lírica como uma flauta. Quando um homem negro fala em tom neutro, não é apenas intencional, mas instrutivo para o ouvinte.

Eu tinha me esquecido do quanto amava aquelas cadências doces. Eu disse: "Quero verdadeiramente te agradecer. Estou feliz por estar aqui".

Sorrimos um para o outro e nos abraçamos. Talvez ele não sentisse falta de ouvir a voz de uma mulher negra americana.

Os coquetéis em casa aumentaram. Vus tinha de fazer contatos e entretê-los também, assim como a suas esposas e amigos. Quando ele estava no Cairo, a casa vibrava com a atividade. Aprendi a preparar jantares elaborados, sem carne de porco, e a servir ponches de frutas, gelados e sem álcool, quando nossos convidados eram muçulmanos. Presuntos assados, arroz com fiambre, espinafre com carne de porco salgada e ervilhas com junta de porco, acompanhados de uísque e gim, eram servidos aos convidados africanos e europeus.

Comecei a perceber a ligação inegável entre as viagens de Vus e a nossa programação de entretenimento. Quando regressou da Argélia, que era independente e militantemente anticolonial, seu ânimo estava elevado e ele passeava pela casa com um ar de despreocupação. Naqueles momentos, ele queria ficar só comigo e com Guy. Vus descreveria o sucesso da revolução argelina como se a rebelião de sete anos e meio tivesse ocorrido na África do Sul, e não na ponta mais ao norte do continente. Guy ouvia, com os olhos brilhando e o rosto imóvel, à medida que Vus nos contava com orgulho sobre suas conversas com Ben Bella ou com Boumedienne. As viagens para Gana também resultaram em relatos orgulhosos do governo de Nkrumah e em conversas caseiras. Nós três jogávamos *Scrabble* e ouvíamos música. Então, no nosso quarto escuro, ele me segurava com delicadeza nos braços. Meu corpo era o círculo de orações onde ele colocava todas as súplicas. Fazer amor se tornou uma grande celebração, rica e sagrada, uma comunhão sacramental.

Entretanto, quando Vus viajou para a África Austral, sem passaportes ou documentos, quando se despiu dos ternos feitos sob medida e dos sapatos feitos à mão, e usou as sandálias abertas e as mantas dos homens da tribo para chegar a um grupo de fugitivos, regressou ao Cairo apressado, tenso com a vigília. O branco de seus olhos estava sempre marcado por linhas vermelhas, e sua atenção estava distraída com o que tinha visto e por onde esteve.

Mal ele tinha entrado em casa e já pegava o telefone.

"Está livre esta noite? Venha. Minha esposa vai cozinhar sua famosa comida afro-americana. Vamos beber e comer. Venha."

O convite seria repetido várias vezes antes que ele me perguntasse se eu tinha algo que pudesse preparar com agilidade. Os convidados entravam no apartamento, comiam e bebiam copiosamente, conversavam em voz alta uns com os outros e iam embora. Às vezes, durante as reuniões, David DuBois e eu encontrávamos um canto tranquilo e conversávamos sobre nossa gente em casa.

As atribuições jornalísticas de David envolviam toda a Europa, a África e a Ásia, e o casamento tinha alargado os meus interesses para incluir também a política inconstante dessas regiões. No entanto, conforme as conversas ao nosso redor se intensificavam com a preocupação sobre Goa e a Índia, sobre Tshombe e a Union Minière, propriedade belga, e sobre a crise do Líbano e do Oriente Médio, nós nos perguntávamos como é que os pais negros na América podiam deixar seus filhos pequenos andar, a caminho da escola, em meio a barulhos de palavrões, cuspidas e mulheres e homens brancos? O que aconteceria com a mente das crianças quando os cães doentios dos policiais desinformados estivessem em cima delas só porque elas queriam ir para a aula?

A certa altura, sempre parávamos de sentir pena de nós mesmos e nos garantíamos que o nosso povo sobreviveria. Era só olhar o que já tínhamos feito.

David e eu começávamos a cantarolar baixinho uma das antigas canções espirituais. (Ele sempre insistia em começar com sua favorita, "Glory, Glory, Hallelujah, When I Lay My Burden Down".)

Com certeza, o exibicionismo fazia parte da nossa decisão de cantar em uma sala com gente conversando, mas uma motivação mais profunda também marcava presença. A letra e a melodia tinham o poder de nos transportar de volta a uma familiaridade uterina. É certo que a África era o nosso local de gênese, havia muito, muito tempo, mas, mais recentes e mais conhecidos eram os sons da América negra. Quando David e eu intensificávamos a canção, diplomatas e políticos, mulheres inescrupulosas e homens em fuga, aproveitadores e revolucionários paravam de arengar, flertar, zombar, implorar, pontificar e explicar, e se viravam para ouvir. No começo, sem entusiasmo, informados pelo conhecimento de que estávamos arejando melodias escritas pelo último grande grupo de pessoas escravizadas no planeta, a cortesia os obrigou a assistir. Depois de alguns versos, a música fazia suas próprias exigências. Não poderiam permanecer ignorantes da sua notável humanidade. Eu não conseguia ler suas mentes, mas seus rostos estavam bem abertos, demonstrando lealdade às nossas músicas. Vus, consciente da sua atenção, prestou homenagem à nossa sobrevivência e, ao se juntar a nós, ajudou David e eu para que restabelecêssemos para nós mesmos uma conexão com um passado belo e amargo.

Capítulo 16

Omanadia chegou à varanda em uma linda tarde de verão.

"Madame?"

Eu tinha acordado de um cochilo no quarto fresco. Eu me sentia revigorada e indulgente. "Sim, Omanadia?" Ela não poderia ficar de folga pelo restante do dia, se era isso que ela queria. Eu precisava de um pouco mais de mimos.

"Madame, detive o homem do tapete novamente. Você estava dormindo."

"Que homem do tapete?" Eu estava acordada, mas lenta.

"O homem que cobra os tapetes. Ele não recebe há dois meses. E os dois cobradores dos móveis." Ela riu maliciosamente. "As outras empregadas da rua me avisam quando eles estão em Ahmet Hishmat, então não abro a porta."

Por causa da sua idade e da língua afiada, Omanadia era a ruína e o animal de estimação dos lojistas, dos empregados mais jovens e dos porteiros. Ela conhecia todas as fofocas e a maioria dos fatos relativos às pessoas da nossa vizinhança.

"Omanadia, quanto devemos?"

Ela tentou manter seu rosto sério, mas os olhos dançavam. "Quanto, madame? Mas o senhor Make não gostaria que eu dissesse. Ele é o homem, madame."

"Quanto, Omanadia?"

Ela fez dos dedos um ábaco. Tínhamos pagado apenas um décimo do preço dos tapetes. Devíamos mais da metade do custo da mobília do quarto. Não havíamos pagado nada das roupas de cama ou das toalhas bordadas. O pagamento das duas salas de estar e da sala de jantar estava atrasado e o nosso aluguel também, havia dois meses. Agradeci e disse a ela para tirar o restante da tarde de folga.

    O espectro do vice-xerife da cidade de Nova York estava à porta, escondido logo atrás das pesadas cortinas, esperando quase visível no meu jardim de flores bem-cuidado. O despejo em Nova York foi ruim, mas pelo menos eu estava em casa, onde meus amigos teriam ajudado se eu os visitasse. E sempre tinha a mamãe. Eu poderia ter pegado o meu filho e voado de volta para São Francisco. Mas se fôssemos jogados nas ruas do Cairo... junto aos outros vagabundos sem lar, a quem eu poderia pedir ajuda? Quando eu era jovem, pobre e indigente, resisti à assistência social dos Estados Unidos. Sem dúvida, eu não estava disposta a pedir ajuda em um país que estava tendo problemas para alimentar os próprios cidadãos.

    Eu tinha que conseguir um emprego.

    David atendeu o telefone e, quando eu disse que tinha uma emergência, ele concordou em me encontrar em um salão de chá no centro do Cairo.

    O restaurante era luminoso, com lustres de cristal, balcões de mogno polido e mulheres adornadas com joias, bebendo café turco em delicadas xícaras de porcelana. Era o cenário errado para minha história lamentável.

    David havia escolhido uma mesa com brilho no centro e, quando ele estendeu uma cadeira para mim, decidi mentir — dizer que a emergência foi planejada, que eu só queria uma chance para sair de casa. Ou que estava planejando um banquete e não conseguia decidir o cardápio. Ele pediu uísque e eu falei sobre as festas da embaixada, sobre o jantar perto das pirâmides, sobre como eu estava aprendendo árabe e sobre como Guy estava se arranjando na nova escola.

    Notei que ele não sorriu nenhuma vez. Quando enfim parei de tagarelar, ele perguntou, baixinho: "A emergência. Qual é a emergência?".

    "Nada, na verdade." Não tivemos tempo de construir uma amizade. Eu estava prestes a usá-lo simplesmente porque éramos ambos negros e americanos. O ditado da minha mãe, "Nós somos de cor, mas não somos primos", ecoou na minha mente. Eu não deveria presumir que nossa singularidade me desse licença para lhe pedir um favor.

"Tem a ver com Vus?" Ele olhou diretamente para mim, e pensei: *Será que tudo não tem a ver com Vus?*

Eu disse: "Estou ficando um pouco entediada, ficando parada em casa. Trabalhei toda a minha vida. Então, realmente, pensei que talvez você soubesse como eu poderia conseguir um emprego. Só para ter algo para fazer".

Ele relaxou e sorriu. "Você quer um emprego? Mulheres legais não trabalham no Cairo. Achei que você soubesse disso. Por que não se junta a uma das organizações de mulheres? Ou cria um clube entre as esposas dos diplomatas africanos? Você poderia escrever alguns artigos para os jornais negros americanos. O *Amsterdam News* ou algo assim. Nada para fazer?" Ele riu. "Garota, pensei que você estivesse falando sério."

Eu estava mais do que séria, estava desesperada. E fazendo cara de boba, parecia para David as mulheres frívolas que eu desprezava.

"David, estou falida. Cada peça de mobília daquela casa foi comprada em prestações. O aluguel está vencido e as mensalidades da escola de Guy estão atrasadas. Não tenho dinheiro suficiente para voltar para casa e não posso ficar aqui a menos que eu consiga um emprego." O sorriso desapareceu de seu rosto e ele assentiu. "Ok, ok. Achei que fosse algo assim. Talvez. Talvez, eu consiga algo para você. Farei o que puder. E quanto a Vus? Ele vai deixar você trabalhar?"

"Se eu conseguir um emprego, cuido do restante. Já passei por muitas coisas para voltar atrás agora. Já fui fritadeira, garçonete, dançarina de striptease, arrecadadora de fundos. Certa vez, tive um trabalho que era tirar a pintura dos carros com as mãos. E isso é apenas um bocado."

David balançou a cabeça. "Mulheres negras. Huh, huh. Ok. Vamos tomar outra bebida. Vou ligar para alguém que conheço hoje à tarde."

Saí do restaurante encorajada pelo álcool e por muita conversa arrogante, e me senti tão segura quanto as mulheres sustentadas pelos maridos que ainda levavam baclavas recheadas de mel até suas bocas vermelhas.

Dois dias depois, David me levou para conhecer Zein Nagati, presidente da Middle East Feature News Agency. O doutor Nagati era um homem enorme e bonito, vestia tweed amarrotado e tinha ares de professor universitário.

Ele falava com rapidez, sem nunca se repetir, como se estivesse acostumado a conversar com secretárias taquígrafas muito eficientes.

Ele tinha fundado uma revista chamada *Arab Observer*. A rigor, não era um órgão oficial do governo egípcio; ou seja, não estava diretamente sob a responsabilidade do Ministério da Informação. Seu posicionamento editorial, porém, seria idêntico ao da política nacional. Ele estava contratando um diagramador húngaro e já tinha doze repórteres trabalhando. DuBois disse que eu era uma jornalista experiente, esposa de um combatente pela liberdade e uma administradora experiente. Eu estaria interessada no trabalho de editora associada? Se sim, eu deveria compreender que, como não era egípcia, árabe nem muçulmana, e como seria a única mulher trabalhando no escritório, as coisas não seriam fáceis. Ele mencionou um salário que aos meus ouvidos soou como potes de ouro e, levantando-se, segurou a minha mão.

"Muito bem, senhora Make. Você começará na segunda-feira. Estarei lá para apresentá-la, e DuBois pode mostrar o local para você. *Salaam*."

Ele pegou sua pasta, inclinou a cabeça para mim, apertou a mão de David e saiu da sala.

Eu queria falar, mas senti que tinha caído em uma vala profunda com encostas íngremes e lamacentas.

Quando recuperei certo grau de consciência, David estava falando.

"Você não vai achar tão difícil. Eu ajudo. Me ligue a qualquer hora. Você fazia relatórios e administrava escritórios. De qualquer forma, você queria um emprego."

Ele se ofereceu para me mostrar seu escritório, que ficava no mesmo prédio, e, depois, me levaria para almoçar. Eu o segui humildemente, mas não me lembro de ter visto sua mesa ou de ter conhecido qualquer outra pessoa. Fomos ao Cairo Hilton, mas eu poderia ter comido sanduíches de vento e uma salada feita de nuvens. Meus pensamentos mordiscaram os exageros de David para o doutor Nagati com base nas mentiras que eu tinha lhe contado. E o maior pedaço, que estava na minha garganta e que me impediu de engolir alimentos sólidos, consistia em me perguntar que esperteza eu poderia inventar que me permitiria contar a Vus e manter o emprego e o meu marido ao mesmo tempo.

David me deixou no Ahmet Hishmat e me deu um tapinha no ombro. "Garota, percebe que você e eu somos os únicos negros americanos que trabalham na mídia do Oriente Médio?"

Dei um sorriso falso para ele e saí do táxi com aquela nova consciência cheia de responsabilidade.

Nos Estados Unidos, quando eu enfrentava qualquer situação nova, sabia o que fazer. Eu tinha tido uma formação parcial ao passar as noites e longos dias nas bibliotecas. Ofereci ao meu filho um bom conhecimento de informações gerais que aprendi nos livros emprestados. Mas, no Egito, enfrentei o dilema sem ajuda. Apenas a Embaixada Americana tinha uma coleção em inglês e, como eu tinha falado tão duramente com os africanos sobre a política racista dos Estados Unidos, ir até lá estava fora de questão.

Passei os dedos nos livros que Vus e eu trouxemos dos Estados Unidos. *Africa and World Peace*, de George Padmore, *As almas do povo negro*, de DuBois, livros de poemas de Langston Hughes e de Paul Laurence Dunbar, e *Nobody Knows My Name*, de Baldwin.

O livro de Baldwin me trouxe entusiasmo. Ninguém parecia saber o meu nome também. Fui chamada de tudo, desde Marguerite, Ritie, Rita, Maya, docinho, vadia, prostituta, madame, menina e esposa. Agora, no Egito, eu seria chamada de "editora associada". E ganharia esse título se trabalhasse como escrava. Bem, não exatamente, mas quase.

Guy trouxe para casa outro aviso sobre a mensalidade escolar, e eu lhe disse que já tinha combinado o pagamento. A prova da sua total confiança foi o fato de que a indagação em seu rosto desapareceu em segundos.

Vus voltou no domingo de manhã, descansado e bonito. Foi a única pessoa que conheci que conseguia terminar uma viagem de avião de dez horas parecendo tão refrescada quanto uma cédula novinha em folha. Exclamamos em razão de nossos presentes; ele trouxe um colar zulu para mim e um jogo de xadrez para Guy. Tivemos um grande jantar de domingo e Guy foi ao cinema com alguns amigos da escola.

Passamos uma hora adorável no quarto, refamiliarizando nossos corpos e, depois, levei chá quente e bolos para a sala. Vus se juntou a mim com seu roupão e chinelos.

Comecei com cautela.

"Eu vi David DuBois. Fomos tomar chá."

"Ah, ótimo. Como ele está?"

"Pedi a ele que me ajudasse a encontrar um emprego."

Vus balbuciou algo e depois esfregou a boca com um guardanapo.

Sua reação seguinte me assustou. Ele começou a rir. A princípio, algumas risadas, mas que se transformaram em uma gargalhada calorosa, depois ele perdeu o fôlego novamente. Quando se acalmou, suas primeiras palavras foram: "Vocês, mulheres negras. Quem sabe o que fazer com vocês?". Sua risada foi mais contida. "Negra e americana. Você acha que pode vir para o Egito e simplesmente conseguir um emprego? Que bobagem. Isso mostra a coragem da mulher negra e a arrogância do americano. Devo dizer, minha querida esposa, que essas não são qualidades muito atraentes. Não faça beicinho, Maya, sabe que te amo. Simplesmente existem coisas que não combinam com você. Eu te dei o livro de Gamal Nasser, você o leu? A RAU (República Árabe Unida) está comprometida em melhorar seus cidadãos, tanto econômica quanto politicamente. Como minha esposa, e também estrangeira, você nunca encontraria um emprego. Além disso, eu cuido de você. Gosto que você cuide de mim e de Guy, e..." — aqui ele massageou seu próprio queixo com amor — "...e talvez tenhamos um filho, um irmão mais novo para Guy".

Há um grito silencioso, que rasga as veias, separa os músculos e aperta os nervos, mas o corpo parece permanecer imóvel. Nunca tínhamos conversado sobre ter filhos. Eu tinha um filho. Parecia que eu tinha dado uma ordem para o meu corpo de que um era o bastante, porque, embora não usasse anticoncepcional, só tinha engravidado uma vez.

Ele ainda brincava com o queixo, puxando os pelos ralos.

"Vus, o aluguel está atrasado. Os cobradores estiveram aqui para que pagássemos os móveis e os tapetes. A escola de Guy enviou dois bilhetes para casa. Despedi o jardineiro e paguei Omanadia com o dinheiro da comida. Tenho que ir trabalhar."

"Mas vou providenciar para que todos sejam pagos. Sempre faço isso, não é?" Eu não responderia e não o lembraria do despejo em Nova York.

Ele aumentou a voz. "Não jogo dinheiro fora, você sabe disso. Só recebo subsídio para o escritório e para as despesas de subsistência. Viajar é caro. As despesas de impressão são altas. Devo manter minha aparência. E você também. Somos combatentes pela liberdade. Não somos pedintes."

Astúcia e destreza eram necessárias e, mesmo enquanto eu planejava, duvidava que fosse inteligente o suficiente.

"Vus, você diz que precisa de mim. Você precisa de uma mulher, não apenas de uma anfitriã. Sua luta é a minha luta. Preciso estar mais envolvida do que servir jantar aos refugiados e cuidar da sua casa."

Ele começou a interromper, mas continuei. "Se eu trabalhar, você pode gastar o subsídio de subsistência no escritório. Em vez de um boletim informativo trimestral, poderia enviar um boletim mensal. Poderíamos comprar casacos quentes para os novos fugitivos. Meu salário poderia cuidar das despesas da casa."

Ele ouviu e seus olhos brilharam por um segundo, depois a luz se apagou.

"Querida, você é uma mulher maravilhosa. Me desculpe pelas palavras duras. Você não é arrogante. Você é atenciosa. Agradeço a sua ideia. Mas não é possível. Você nunca encontrará um emprego no Cairo."

"Vus, consegui um emprego. Editora associada do *Arab Observer*. Começo amanhã."

Observei a descrença em seu rosto se transformar em raiva e depois em fúria.

"Você aceitou um emprego sem me consultar? Você é homem?"

Ele se levantou e começou a andar sobre o tapete caro. Seu discurso o levou do sofá até a entrada, até a cadeira grande e de volta para a minha frente. Sua difamação incluiu minha insolência, independência, falta de respeito, arrogância, ignorância, desafio, insensibilidade, atrevimento e falta de educação. Fiquei sentada, observando-o, ouvindo e pensando. Ele estava certo. Em algum lugar do enxame de palavras, tinha a minha descrição adequada. Também entendi que talvez tivesse ido longe demais. Até um homem negro americano teria considerado inadequada uma esposa tão teimosa, e ainda mais um marido africano, imbuído de uma tradição de, pelo menos, a aparência da autoridade masculina. Percebi que tinha guiado mal a coisa. Eu devia ter sido mais delicada. Devia ter dado tempo para Vus me ver deprimida e triste. Assim, ele poderia ter coagido de mim a razão do meu humor. Eu poderia ter manipulado a situação de tal maneira que ele mesmo teria sugerido que, talvez, eu devesse encontrar algo para fazer. Um trabalhozinho de meio período. Talvez um pouco de trabalho de secretariado à tarde. Com a consciência da minha infeliz má gestão, veio a chocante constatação de que eu não estava mais apaixonada.

O homem parado à minha frente, desafogando sua fúria, empregando seu vocabulário pitoresco, não era mais o meu amor. O último punhado de mistério tinha desaparecido. Houve uma atração física tão forte que, quando ele se aproximava, a umidade se acumulava em todos os lugares onde meu corpo se tocava. Agora ele estava ao alcance da minha mão e a atração tinha desaparecido. Era apenas um homem gordo, parado em cima de mim, me repreendendo.

Sua raiva enfim foi dissipada, sua energia enfraqueceu. Esperei até que Vus recuasse e se sentasse na cadeira de frente para mim. Ele estava exausto com a torrente de censuras e eu estava entorpecida pela perda do amor. Ficamos sentados olhando um para o outro, para o chão, para as tapeçarias, um para o outro novamente.

Ele foi o primeiro a falar. Sua voz era suave.

"Você deve ligar para David e explicar que agiu como uma mulher americana, mas que voltou para casa e lembrou que agora você é uma esposa africana."

Eu sabia que nem ameaças nem a persuasão me fariam desistir do emprego.

Deixei minha voz suave e sedosa. "Dei a minha palavra. Não apenas para David, mas para o doutor Zein Nagati. Ele é amigo de Gamal Abdel Nasser e sabe que sou sua esposa. Ele disse que precisam de mim. Isso pode refletir mal no seu nome se eu desistir agora."

Vus se levantou novamente. "Você vê? Você vê como o seu jeito americano tolo e obstinado colocou a luta em risco?"

Ele tentou aumentar a raiva anterior, mas estava cansado demais para fazê-lo. Voltou para o quarto e reapareceu vestido. Passou por mim e saiu de casa, batendo a porta.

Continuei naquela sala linda, pensando. Eu tinha um filho para criar e uma casa linda. Eu tinha um trabalho para o qual não estava qualificada. Tinha um marido zangado, a quem não amava mais. E eu estava no Cairo, Egito, onde não tinha amigos.

A campainha tocou e, ao pensar que Vus tinha saído e deixado as chaves, eu a abri. David DuBois sorria na penumbra. Sorri porque ele parecia a Libertação em pessoa.

"Garota, achei que você pudesse estar ficando nervosa com o amanhã. Então vim dizer que tudo vai ficar bem."

Nós nos sentamos na sala e conversamos levemente sobre o jornalismo e as expectativas. Eu queria aliviar minha irritação. Queria lhe dizer que não somente eu não sabia ser editora associada, mas que meu marido se opunha com veemência a eu ser qualquer coisa que não sua esposa obediente.

Vus entrou durante nossa conversa. Quando viu David, seu rosto se iluminou, as bochechas pesadas se ergueram e ele sorriu com prazer.

Abraçaram-se enquanto ele chamava David de "meu irmão". David deve ter notado que ele não falou comigo.

"Vus, você deve estar orgulhoso da sua esposa. Quero dizer, do trabalho."

Vus gelou e se encolheu. "Trabalho?" Ele disse essa palavra como se nunca a tivesse usado antes.

David olhou para mim e percebeu a tristeza que não tentei esconder. Ele se virou para Vus. "Quando você estava fora, ela me telefonou. Eu a levei para tomar chá e ela disse que você estava trabalhando tanto, se esforçando tanto, que ela começava a se preocupar com a sua saúde. Ela disse que, como sua esposa, teria que carregar parte da carga. Que nenhum homem poderia continuar a fazer tudo o que você faz sem ajuda."

O corpo de Vus começou a relaxar. Seus ombros caíram para a posição natural, um sorriso lento começou a afrouxar suas feições tensas.

Com as palavras, David afastava a hostilidade de Vus. "Ela disse que a maioria dos homens africanos na sua posição nunca permitiria que suas esposas trabalhassem, mas que você era um revolucionário e que o sucesso do conflito africano era o seu objetivo."

Vus assentiu. "Verdade, verdade."

David era persuasivo, convincente e mentiroso. Também era meu irmão criativo, solidário e de raciocínio rápido.

Fiquei surpresa ao descobrir, quando Vus e eu fomos para a cama, que estar nos braços de um estranho em nada diminuiu o meu prazer físico.

Vus insistiu em me acompanhar até o centro da cidade, até os escritórios do *Arab Observer*. Quando entramos na enorme sala que parecia um loft, David gritou de um canto distante. Cumprimentou Vus primeiro, depois a mim. Primeiro apresentou Vus aos meus colegas, e todos os homens apertaram as mãos, perguntaram pela saúde uns dos outros e agradeceram a Deus em árabe. Eu estava fora da cerimônia como uma criança desamparada na porta de um orfanato. Depois que terminaram de se saudar, curvar-se e sorrir, David acenou para mim e fui apresentada.

Embora eu sentisse pouca cordialidade, relaxei, porque, pelo menos, os homens não eram antagônicos. A presença de Vus lhes assegurou de que eu não era uma mulher audaciosa desafiando a comunidade masculina deles. Eu pertencia a um homem que, provavelmente em circunstâncias apropriadas, estava colocando a esposa para trabalhar. Ao apresentar Vus primeiro, David seguiu o ritual estabelecido e dissipou a hostilidade antes que ela pudesse se acumular.

Tive de admitir que, embora a decisão de Vus de me acompanhar ao trabalho (meu pai nunca me acompanhou no primeiro dia de aula) tenha me enfurecido, sua presença foi uma dádiva de Deus.

Mostraram-me minha mesa e um funcionário trouxe para todos nós pequenas xícaras de café de um braseiro perto da janela. Quando a cerimônia de beber café enfim terminou, Vus apertou outra vez a mão de todos os homens, acenou para mim e saiu do escritório. David ficou mais alguns minutos e depois apertou a mão de todos na sala. Quando pegou minha mão, disse calmamente: "Você causou uma boa impressão. Ligarei para você mais tarde".

Não disse nada, não fiz nada, não demonstrei inteligência, sagacidade ou talento. Deveria presumir que essa tenha sido uma boa impressão?

A ignorância me manteve na cadeira por pelo menos uma hora. Homens, cujos nomes eu já tinha esquecido ou não tinha ouvido com nitidez na primeira apresentação, passavam pela minha mesa, com as mãos cheias de papéis e os olhos desviados. O funcionário me trouxe xícaras e mais xícaras de café doce e preguiçoso, que bebi obedientemente.

De repente, ouviu-se um grande som de papéis balançando, pés correndo, máquinas de escrever batendo. O doutor Nagati tinha chegado. Balançou a cabeça para os repórteres agora diligentemente ocupados e veio diretamente para a minha mesa.

"Senhora Make?" Eu me levantei. "Como você está? David estava aqui? Você foi apresentada? Bom." Ele levantou a voz e, falando em árabe, fez com que os funcionários se reunissem ao seu redor. Mais uma vez, fiquei fora do círculo de homens, sem entender, à medida que ele continuava a falar em tom explosivo. Ele passou para o inglês sem alterar a força da fala.

"Senhora Make?" Foi uma ordem gritada para chamar a atenção, em um desfile de gala.

"Sim, doutor Nagati?" Atravessei a passagem agora aberta para enfrentar o grande homem. Ele olhou para mim e tentou sorrir, mas falhou.

"Este homem trata das notícias britânicas. Este é responsável pelas notícias europeias, este é o editor das notícias soviéticas, este é americano, este é asiático, e você escreverá sobre a África. Você verá os materiais deles também, e eles verão os seus. O *Arab Observer* será semanal, a partir da próxima semana. Fazemos a impressão no porão deste prédio. Você vai descer agora comigo e conhecer os tipógrafos."

Sem outra palavra, ele foi embora. Levei apenas um segundo para perceber que ele esperava que eu o seguisse.

Entramos na sala mal iluminada e empoeirada do andar inferior. O doutor Nagati ergueu a voz, gritando em árabe. Os homens vestidos com as jelabas tradicionais pareciam fantasmas saídos da escuridão. De repente, luzes brilhantes expuseram os recantos mais distantes.

Fui apresentada em inglês como "senhora Make", a nova editora associada. Os homens apertaram a minha mão e me receberam em árabe. Sorri e desejei que o doutor Nagati ficasse no prédio para sempre ou, pelo menos, que voltasse comigo para os escritórios do andar de cima.

Nós nos despedimos dos tipógrafos, e ele falou até chegarmos à porta que dava para fora do prédio. A revista deverá estar pronta para distribuição na próxima semana. Deverá ter graça e ser linda. Suas notícias deverão ser oportunas e precisas. Devo lembrar que, embora nenhum dos homens tivesse trabalhado com mulheres antes, exceto possivelmente secretárias, todos eram cultos e capazes. Falando em secretárias, ele me enviaria algumas mais para o fim da semana.

"Tchau, senhora Make. Tenho certeza de que se sairá bem." Ele empurrou a porta e desapareceu por ela, enquanto minha boca estava aberta o suficiente para permitir a entrada de um enxame de moscas.

Voltei à minha mesa. Pelo menos eu sabia que era esperado que eu cobrisse os assuntos africanos. Seria necessário recolher todos os jornais, revistas, periódicos e ensaios. Um grande mapa e um conjunto do *Oxford English Dictionary* me ajudariam. Agora, bem agora que não desejava mais Vus, eu precisava dele. Cada fato que ele aprendeu estava arquivado de maneira ordenada em seu cérebro metódico. Ele conhecia as tribos, os líderes, a topografia, o clima e os posicionamentos políticos de todos os países do continente.

Dois repórteres, o funcionário do café e eu chegamos à minha mesa ao mesmo tempo. O garçom largou a pequena xícara e foi embora conforme os dois jornalistas puxavam as cadeiras. Quando me sentei, eles repetiram seus nomes e se puseram a conversar comigo, de maneira bastante aconchegante. Concordamos de modo tácito que a nossa primeira apresentação nunca tinha acontecido. Ofereceram-se para me mostrar a máquina de Telex e como eu poderia adquirir material de apoio para qualquer comunicado à imprensa. Propuseram que eu mudasse minha mesa para uma sala ao lado, onde havia uma biblioteca com centenas de livros em inglês. O sorriso começou na minha barriga, atrás dos joelhos ou sob as unhas dos pés. Ondulava docemente, inundando o meu corpo com calor e bem-estar. Pensei no Compadre Coelho. Como todas as crianças negras do sul, eu ouvia os contos populares desde a minha juventude, e um dos meus favoritos voltou à minha mente enquanto estava sentada naquela escancarada área de redação no Cairo.

Durante anos, o Compadre Coelho roubou as cenouras de uma horta e, depois de muitas tentativas, depois de muitas armadilhas elaboradas, mas ineficazes, o dono do terreno finalmente conseguiu capturá-lo.

O homem estava vermelho de raiva. Ele sacudiu o coelho até que o rabo dele quase caiu. Ele disse: "Coelho, agora te peguei. E vou fazer a pior coisa do mundo com você. Quero dizer, algo bem ruim. Quero dizer, a coisa mais cruel. Vou fazer você chorar e gritar e desejar que Deus nunca mais coloque fôlego no seu corpo".

O coelho caiu no choro. "Por favor, senhor fazendeiro. Não faça a pior coisa comigo. Faça qualquer coisa, menos isso. Mas não acho que você saiba qual é a pior coisa. Então faça o que quiser." O coelho começou a se arrastar e a sorrir. "Mas não faça a pior coisa."

O fazendeiro encarou o coelho com desconfiança. Ele perguntou: "Qual é a pior coisa?". O coelho disse: "Não vou te contar". O fazendeiro se pôs a mentir. "Pode me dizer, coelhinho. Não vou fazer isso. Eu te prometo."

O coelho começou a relaxar. Ele perguntou ao fazendeiro: "Jura que, se eu te contar, não vai fazer isso comigo?". O fazendeiro colocou a mão no coração e jurou. O coelho relaxou ainda mais.

Ele disse: "Fazendeiro, você tem uma grande panela de ferro preta. Você pode enchê-la com banha e acender o fogo embaixo dela e me fritar em óleo fervente e eu não me importaria".

O fazendeiro duvidou, mas o coelho continuou falando: "Você pode me esfolar vivo e usar minha pele para fazer um casaco para sua filhinha, e estaria tudo bem para mim". O fazendeiro olhou para o coelho, incrédulo, mas o coelho continuou.

"Você pode cortar todas as minhas patas e dar para os seus amigos para que tenham sorte, e eu gostaria disso. Mas o pior..."

O fazendeiro estava ficando animado. "Diga-me, coelhinho, qual é a pior coisa?" O coelho começou a tremer, sua voz ficou tão baixa que o fazendeiro mal conseguia ouvir. "Está vendo aquele canteiro de arbustos ali?" Ele apontou para um monte de urtigas. "Por favor, não me jogue ali." O rosto do fazendeiro ficou duro. Ele perguntou ao coelho: "Tem certeza de que isso é a pior coisa?". O coelho disse: "Elas ficam nas minhas costelas como agulhas em chamas, estouram nos meus olhos como espinhos, me prendem como correntes e açoitam o meu corpo como chicotes. Por favor, não me jogue no caminho das sarças".

O fazendeiro pegou o coelho pelas orelhas, ergueu-o bem alto e começou a balançá-lo sobre a cabeça, perguntando o tempo todo: "Tem certeza?". E o coelho respondia, chorando: "É a pior coisa!".

Por fim, quando o fazendeiro fez o coelho girar em alta velocidade, ele apontou para o canteiro de arbustos e o soltou. Compadre Coelho caiu em pé. Seus olhos estavam secos e brilhantes. Suas orelhas se animaram e acenaram. Compadre Coelho sorriu para o fazendeiro, seus dentes brilhando, brancos como leite de manteiga. Ele disse: "Em casa, finalmente. Finalmente, em casa. Grande Deus Todo-Poderoso, finalmente cheguei em casa".

Sorri docemente enquanto os homens empurravam e puxavam a minha mesa para dentro da biblioteca. Quando partiram e fiquei diante das estantes lotadas, lendo títulos e nomes de autores desconhecidos para mim, ainda assim me senti como o Compadre Coelho no caminho das sarças.

Capítulo 17

Durante duas semanas, fiquei na sala, aproveitando cada momento livre para retirar das prateleiras informações sobre jornalismo, escrita, África, impressão, publicação e edição. A maioria dos livros era escrita por autores já mortos e publicada anos antes, na Grã-Bretanha; ainda assim, encontrei pepitas de acontecimentos úteis.

A chegada das secretárias me obrigou a voltar para a sala maior com os meus colegas, mas, àquela altura, eu já tinha um vislumbre de jargão jornalístico. Comecei a combinar notícias tiradas diretamente do Telex e inserir nelas, como pano de fundo, algumas informações obscuras e ligeiramente relevantes. Então, eu encabeçaria a cópia e a chamaria de minha.

Permaneci no *Arab Observer* por mais de um ano e gradualmente a minha ignorância diminuiu. Aprendi com Abdul Hassan como escrever um artigo de opinião com tanta sutileza que o leitor pensaria que a opinião era dele. Eric Nemes, o diagramador, me mostrou que onde um artigo era colocado em uma página, sua tipografia e até mesmo a cor da tinta eram tão importantes quanto o texto mais bem escrito. David DuBois demonstrou como selecionar uma história e perseverar até que o último retalho de informação estivesse nas minhas mãos. Vus me forneceu detalhes sobre os Estados africanos recém-independentes e politicamente fluidos. Recebi um aumento do doutor Nagati, o respeito dos meus colegas de trabalho e alguns elogios de estranhos.

Os dias de semana começavam com um café da manhã familiar servido por Omanadia. Vus lia o jornal, o rosto de Guy estava enterrado em um livro e eu examinava o trabalho que sempre trazia para a mesa. Muitas vezes, depois de sairmos de casa, seguindo caminhos separados, eu pensava que tínhamos perdido novamente a arte de conversar. Tínhamos parado de nos divertir uns com os outros.

 A vida de Guy estava se tornando intrinsecamente complicada. Era exigido que lidasse com a sexualidade adolescente, com o enigmático idioma árabe, com um corpo que parecia se esticar para tocar as nuvens e com outro lar triste. Na tentativa de se proteger, ele se refugiava nos livros ou se jogava nas ruas selvagens e barulhentas do Cairo.

 Eu me ofereci para dar festas para os amigos árabes dele a fim de que ele pudesse ficar mais tempo em casa. Guy recusou de modo educado, mas com frieza, dizendo que nem ele nem seus conhecidos queriam ficar trancados. Preferiam estar nos *souks* e nas ruas de trás, na cidade velha e na grande praça Al-Tahrir, e que não se preocupasse com ele, ele estava bem.

 Nenhum de nós conseguia mascarar com sucesso a própria infelicidade. Estávamos muito perto, havia muito tempo. Aceitamos com respeito mútuo a pretensão de contentamento do outro.

 O trabalho de Vus dobrou.

 O número de homens que escapavam da África do Sul aumentava de maneira exponencial. Alguns só chegavam à Rodésia do Norte, onde permaneciam escondidos até que os preparativos para sua fuga pudessem ser arranjados. Alguns homens se alojavam na Etiópia, mas tinham de ser transferidos, e a responsabilidade de Vus era encontrar nações amigas onde os agora "sem-teto" pudessem ficar. Todos precisavam de roupas, comida e abrigo. Alguns queriam treinamento militar, ao passo que outros pediam educação médica ou jurídica. A preocupação de Vus sobre eles nunca vacilou.

 Embora o romance no nosso casamento tivesse evaporado, eu ainda o admirava e apreciava. Até o amava; simplesmente não era mais apaixonada por ele. De qualquer maneira, havia ampla evidência de que ele tinha outros interesses românticos. Com frequência, Vus voltava para casa muito tarde, cheirando a perfume, com as pálpebras pesadas e sem fornecer qualquer explicação. Certas noites, nem voltava. Eu não disse nada. Tinha meu trabalho, minha casa e tinha feito duas amigas: A. B. Williamson, a linda esposa do Encarregado de Negócios da Libéria, e Kebidetch Erdatchew, esposa do Primeiro-Secretário da Embaixada da Etiópia. Superficialmente, parecíamos não ter nada em comum, exceto o nosso gênero e a nossa negritude. Kebidetch era magra, pequena e casada com um filho da Casa Real Selassie. Era tão bonita quanto ouro antigo e tão reservada quanto uma abóbada, e nos fazia acreditar no popular ditado africano que dizia que as mulheres mais bonitas do continente podiam ser encontradas na Etiópia.

A beleza dela era lendária. Um dia, em Adis Abeba, o majestoso Jarra Mesfin a avistou de dentro de um carro e decidiu, com aquele olhar apressado, que se encontraria com ela, a cortejaria e se casaria com ela. O namoro e o casamento que se seguiram tornaram-se tema de canções populares cantadas nas ruas e cafés da Etiópia. Sete anos depois, ainda trocavam olhares lânguidos pelas salas lotadas. Não tinham filhos e viviam em Zamalek, em um apartamento tranquilo e luxuoso, com um empregado idoso que trouxeram da Etiópia.

A. B. (amigos a chamavam de Banti) foi criada na região subdesenvolvida da Grand Bassa, na Libéria. Sua família a enviou para Monróvia, a capital, para continuar seus estudos. Sua aparência atrevida e seu bom humor conquistaram seus amigos e o casamento com um jovem advogado brilhante, cuja carreira estava apenas começando a decolar.

O casal vivia na Residência do Embaixador com os três filhos, a irmã mais nova de Banti, a filha adolescente de um amigo, duas empregadas liberianas, uma babá, um lavadeiro egípcio, um porteiro e uma cozinheira. A construção estremecia com o barulho. As crianças barulhentas brincavam de pega-pega na graciosa escadaria. O gênero musical highlife, da África Ocidental, ressoava do grande toca-discos, as meninas riam de seus segredos de menina, na sala de estar cerimonial, e Banti movia seu corpo baixo e rechonchudo pela casa, sua risada acrescentando mais um tempero à cacofonia já aromática.

Kebi, Banti e eu tínhamos nos encontrado várias vezes em eventos diplomáticos e na minha casa, durante uma das nossas festas suntuosas, mas não cruzamos a soleira do coleguismo cortês para a amizade até uma noite na Residência Liberiana, quando uma multidão de visitantes encheu cada centímetro dos espaços no primeiro andar do edifício. Diplomatas africanos, asiáticos e europeus com suas esposas se misturavam a funcionários do governo egípcio e suas esposas. Garçons, contratados para a ocasião, cutucavam a multidão, empurrando as bandejas de bebidas para os convidados.

Eu estava sentada com uma mulher iugoslava no salão informal quando ouvi a voz de Vus como parte do murmúrio geral da multidão na outra sala.

"Falo pelos xhosa, pelos zulu, pelos shona e por lesoto. Vocês são um povo tolo. Tolo." Eu me levantei em um pulo e, lembrando-me dos meus modos bem a tempo, pedi licença. (Vus estava aproximando os iugoslavos naquele momento.) Abri passagem no rebanho de pessoas. O tom de Vus estava ficando mais alto.

"Uma nação tola e mesquinha e gananciosa. Vocês são maus e estúpidos. Estúpidos." Cheguei antes do que esperava porque, à medida que avançava, as pessoas mais próximas do local se afastavam, inacreditavelmente, se dispersavam. Deparei-me com Vus, que estava cara a cara com um homem branco, cujas bochechas vermelhas e cujos olhos esbugalhados eram sua única evidência de vida. Ele ficou rígido como uma pedra; poderia ter morrido ereto e se deixado no local para ser visto como uma estátua. O rosto de Vus, no entanto, estava cheio de desprezo e seu braço direito estava erguido. Ele cutucava o peito do homem branco com o dedo indicador.

"Conte para eles, diga aos selvagens do seu país que a Mãe África não permitirá mais que eles mamem no seu peito."

Eu sabia que Vus estava embriagado com o álcool, com a raiva ou com uma combinação perigosa dos dois. Todos os sons diminuíram para um volume baixo, constante e desaprovador. Eu me senti tão impotente como se estivesse muda ou hipnotizada.

"Falo pela África Meridional. Pelo Sudoeste da África. Por Moçambique, Angola..."

"E Etiópia." O som veio da retaguarda e ficou mais alto à medida que o orador se aproximava de Vus. "Ele fala pelos amharas e pelos gullas e pelos eritreus." Jarra apareceu, abrindo caminho entre o bando de corpos. Ele ficou ao lado de Vus. Houve outro movimento, vi outra separação e Kebi apareceu perto de Jarra.

O movimento dela me deu coragem para me aproximar de Vus, mas agimos por motivos diferentes. Ela estava demonstrando seu apoio a Jarra; eu esperava que a minha presença provocasse Vus a recuperar seu controle. Nós cinco ficamos no meio da sala, como tribos em guerra em uma clareira na floresta, e chegamos a um impasse. A voz já estridente de Joe Williamson se elevou sobre a multidão.

"Irmãos. Irmãos." Joe se aproximou de Vus e de Jarra, delicadamente, como um galozinho orgulhoso. "Discutir é uma coisa. Motim é outra. Esta não é uma ocasião para nenhuma das duas."

Sem mudar de tom, ele falou no dialeto liberiano: "Um velho homem diz, no meu país: 'Depressa, depressa, venha cá amanhã. Separe um tempo, vá lá hoje'. Ou melhor ainda: 'Viemos para a festa para mostrar os dentes. Vamos para a guerra para mostrar as nossas armas'".

Vus se virou a fim de olhar para Joe, e prendi a respiração. Joe era o decano do corpo diplomático africano; apoiava Vus e todos os outros combatentes pela liberdade e era altamente respeitado no Cairo, e eu gostava dele. Se Vus se voltasse contra Joe, eu teria de o riscar da nossa lista de conhecidos, porque a língua de Vus conseguia ser afiada como uma azagaia, e Joe era um homem orgulhoso. Vus sorriu e assentiu com a cabeça. Ele disse: "Irmão Joe, você deveria ser o presidente de todo este continente".

Jarra, aproveitando o relaxamento de Vus, disse: "Fale pelo restante da África, Vusumzi, não pela Etiópia. No entanto, talvez o imperador faça dele um *ras*". Eles riram.

As pessoas reunidas pareciam exalar ao mesmo tempo. De repente, a música pôde ser ouvida. Os nós de pessoas se desfizeram. Vus, Joe e Jarra foram embora juntos, e o homem que havia sido o objeto do discurso de Vus desapareceu. Apenas Kebi, Banti, que estava atrás do marido, e eu ficamos no meio da sala. Kebi olhou para nós, ergueu as sobrancelhas e encolheu levemente os ombros frágeis. Banti colocou as mãos nos quadris e sorriu com malícia. Pensei em nós como soldados de infantaria, na retaguarda de uma guerra cuja declaração não havíamos conhecido, abandonadas no campo de batalha depois de alcançada uma paz da qual não tínhamos participado. Gargalhei alto. Banti e Kebi riram. Nós nos aproximamos e, sorrindo, tocamos os ombros, braços, mãos e bochechas uma das outras. Trazidas à amizade pelo primeiro homem, e pela mediação inteligente e bem-humorada do terceiro homem, nós, três mulheres, seríamos inseparáveis durante o próximo ano e meio.

Nunca descobri qual fusível acendeu a conflagração. Em casa, Vus respondeu à minha pergunta: "Ele estava errado e era muito covarde para dizer o que queria dizer".

"Ele insultou você? Quero dizer, nós, a nossa raça?"

"Não diretamente. Como a maioria dos racistas brancos, ele era paternalista. Eu teria preferido que ele me desse um tapa a ter falado mal de mim. Então, eu poderia devolver na mesma moeda."

Concordei totalmente. Alguns brancos, na companhia de negros, assolados pela contradição entre o racismo há muito aprendido e as exigências de cortesia, ofendem confusamente os negros que ouvem. O estereótipo *Alguns dos meus melhores amigos...* e outras tentativas constrangedoras do que consideram ser civilidade provocam nos negros uma explosão de raiva que os brancos não conseguem compreender nem evitar.

A incapacidade de falar árabe fluentemente e a diferença de culturas dificultavam a amizade com as mulheres egípcias. As secretárias do meu escritório não eram corajosas o suficiente (entendi que, como editora negra norte-americana de um metro e oitenta de altura, eu era meio que esquisita), nem tinham tempo (muitas tinham conseguido os empregos para ajudar os pais e irmãos necessitados), nem estavam interessadas o suficiente (algumas já estavam noivas e trabalhavam para pagar seus enxovais) para responder às minhas propostas amigáveis.

Eu já tinha ouvido falar de Hanifa Fathy e notei o respeito com que seu nome era pronunciado. Hanifa Fathy, a poeta. Depois, Hanifa, esposa de um juiz. Era incomum ouvir a aliança conjugal de uma mulher egípcia não ser relatada como a sua primeira conquista. Quando enfim nos conhecemos em uma conferência, fiquei surpresa ao achá-la bonita. Eu nunca tinha ouvido a aparência dela ser descrita. Ela usava o longo cabelo castanho-claro, como Lauren Bacall, e seus traços femininos fortes me lembravam os da ousada atriz americana.

Quando apertamos a mão uma da outra (o aperto de mão dela foi firme), ela disse que estava lendo meu trabalho no *Arab Observer* e decidira que devíamos nos conhecer. Aceitei seu convite para me encontrar com algumas escritoras, acadêmicas e professoras egípcias.

Na elegante sala de estar de Hanifa, conheci mulheres egípcias que tinham obtido doutorados em universidades europeias, bem como pintoras sérias e atrizes talentosas, mas as achei muito treinadas, muito profissionalmente fixadas para aceitarem o contato próximo da amizade. Hanifa, no entanto, era calorosa e espirituosa. Passávamos as tardes de sábado fofocando na varanda do country club do Cairo.

O meu casamento tinha forma, responsabilidade e nenhum romance, e, embora eu trabalhasse dez horas por dia no *Arab Observer*, meu salário escapava como a areia em uma ampulheta. Nunca tinha o bastante. Vus precisava de mais roupas, mais viagens, mais festas. Guy precisava de mais roupas e mais dinheiro de mesada. Eu precisava de mais de tudo ou, pelo menos, queria um aumento nas coisas que tinha e a posse das coisas que nunca possuí.

À primeira vista, as coisas pareciam ruins, mas eu não conseguia escapar de uma alegria que estava no meu colo, descansava nos meus ombros e se espalhava nas palmas de minhas mãos. Eu estava, afinal, morando no Cairo, no Egito, trabalhando e pagando minhas próprias despesas. Meu filho estava bem. Depois vieram David DuBois, Banti, Kebi e Hanifa.

Deparei-me com a possibilidade de ter um irmão e três irmãs. Poderia ter sido muito pior.

Banti deu uma festa hilária, para a qual só mulheres foram convidadas. A ocasião foi a celebração do aniversário de uma grande médica liberiana. Comidas elaboradas e uma variedade de bebidas foram servidas por funcionários uniformizados. A sala de estar estava decorada como se fosse para um evento supremo de embaixada, e um trio de músicos tocava melodias familiares.

As esposas e secretárias das embaixadas africanas e um punhado de mulheres egípcias e eu nos sentíamos deliciosamente importantes. Comemos, conversamos, bebemos, e metade das convidadas, por fim, dançou, movendo-se individualmente pelo piso de madeira polida de Banti. Cada mulher celebrava os passos de seu próprio país. Kebi, com as mãos nos quadris, deslizava os pés em pequenos passos, conforme levantava primeiro um ombro, depois o outro, e girava os ombros em uma ondulação sensual. Banti e a senhora Clelland, da Embaixada de Gana, dançaram highlife, pisando levemente, com os joelhos superficialmente dobrados, empurrando as costas um pouco para a esquerda, um pouco para a direita e diretamente atrás de si. Combinei um pouco de twist com swim e recebi risadas e aplausos de aprovação daquelas que estavam sentadas à margem.

A festa estava chegando ao fim quando uma jovem tomou a palavra. Ela usava um vestido tradicional da África Ocidental. A saia longa estampada e a blusa combinando abraçavam um corpo surpreendente. Ela tinha ombros largos, seios grandes e levantados, quadris ondulados e cintura de criança. Todas as dançarinas recuaram e encontraram lugares, enquanto a bela mulher se movia ao som da música. Ela girou e floresceu, se empurrou e vibrou, acompanhada pelo encorajamento e pelas risadas do público.

"Balance, garota. Balance."

"Mostre isso, menina. Mostre."

"Uau. Uau."

Ela fazia uma cara astuta, conhecedora, atrevida, e seus quadris largos se agitavam como se um pássaro, aprisionado em sua pélvis, tentasse voar.

A alegria das espectadoras me lembrou do prazer que as mulheres negras americanas mais velhas encontravam na sensualidade das outras mulheres. Anos antes, quando eu era dançarina de shake, algumas senhoras costumavam dar tapinhas nos meus quadris e exclamar: "Você conseguiu, querida! Requebre. Agora, requebre".

A alegria delas era pura, sensual e de aprovação. Se eram idosas, consideravam a sensualidade feminina uma extensão de sua própria e lembravam-se da própria juventude. As mulheres mais jovens recordavam os efeitos de sua relação sexual mais recente ou eram levadas pela sexualidade feminina a uma agradável antecipação de seu próximo encontro satisfatório.

Fiquei impressionada com o fato de as mulheres africanas e as mulheres negras americanas terem esse costume em comum.

Quando a música e a dança terminaram, me juntei às mulheres que se aglomeraram ao redor da dançarina, dando tapinhas, a acariciando e rindo.

"Sou do norte da Nigéria." Sua voz era suave e ela mantinha os olhos baixos, respeitando a idade e a posição das mulheres mais velhas. "Sou uma garota solteira com um bom dote. Estou aqui para encontrar amigas egípcias e estudar árabe."

Seu nome era Mendinah e ela obviamente estava procurando um marido.

Nós a elogiamos por sua beleza e a recebemos no Cairo, e, secretamente, desejei-lhe boa sorte.

Capítulo 18

Uma semana depois, Vus regressou de Adis Abeba. Ele me perguntou o que havia acontecido em sua ausência. Relatei sobre meu trabalho e que David tinha encontrado outra maneira de complementar meu salário. Eu tinha concordado em escrever comentários para a Rádio Egito e receberia quatro libras por uma crítica e uma libra extra por cada uma que narrasse.

Guy tirou notas aceitáveis nos testes recentes e generosamente passou mais tempo em casa enquanto Vus esteva fora. Também contei a Vus sobre a festa das mulheres e sobre Mendinah. Ele recebeu minhas notícias e me contou secamente sobre a viagem. Os nomes, antes exóticos, não me deleitavam mais, e Vus, havia muito tempo, tinha parado de tentar me encantar com as histórias de suas façanhas perigosas. Voltamos à sequência da nossa vida. O trabalho ocupava nossos dias e o ato amoroso parcimonioso encerrava algumas noites impassíveis.

A notícia que se espalhou no corpo diplomático africano foi que Mendinah era uma vagabunda, uma petulante, uma prostituta, uma rameira destruidora de lares. O boato foi um óleo quente derramado nos ouvidos das mulheres africanas que a admiravam. Ela tinha pedido reuniões com quatro embaixadores. Três relataram às suas esposas que a bela mulher tinha lhes oferecido favores em troca de dinheiro. Em semanas, ela tinha aberto um caminho lascivo entre os membros do corpo diplomático e suas esposas. O nome dela se tornou um alarme, forçando minhas amigas a se reunirem e cerrarem fileiras contra a perigosa intrusa.

Ela nunca seria convidada para a casa de outra mulher. Seria afastada de todas as portas e não seria cumprimentada na rua. Os maridos que caíssem em seus encantos teriam de lidar com o assunto na privacidade de seus casamentos, mas o desrespeito flagrante pelas esposas africanas tinha de ser punido em público.

Dois meses se passaram e não houve mais notícias sobre Mendinah na comunidade africana; ela perdeu o nome, não teve presença. Então, certa noite, uma mulher egípcia, que conhecia bem as mulheres africanas, deu uma festa. Vus e eu chegamos atrasados. Quando entramos na primeira sala, o salão informal, Banti, Kebi e sete senhoras já estavam sentadas nos sofás, com seus vestidos multicoloridos radiantes contra suas peles marrom-escuras. Elas cumprimentaram Vus, que respondeu e continuou no salão, onde mais convidados conversavam. Parei para trocar cumprimentos com minhas amigas e outras mulheres que conheci e gostei.

Nossa conversa-fiada foi interrompida de repente por um "Boa noite, senhora Make". O tom era inquietantemente familiar. Olhei para cima e vi Mendinah à porta em arco que dava para um corredor. Ela estava ao lado de um toca-discos. Balancei a cabeça para ela, que levantou a agulha da máquina, parando a música. Quando virou seu corpo fabuloso para mim, vi novamente o rosto astuto, a pequena sugestão de crueldade.

"Senhora Make, o senhor Make tem tentado falar comigo o dia todo. Ele ligou para todo o Cairo tentando conseguir meu número." Suas palavras, voz e intenção foram impiedosas e, por segundos, o meu coração se opôs ao seu funcionamento natural.

Com facilidade, ela empurrou sua voz por todo o meu corpo. "Quando por fim me encontrou, disse que precisava falar comigo, me ver sobre algo muito importante." À medida que ela olhava para as mulheres sentadas, cerrei os dentes e mantive a severidade da minha avó havia muito falecida.

"Eu me recusei a deixá-lo ir até o meu apartamento." Seus olhos rapidamente voltaram a se fixar em mim. "Então ele disse que tinha a ver com você. Que você precisava de alguém para ajudá-la no escritório.

Estou procurando emprego, sabe." Mais uma vez, seus olhos correram para as mulheres africanas e rapidamente se voltaram para mim.

Nada aconteceu. Nenhum anjo veio me levar a um céu merecido. Ninguém sacudiu meu ombro para me acordar desse pesadelo paralisante. Ninguém se mexeu. Vasculhei a minha mente, reunindo cada fragmento de habilidade, destreza e astúcia, e me aproximei dela.

"Mendinah?" Mantive a voz suave e arrogante. Ela olhou para o meu rosto quando me aproximei.

"Eu sou Mendinah, senhora Make." O tom da sua resposta foi atrevido.

"E você estaria disposta a trabalhar para mim? Com um salário muito alto? Com subsídio para aluguel e possivelmente um carro particular? Estaria disposta?"

A mentira abandonou o seu rosto e, de repente, ela se transformou em uma menina, que poderia ter sido a minha irmãzinha. Suas defesas estavam baixas, ela estava vulnerável, e a empurrei com toda a minha vontade.

"Infelizmente, a vaga já foi preenchida, mas, se não tivesse sido preenchida, querida Mendinah" — eu ainda estava falando baixo — "você nunca serviria. Você é ignorante e é uma vagabunda." Dei-lhe um sorriso sujo e a ultrapassei a fim de entrar no salão.

Felizmente, uma fileira de cadeiras estava alinhada próxima à uma parede. Fui diretamente para um assento. O fôlego e o orgulho deixaram o meu corpo. Meu estômago estava vazio e minha cabeça, leve. Eu me sentei ereta por hábito e treinamento precoce. Banti e Kebi entraram correndo e se sentaram ao meu lado. Banti pegou uma de minhas mãos, e Kebi, a outra.

Ambas murmuraram em consolo.

"Você foi maravilhosa, irmã, maravilhosa." Essa foi Banti.

"Você me deixou orgulhosa de você, Maya." Kebi apertou a minha mão.

"Você pareceu uma rainha-mãe."

"Uma princesa."

"Não chore. Agora não. Você resolveu. Acabou."

Banti se inclinou na minha direção, me forçando a olhar para seu rosto sério. "Irmã, você será vingada. Não se preocupe. Sabe o que os anciãos dizem no meu país?" Ela tinha passado do inglês formal para o melódico sotaque do interior da Libéria. "O ancião diz: 'Se você mexer com Jesus Cristo, Deus vai fazer você cagar'."

Ela assentiu com a cabeça, confirmando a própria declaração.

A blasfêmia e o humor me atingiram ao mesmo tempo. Fiquei chocada e com cócegas. Acomodar na mesma frase Deus, Jesus Cristo, justiça, vingança e a palavra "cagar" era tão incongruente que me assustei com a humilhação do anúncio de Mendinah.

Os rostos de ambas as amigas estavam solenes de preocupação, ambas as cabeças balançavam de acordo com a sabedoria do ancião de Banti. Por fim, assenti, sorri e me levantei. Vus estava sozinho, próximo a uma janela distante.

"Ah, minha querida. Bela festa, né?"

"Vus, quem é aquela garota ali, pondo os discos para tocar?"

Ele se virou e olhou diretamente para Mendinah, cuja silhueta se destacava contra as paredes brancas.

Vus balançou a cabeça. "Não sei. Não." Sacudindo a cabeça, os olhos escuros de perplexidade.

"Vus, você a conhece. Não minta. Pelo menos, não minta."

Ele se virou na minha direção, um reconhecimento repentino suavizando os traços de seu rosto. "Ah, então aquela é a Mendinah, sobre quem você estava me contando?"

Eu queria lhe dar um tapa até que ele se quebrasse e estourasse como uma pipoca.

Eu me afastei. Não tinha certeza do que Deus faria se alguém mexesse com Seu único Filho, nem como eu reagiria quando abandonasse a atitude obediente de uma esposa receptiva e permitisse que minha feminilidade negra e americana emergisse.

A viagem silenciosa para casa parecia interminável. Vus dirigia devagar, deixando o carro velho e frágil escolher a própria velocidade.

Quando enfim chegamos ao apartamento, verifiquei o quarto de Guy e o encontrei dormindo. Essa parte da minha vida foi confortavelmente calculada. Agora bastava encarar o meu companheiro e antigo amor, que eu ouvia arrastando os móveis pela sala. Entrei no nosso quarto e fiquei parada no escuro, imaginando como começar.

"Maya. Maya, não vá para a cama ainda." Saí e segui pelo corredor. O homenzarrão se sentou sereno e arrumou uma cadeira de frente para ele.

"Sente-se aqui, Maya. Quero falar com você sobre Mendinah. Mendinah e todas as outras."

Houve um momento de alívio. Pelo menos, não precisei iniciar a conversa. Esse breve alívio foi afastado por um medo abismal. Se Vus insistisse que eu aceitasse sua infidelidade, eu teria de o deixar. Perdoá-lo aumentaria o delito. Eu tinha ouvido falar de homens que traziam outras mulheres para suas casas, para as camas que dividiam com as esposas. Se Vus estivesse planejando tal ultraje, eu teria de catar o meu filho e os meus calcanhares e pegar a estrada mais uma vez.

Eu me sentei de frente para ele, nossos joelhos se tocando.

"Sou um homem. Um homem africano. Não sou primitivo nem cruel. Uma nação de intrusos e a maioria dos brancos do mundo me negariam em todos os aspectos, mas me permiti lidar com cada uma dessas situações apresentadas." Essa seria uma longa noite.

"Um homem requer certa quantidade de satisfação sexual. Muito mais do que uma mulher precisa, quer ou entende."

"Isso é mentira, Vus. Você não é mulher. Como sabe do que preciso?"

"Não escolho discutir um ponto que não possa ser provado, mas que seja tacitamente acordado. Vou continuar. Como homem africano, na minha sociedade, tenho o direito de me casar com mais de uma mulher."

"Mas isso não é verdade na minha sociedade e você sabia disso quando nos conhecemos."

"Conheci você nos Estados Unidos" — ele sorriu — "mas agora estamos na África."

Ele insinuava que a geografia afetava seus testículos? Lembrei a Vus que ele tinha sido infiel em Nova York.

Ele parecia chocado. "Você não tem nenhuma evidência disso." Ele estava quase certo. Eu tinha apenas o cheiro persistente do perfume e as maquiagens inesquecíveis em suas roupas.

Quando eu não disse nada, ele relaxou e se recostou na cadeira, abrindo as coxas vastas. "Para um homem africano, a relação sexual só é importante enquanto dura. Não é o fator que mantém uma família unida. Agrada e alivia a tensão, para que possamos cuidar da vida."

Perguntei com uma doçura sarcástica: "E as mulheres africanas? Elas não querem prazer e libertação?".

Ele franziu a testa, ofendido. "Não te satisfiz sempre? Já deixei você desejando? Voltei para casa em muitas noites, fisicamente esgotado e absorto pelo meu trabalho, mas cumpri meu dever com você. Negue isso, se puder."

A conversa estava fugindo de mim. O ônus e a culpa estavam sendo transferidos para o meu colo, onde certamente não pertenciam.

"Não te amo mais, Vus." Era a verdade, mas não a usei como uma declaração, mas sim para assustá-lo e recuperar um pouco de vantagem.

Ele ficou à vontade. "Sei disso, minha querida. Já sei disso há muito tempo. Nem eu estou mais apaixonado por você. No entanto, nós nos respeitamos e nos admiramos. Temos o trunfo dos objetivos mútuos: a luta pela liberdade, a lealdade à Mãe África." Ele parou por um segundo e depois continuou com uma voz mais suave. "E o futuro de Guy como um homem africano."

Naquele segundo, endureci o meu coração. Não acreditei em todas as bobagens legitimadoras que Vus inventou sobre a infidelidade masculina africana e não permitiria que ele ensinasse aquilo ao meu filho.

"E quanto a Mendinah? Me conte sobre ela. Me diga por que colocou o meu nome na boca dela, quando tudo que você queria era levá-la para a cama?"

"Peço desculpas a você por isso. Sinceramente." Sua mente ligeira o serviu com rapidez. "Apesar de eu ter ouvido você dizer que gostaria que tivesse outra mulher negra no seu escritório."

Sempre houve, para mim, períodos nas discussões em que os meus pensamentos giravam em círculos semissólidos, sem deixar qualquer frase em evidência para minha mente agarrar. Fico muda até que a confusão diminua e eu seja capaz de escolher palavras suficientes para formar uma primeira frase. O momento tinha chegado. As ideias corriam como crianças enlouquecidas em um jogo maluco de pega-pega. Vus era africano e seus valores eram diferentes dos meus. Entre as pessoas que eu conhecia, minha família e amigos, a promiscuidade era o golpe final no casamento. Derrubava os pilares de confiança que sustentavam o relacionamento. Também era fisicamente perigoso. As doenças venéreas poderiam facilmente ser o resultado de uma satisfação momentânea indiscreta. Era desleal e, finalmente, hostil. Nem era uma característica exclusiva dos homens africanos. Desde o início da história humana, todas as sociedades tentaram lidar com esse costume. A Bíblia judaico-cristã proibia o adultério, para ambos os sexos. Geralmente, porém, as mulheres pagavam o preço mais alto, perdendo seus cabelos para os barbeiros rudes, ou a vida para uma comunidade ofendida que as apedrejava até a morte.

Nos Estados Unidos, os homens brancos, com os instrumentos da escravatura e da opressão racial, tiraram dos homens negros seus nomes, seus idiomas, seu poder, suas esposas e filhas, seus sensos inatos de valor próprio, sua confiança. Mas, por terem sido incapazes de matar a sexualidade deles, os homens brancos começaram a invejá-la, exaltá-la, adorá-la e temê-la. Vários homens negros, descobrindo que lhes restava algo que estava além do alcance de seus inimigos, começaram a identificar-se, para si próprios, como mestres sexuais, possuidores de pintos imensos, de pênis astutos, de um desejo insaciável. Os homens brancos concordaram com avidez e inveja. As mulheres brancas, nas suas fantasias secretas e raras exibições públicas, ansiavam pelas enormes partes íntimas. Algumas mulheres negras concordavam que os homens negros tinham apetites vorazes, e permitiam aos seus maridos e amantes a liberdade dos campos. Já outras mulheres, com facas e armas, água fervente, veneno e tribunais de divórcio, provaram que não concordavam com a atitude comum.

"Mendinah. Dizem que ela é uma faminta sexual. Mulheres assim só servem para uma, no máximo duas experiências."

Vus já estava falando havia muito tempo. De repente, eu me lembrei do zumbido de sua voz. "Os homens que falaram sobre ela a consideram um recipiente bonito, mas temporário."

Balancei a cabeça, segura. Eu tinha enfim encontrado as minhas palavras.

"Estou deixando você, Vus. Não tenho certeza de quando ou para onde estou indo. Mas estou deixando você."

Seu rosto não mudou da plácida folha de controle quando me levantei e fui para a cama.

O telefonema de Banti para o meu escritório foi inesperado. Fui à casa dela na manhã seguinte ao incidente com Mendinah e contei sobre os meus planos de deixar Vus. A resposta dela foi a de uma esposa que tinha um marido fiel. "Irmã, você tem sido uma giganta. Todo mundo admira a sua paciência. Na verdade, você provou o seu valor." Com a decisão tomada, o fardo da tolerância retirado e a aprovação da minha amiga, fui para o trabalho animada.

"Irmã", eu a ouvi dizer ao telefone. "Joe e eu queremos que você venha até nós esta noite. Depois do jantar. Nove horas. Consegue?"

Concordei. O dia passou voando. Parágrafos inteiros saltaram da minha máquina de escrever, precisando de pouca ou de nenhuma revisão.

Vus não apareceu para jantar, então Guy e eu comemos sozinhos. Ele estava lendo, por isso ficou feliz em saber que eu tinha um compromisso e que ele teria a casa tranquila e só para si.

A pesada porta da Residência Liberiana foi aberta por um empregado. Adentrei no saguão de entrada e ouvi uma nuvem de vozes baixas. Banti não aconselhou que eu me vestisse para uma festa. Portanto, o tom não era de festa. Dei dois passos para além do funcionário e cheguei à porta do salão, onde uma multidão de rostos me espiava.

Era uma festa-surpresa de aniversário, com meses de atraso e sem a alegria de uma celebração.

Aproximadamente vinte pessoas estavam sentadas em cadeiras em formato de meia-lua. Kebi, Jarra e Banti estavam juntos. Examinei às pressas os rostos familiares e senti que tinha tropeçado, infelizmente, em um ritual secreto ou em um perigoso tribunal arbitrário.

Ninguém sorriu, nem mesmo as minhas amigas, e o momento estranho poderia ter durado para sempre. A voz aguda e melódica de Joe Williamson antecedeu a sua presença.

"Irmã Maya. Estávamos à sua espera. Entre. Entre. Abdul trará uma bebida para você. Venha, você deve se sentar ao lado do irmão Vus."

Os meus olhos seguiram a indicação genérica da sua mão direita. Vus estava sentado, duro e sóbrio, no centro da fileira de cadeiras. Eu sabia que estava confusa, largada e totalmente perplexa, então sorri e obedeci à orientação de Joe, encontrando o assento vazio ao lado do meu marido. O zumbido baixo das vozes não parou. Eu me inclinei na direção de Vus e sussurrei: "O que é isso? O que está acontecendo?".

Ele me deu uma olhada calma e disse: "Isso tudo é para você". Havia apenas cansaço na sua voz.

"Irmãos e irmãs." Joe caminhou no meio da sala. "Sabem por que estão aqui." Recebi uma dose de uísque. "Nossa irmã do outro lado dos mares e dos séculos planeja abandonar o nosso irmão da África do Sul."

Droga. Vus sabia disso, eu sabia disso e tinha contado para Banti horas antes. Olhei para os homens e mulheres africanos e descobri que a informação não lhes era novidade. Nenhum olho se arregalou, nenhuma mandíbula se apertou com o anúncio.

"A nossa irmã e o filho dela regressaram à África. Todos sabemos que ela trabalhou muito e que se sente africana." Um murmúrio de concordância seguiu a declaração.

"O nosso irmão sul-africano luta por todos nós. Não passa um dia sem que ele esteja no campo de batalha. Nenhuma noite chega sem que Vusumzi Make esteja armado, ameaçando a fortaleza da opressão branca." Outro estrondo de concordância se levantou e flutuou pela sala. "Agora, eu, o irmão de todos vocês, convoquei uma conversa. Nenhum destes jovens tem família no Egito, exceto esta pequena comunidade. Então, convidei vocês para que examinemos os pontos e avaliemos o assunto." O pânico crescia na minha mente e paralisava as minhas pernas.

Joe disse: "Vou pedir para este lado da sala defender a nossa irmã, Maya, e este lado, o nosso irmão, Vus".

Eu me afastei do choque entorpecente e me levantei.

"Com licença, Joe, mas não estou em julgamento. Estou indo para casa."

Joe falou comigo em um tom de desaprovação.

"Irmã, você vai ficar na África. Você tem um filho e um nome. Se conseguir assistir a esta conversa, o resultado será notícia na África. Sabe, Maya, nosso povo não conta com jornais ou revistas para nos dizer o que precisamos saber. Existem pessoas aqui de Gana, Mali, Guiné, Nigéria, Etiópia e Libéria. Irmã, se esforce e sente."

Anos antes, eu tinha entendido que tudo o que eu tinha de fazer, e fazer de verdade, era continuar negra e morrer. Nada poderia ser mais interessante que o primeiro ou mais permanente que o segundo. Em momentos verdadeiramente críticos, eu me lembrava dessas descobertas. Voltei e me sentei ao lado de Vus, que tinha se tornado um desconhecido negro e grande.

Joe Williamson posicionou uma cadeira da sala de jantar no meio do semicírculo, conversando o tempo todo.

"O grupo começando pela direita de Maya vai defender o nosso irmão. As pessoas que sobraram apoiarão a nossa irmã. E por favor, lembrem-se, pessoal: somos a única família que eles têm nesta terra estranha".

Olhei para a direita e o meu coração disparou. Meus amigos, Banti, Kebi, Margaret Young, uma amiga íntima nigeriana, e Jarra estavam defendendo Vus. Eu me virei e olhei para o outro lado e vi três libertinos infames, alguns homens velhos e indiferentes e três mulheres que eu não conhecia bem. Meu grupo parecia desesperado.

Joe se sentou e falou comigo.

"Irmã, conte a sua reclamação. Conte o seu lado."

Os negros americanos não tinham o costume de desnudar a alma em público. Nas igrejas antigas, as pessoas costumavam se levantar e se queixar do tratamento que recebiam dos outros membros, mas essas conferências tinham desaparecido, deixando apenas sua recordação por meio de piadas irreverentes.

A senhora Jackson se levantou na igreja e relatou: "Reverendo, irmãos e irmãs. Acuso a senhorita Taylor de andar pela cidade dizendo que o meu marido tem uma verruga na parte íntima". Os "uh huh huhs" da congregação soavam como o rufar dos tambores. A senhorita Taylor levantou-se e disse: "Preciso falar para esclarecer o que disse. Irmãos e irmãs, não disse que o senhor Jackson tem uma verruga na parte íntima. Eu nunca disse isso. Porque nunca vi isso. O que eu disse, e foi tudo o que disse, era que tinha a textura de uma verruga".

Não havia precedentes na minha vida para eu divulgar assuntos privados. Eu me mantive imóvel e ereta.

Joe repetiu: "Irmã, conte a sua parte. Por que acha que nosso irmão é impossível como marido?".

Olhei para Joe e depois para as minhas queridas amigas, alinhadas em defesa de Vus. Banti, Kebi e Margaret conheciam todas as minhas queixas, chorei nos braços delas e deitei a minha cabeça em seu colo inúmeras vezes. Agora estavam sentadas com aquelas caras lisas e inexpressivas, como se fôssemos desconhecidas. Eu me virei para fitar a comitiva reunida em meu nome. Seus rostos também eram frios, pouco solidários e estranhos. Fiquei sozinha de novo, só que, como já era negra, bastava morrer.

Eu disse: "O homem enfia a sua coisa em qualquer buraco que encontra. Eu sou fiel; ele, não".

Algumas tosses saíram da boca do meu esquadrão, e a tropa de Vus estremeceu e pigarreou.

"Sou uma escravizada do caramba." (As mulheres africanas quase nunca usavam palavrões na companhia dos homens, mas eu não era estritamente uma africana e, afinal de contas, aquelas pessoas tinham se reunido para me ouvir falar e eu era uma negra americana. Mencionar a escravidão na companhia de africanos era uma estratégia. Ou os antepassados deles tinham sido poupados ou negociaram a venda dos meus ancestrais. Eu sabia disso, e eles também. Isso me conferiu uma pequena vantagem.)

"Eu coloco dinheiro em casa. Às dez horas, vou sozinha para o Broadcast Building a fim de narrar um artigo e recebo uma libra. Vus gasta dinheiro como se fôssemos ricos. Espera que eu seja fiel e firme e chega em casa com cheiro de perfume barato e de boceta de prostituta." Eles podiam não ter ouvido essas palavras antes, mas todos sabiam o que significava.

Eu me deleitei com o farfalhar do desconforto. Eles me perguntaram e contei para eles.

Joe Williamson bateu palmas. "Tudo bem, a irmã Maya falou. Invoco a defesa de Vus." Em um piscar de olhos, as perguntas foram direcionadas a mim.

"Você se manteve imaculada?"

"Você recusa ao seu marido os direitos conjugais?"

"Afinal, você é americana; quão bem consegue cozinhar comida africana?"

"Você fala palavrões e age de maneira imprópria?"

"Você tenta dominar o homem?"

"Você o pressiona para fazer sexo quando ele está cansado?"

"Você o obedece? Você o ouve com atenção?"

Respondi a todas as perguntas com franqueza e atrevimento. Quanto mais cedo me rejeitassem, mais cedo esse ritual estranho terminaria. Eu seria livre ou receberia aquilo que estivesse vindo para mim.

Quando terminei de responder, Joe se voltou para o meu pelotão. O interrogatório de Vus foi fraco e sem ânimo.

"Você a ama?"

"Você é o provedor para ela?"

"Você a satisfaz?"

"Ela tinha um filho quando veio até você. Já tentou dar mais filhos para ela?"

"Você a quer?"

Vus respondeu honesta e calmamente.

Houve um hiato quando ele terminou, e Joe pedia bebidas para a multidão. Permanecemos sentados, segurando copos gelados.

Joe começou a circular energicamente pela trama do chão claro. Cuidadoso, seguro e masculino.

"Me parece, irmãos e irmãs, que Maya está certa. A objeção dela é mais forte do que a resposta do nosso irmão. Sugiro que nesta conversa o nosso irmão seja o perdedor."

Ele se voltou para os apoiadores de Vus.

"Vocês concordam?" Quando as cabeças assentiram, pela primeira vez naquela noite, a simpatia e os sorrisos voltaram aos rostos das minhas confidentes.

Joe ficou na frente de Vus, a um braço de distância.

"Irmão Vus, está decidido que você está errado e que a irmã Maya está certa. Você concorda?"

Vus abaixou a cabeça grande em concordância.

Joe fez uma reverência, aceitando o acordo e continuou.

"Você deve fornecer bebida para todos que se reuniram aqui nesta noite. Deve trazer um cordeiro ou uma cabra para todos nós fatiarmos." Uma onda de risadas se seguiu ao pronunciamento, mas foi reprimida pelas palavras seguintes de Joe: "E a nossa irmã tem o direito de se separar de você".

O silêncio se despejou sobre os ombros dos ouvintes. Caindo do ar como partículas de fumaça.

Joe me encarou. "Irmã, você se saiu bem. Você participou de uma tribuna africana e venceu. Agora pode ir embora."

Eu estava exausta com o ritual e apenas um pouco satisfeita com a declaração de Joe de que agora eu tinha o direito de ir embora. Nunca pensei que precisasse da aprovação de alguém, além da minha própria, para fazê-lo.

Joe se aproximou de mim, perto o suficiente para que eu visse com nitidez o branco de seus olhos.

"Agora, irmã, agora que o triunfo está nas suas mãos, agora que pessoas de seis países concordam que você pode deixar o seu marido e nenhuma culpa recairá sobre a sua cabeça. Agora. Agora, na sua posição de força, nós nos colocamos à sua mercê." O grupo respondeu com risadas jubilosas.

"Pedimos a você, do seu pináculo justo, você poderia, por favor, dar mais uma chance ao homem?"

Olhei para Banti, que me instruiu com um aceno de cabeça. Kebi me deu um sorrisinho. Margaret Young, minha amiga nigeriana, ergueu as sobrancelhas perfeitas. Eu deveria aceitar. Eu não tinha decidido para onde ir, não tinha data para partir, e se Joe estivesse certo, e eu suspeitava que sim, se eu agisse com gentileza, o meu nome na África valeria ouro.

"Fique seis meses. Irmã, dê seis meses para o homem."

Olhei para Vus. Ele estava ansioso. Soube imediatamente que sua preocupação tinha menos a ver comigo do que com sua reputação. Ele nunca me maltratou por querer ou de caso pensado. Eu poderia ficar com ele seis meses.

Eu disse: "Vou ficar".

Cadeiras se arrastaram pelo chão. Vus me segurou nos braços e sussurrou. "Você é uma mulher generosa. Minha esposa."

Joe Williamson gritou: "Desta vez, vamos festejar. Esperamos o cordeiro, mas agora bebemos e comemoramos o reencontro do nosso irmão com a nossa irmã. Brindamos à Mãe África, que precisa de todos os seus filhos".

Capítulo 19

Guy se formou no ensino médio; em seguida, pegou uma mochila e se juntou a amigos egípcios para uma caminhada no Saara. Minha amizade com Kebi e Banti ficou mais forte. Mais mulheres foram contratadas para o meu escritório e algumas consideravam minha presença incongruente e inaceitável. Eu falava um árabe hesitante, fumava abertamente, não era muçulmana e, ainda por cima, era americana. No dia em que o presidente Kennedy e Khrushchev se confrontaram sobre a independência de Cuba, nas horas em que a próxima guerra mundial pairava sobre a nossa cabeça como uma dívida não paga, ninguém falou comigo. Os funcionários do sexo masculino me ignoraram; como se, por um lapso de tempo, estivéssemos todos de volta ao meu primeiro dia no *Arab Observer*. As mulheres eram abertamente hostis. Os papéis que elas precisavam trazer até a minha mesa eram entregues pelo funcionário do café ou pelo copiador. As ações de pessoas a milhares de quilômetros de distância, homens que não sabiam nem que eu estava viva e cuja simpatia eu nunca esperaria, influenciaram a minha paz e me tornaram odiosa. Kennedy era americano, e eu, também. Eu não tinha vocabulário para explicar que ser um negro americano era qualitativamente diferente de ser americano. Eu me preocupava, assim como todo mundo, mas sumia do escritório.

Vus estava tentando e eu também, mas nenhum de nós era capaz de infundir vitalidade no nosso casamento esmorecido. Ele ganhava peso constantemente à medida que eu ficava mais magra. A indiferença se tornou o colchão em que nos deitávamos, de modo que nossas partilhas sexuais se desintegraram em períodos insatisfatórios de fricções apressadas e desconfortáveis.

Eu tinha prometido ficar seis meses, e ambos sentíamos que o tempo estava se arrastando.

Banti e Kebi encontravam desculpas para enviar seus motoristas para a minha casa, trazendo comida e engradados de bebidas alcoólicas. Os bilhetes que vinham junto afirmavam que elas tinham feito pedidos em excesso ou simplesmente não tinham mais espaço na despensa.

Eu me tornei mais dependente da nossa amizade. Passei quase todas as noites na companhia de uma ou de outra ou de ambas as irmãs. Quando conversávamos, elas contavam histórias divertidas sobre o lar, sobre suas famílias, sobre os maridos que amavam, sobre os filhos, sobre um Deus misericordioso e, às vezes, sobre suas fantasias particulares. Vus nunca era mencionado.

Depois de cinco meses, comecei a pensar no meu futuro e no ingresso de Guy em uma faculdade africana. A Universidade de Gana era conhecida por ser a melhor instituição de ensino superior do continente. Achei que teria muita sorte em matricular Guy lá. Eu não tinha contatos em Gana, mas tinha Joe Williamson como um irmão. Então, fui até ele.

"Joe, estou indo embora."

Ele não demonstrou surpresa.

"Quero ir para a África Ocidental. Quero colocar Guy na Universidade de Gana e preciso de um emprego."

Ele assentiu.

"E preciso da sua ajuda."

Ele assentiu de novo, disse que esperava a minha decisão e que se preparou para ela. Tinha uma oferta de emprego do Departamento de Informação da Libéria, com base em um relatório governamental sobre a Libéria que escrevi para a República Árabe Unida. Ele se levantou da mesa e me abraçou.

"Irmã, você será um trunfo para a Libéria."

Vus aceitou minha partida com um alívio indisfarçável. Estávamos desgastados com o nosso casamento e era hora de descartá-lo.

Ele conseguiria passagens na United Arab Airlines. Ele tinha amigos em Gana com quem poderíamos ficar por alguns dias. Se eu tivesse problemas, sempre poderia contar com ele. Eu poderia mandar que enviasse qualquer parte da mobília, agora paga, para a Libéria.

Agradeci a ele pelos preparativos do voo e recusei a mobília. Eu sabia que outras mulheres estariam na casa antes mesmo que os lençóis perdessem o calor do meu corpo. Ele sorriu e me abraçou.

Eu tinha me confidenciado com Guy, tanto quanto possível para um garoto orgulhoso e distante de dezessete anos. Ele sabia que durante o ano anterior eu tinha estado infeliz. Depois da tribuna, contei para ele que permaneceríamos no Cairo por, pelo menos, mais seis meses e que ele teria tempo de terminar os estudos.

Ele queria fazer uma festa. Todos os seus amigos viriam. Será que Vus e eu o deixaríamos sozinho em casa por algumas horas? Será que Omanadia cozinharia frango, cordeiro e arroz do seu jeito especial? Talvez ele pudesse pegar emprestado discos dos Williamson, e tudo bem se ele servisse um pouco de cerveja? Sua alegria súbita me fez perceber quanto ele tinha sido afetado pelo nosso lar desprazeroso. Percebi que já fazia muito tempo que não via aquele sorriso largo e inocente ou seus lindos olhos escuros brilharem.

Banti e Joe nos ofereceram uma festa de despedida. Kebi e Jarra prepararam um autêntico jantar etíope para um grupo alegre. David DuBois nos levou a um restaurante opulento perto das pirâmides. Tive um almoço de despedida com Hanifa Fathy e suas amigas e, por fim, chegou o dia de deixar o Cairo.

Guy segurou minha mão no avião. Ele se aproximou e sussurrou: "Vai ficar tudo bem, mãe. Não chore. Eu te amo, mãe. Muitas pessoas amam você".

Não fiz tentativa alguma de explicar que não estava chorando por falta de amor ou, com certeza, não por causa da perda do afeto de Vus. Eu estava de luto por todos os meus ancestrais. Nunca tinha sentido que o Egito era de fato a África, mas agora que a nossa rota nos levava através do Saara, eu podia olhar para baixo da minha janela e ver as árvores, os arbustos, os rios e as florestas densas. Tudo começou aqui.

A confusão de crianças pobres que dormem nos cortiços infestados de ratos ou nos carros abandonados. O terrível gemido da minha avó: "Maná, maná, me alimente até eu não querer mais". Os dias drogados e as noites bêbadas dos homens para os quais a esperança ainda não tinha nascido. A solidão das mulheres que nunca conheceriam o apreço ou um pouquinho de honra. Aqui, ali, às margens daquele rio, alguém foi levado, amarrado com cordas, algemado com correntes, forçado a marchar durante semanas, carregando o duplo fardo das gargalheiras no pescoço e do medo abismal. Naquele enorme aglomerado de árvores, que parecia musgo quando visto da grande altura do avião, meninos e meninas foram caçados como animais, capturados e amarrados uns aos outros. Foram cordeiros sacrificados no altar da ganância. O período das orgias de linchamentos na América tinha começado naquela vasta savana.

Cada mal que conheci em casa, cada olhar de ódio vindo de um rosto branco, cada rejeição odiosa baseada na cor da pele, a zombaria, a privação de direitos, as lamentações e os gritos por um mundo perdido, por uma segurança irrecuperável, por toda aquela longa e custosa jornada para a miséria, que ainda não tinha terminado, começou logo abaixo do nosso voo. Chorei. Guy se levantava de vez em quando para me trazer lenços de papel limpos, e eu não ousava falar com ele sobre os meus pensamentos. Eu não emitiria nenhum som. Se eu abrisse a boca, talvez não conseguisse fechá-la de novo. Gritos atravessariam o ar e eu correria enlouquecida pelos corredores.

Apertei os lábios até que a costura entre eles se fundisse e permiti, como única expressão, as lágrimas quentes deslizarem como mel pelo meu rosto.

O aeroporto de Acra soava como um playground para adultos e parecia um festival. Viajantes solo, usando ternos ou vestidos ocidentais que seriam considerados elegantes em Nova York, eram cercados por hordas de simpatizantes, envoltos em estampas florais ou na rica seda xadrez do tecido kente[26]. Os idiomas transformavam o ar em nuvens de

---

26   Um tipo de tecido produzido pelas etnias axânti e jejes em Gana. (N. E.)

sons vigorosos. A visão de tantos negros despertou as minhas emoções mais profundas. Eu tinha estado longe das cores por muito tempo. Guy e eu sorrimos um para o outro e nos viramos para ver algo que limpou nossos rostos. Três homens negros passaram por nós vestindo uniformes da companhia aérea, bonés com viseira, calças brancas e jaquetas cujos ombros estavam ouriçados com dragonas. Pilotos negros? Capitães negros? Era 1962. No nosso país, o berço da democracia, cujo hino ostentava "a terra dos livres, a casa dos corajosos", os únicos homens negros nos nossos aeroportos abasteciam os aviões, limpavam as cabines, carregavam a comida ou eram mensageiros, correndo por gorjetas. Guy me cutucou e eu me virei para ver outro grupo de oficiais africanos caminhando despreocupados em direção ao portão que dava para a pista.

Gana era o lugar escolhido para o meu filho fazer faculdade. Meu *toby* (a palavra dos negros do sul que significava "talismã da sorte") tinha "me dobrado direitinho". Guy seria capaz de avaliar a própria inteligência e testar suas habilidades sem ser influenciado pela discriminação racial.

Passamos pela alfândega, encantados por nossas malas terem sido examinadas por negros. Nosso taxista era negro. A noite escura me pareceu amigável e, quando as luzes do táxi iluminaram um pedestre, eu vi um rosto negro. No momento em que chegamos ao endereço que Vus me deu, um nó no estômago, que acumulava uma lembrança de toda a minha vida, se desfez. Percebi que não via um rosto branco havia mais de uma hora. A sensação era leve e extremamente estranha.

Paramos em frente a um bangalô branco e irregular, que parecia assustadoramente fluorescente na noite escura. Um homem baixo e pouco comunicativo atendeu à batida na porta feita por Guy. Ele nos recebeu e nos disse que era Walter Nthia e, depois de nos abraçar, nos mostrou os quartos nos fundos da casa. Reuni-me rapidamente com ele na sala para garantir que não planejávamos ficar por muito tempo. Não precisaria de mais do que uma semana para organizar os estudos do meu filho e conseguir um lugar para ele ficar no campus, e eu teria de me apressar para a Libéria, onde tinha um emprego me esperando no Departamento de Informação.

Walter disse que Irmão Vus era o orgulho do CPA e que a minha reputação me precedeu. Poderíamos ficar o tempo que fosse necessário. Ele era economista, trabalhava para o governo de Gana, era divorciado e morava sozinho. Não recebia muitas pessoas em casa, mas pediu a alguns sul-africanos e negros americanos residentes em Gana que viessem nos cumprimentar naquela noite.

Os convidados se reuniram. Havia um iorubá alto e magro e sua esposa canadense, apresentados como Richard e Ellen; um sul-africano, cujo nome não consegui decifrar, e três negros americanos. Frank, com sua pele acobreada, sorriso de dentes espaçados e olhos alegres, nos abraçou como se fôssemos primos. Vickie Garvey era baixa e bonita. Seu cabelo preto lançava cachos macios, e ela apertou a minha mão com firmeza e falava diretamente. Alice Windom conquistou o meu coração no momento em que a vi. Ela falava com sotaque do Meio-Oeste dos Estados Unidos e ria como se estivesse com um pouco de tosse. Sua pele era marrom-escura com manchas pretas e seus olhos negros pareciam incisivos, sem piscar. Ela tinha as pernas mais bonitas que eu já tinha visto.

Bebemos o gim trazido e lhes contei o que sabia sobre o Egito. Quando comecei a falar, percebi que, graças aos meus amigos e ao meu marido, eu sabia mais sobre a Libéria, a Etiópia, a África do Sul e a Tanzânia do que sobre o Cairo. Todos estavam interessados em política e, quando começaram a falar de Kwame Nkrumah, o presidente de Gana, o Osagyefo, os olhos deles brilharam e o discurso foi repleto de elogios entusiasmados.

"Por que está indo para a Libéria? Ela está para trás. Fique em Gana." A pergunta e o convite de Alice foram apoiados.

"Sim. Gana é o lugar."

"Kwame Nkrumah é o homem que passa o homem. O ferro que corta o ferro."

Guy entendeu e explicou: "Ele é um homem que supera os outros homens. Um ferro tão forte que corta o ferro".

Frank deu um tapinha no ombro de Guy. "Você é inteligente, irmãozinho. Estou feliz que, pelo menos, você vai ficar."

Vickie perguntou se eu conhecia Julian Mayfield e se eu sabia que ele e a esposa moravam em Acra. Julian, James Baldwin, Rosa Guy, John Killens e eu tínhamos passado muitas noites discutindo, bebendo, explicando e reclamando no apartamento de Paule Marshall até o amanhecer.

Alice disse que eu estava convidada a ir à casa de Julian na noite seguinte.

Richard e Ellen pouco acrescentaram à conversa geral, exceto para convidar Guy e eu para um piquenique, dois dias depois. Disseram que todos estariam lá. O homem não me cativou e sua esposa era seca como um pão velho. Recusei a oferta alegando que estávamos muito cansados. Mas Guy falou: "A mamãe falou só por ela. Eu ficarei feliz em ir".

Todos na sala, inclusive eu, sabiam que estive fora dos trilhos. Meu filho era maior do que todos ali e estava quase crescido, e eu agia como se ele ainda fosse um garotinho. No silêncio no qual os deixei, Richard, Ellen e Guy fizeram os preparativos. Passariam por ali no início da manhã do piquenique. Guy não precisaria levar nada. Tudo o que ele precisava fazer era estar pronto.

Frank prometeu levar Guy e eu para a casa de Julian no dia seguinte. Quando todos foram embora, fiquei com um pouco de inveja. Estavam em um país emocionante, em um momento emocionante. Kwame Nkrumah era o herói africano. Ele tinha casado o marxismo com o inato socialismo africano e era tão amado pelos negros em todo o mundo como era odiado e temido pelos brancos detentores do poder. Mas Joe Williamson tinha cobrado algumas dívidas antigas para me conseguir um emprego em Monróvia, e dei a minha palavra de que iria para lá e o deixaria orgulhoso. Eu não poderia mudar o meu destino.

Julian Mayfield tinha uma aparência que faria vibrar o coração de uma jovem. Era alto, largo, negro, espirituoso, bonito e casado. Anna Livia Cordero Mayfield era uma pequena e bela médica porto-riquenha, de olhos escuros, tão obstinada quanto um trem desgovernado em uma descida.

O nosso reencontro foi febril de acolhimento e novidades. Recontamos histórias antigas e trocamos histórias novas. Anna Livia me forneceu nomes de pessoas para encontrar na universidade. Julian prometeu me acompanhar pelos escritórios. Terminamos a noite gritando pelo fato de Julian ter superado os justiceiros americanos e seguido seu caminho tortuoso para o asilo africano. O grupo achou divertida a inteligência irritante de Guy, embora eu não tenha planejado isso, e Julian disse que eu poderia ir para a Libéria com a cabeça livre. Ele ficaria de olho no meu filho. E acrescentou: "Agora, ouça, rapaz, os jovens ganenses chamam qualquer pessoa seis meses mais velha do que eles de 'tia' ou 'tio'. Cuidarei de você, mas por maior e mais enferrujado que você esteja, nunca cometa o erro de me chamar de 'tio Julian'. Serei o seu irmão mais velho, e isso basta". Todos rimos, nos abraçamos e escolhemos horários e datas para nos reencontrarmos.

Frank nos deixou na casa de Walter. Guy e eu nos despedimos brevemente. Eu não estava nada satisfeita com a insistência arrogante dele na conversa de adultos. Ele ficou descontente com o meu descontentamento.

Quando acordei, na manhã seguinte, o quarto dele estava vazio. Richard e Ellen o tinham pegado para o piquenique e Walter tinha saído de casa.

Passei o dia examinando as roupas de Guy. Separando as peças que poderiam ser consertadas, deixando de lado os jeans que só serviriam para tirar o pó. Pendurei seus dois ternos bons, em preparação para a nossa visita à universidade. Tirei da mala apenas dois vestidos e as minhas roupas íntimas. Eu partiria em tão pouco tempo que pouparia os trajes africanos que Banti me deu. Ela garantiu que, ao usá-los, eu percorreria a sociedade liberiana como uma liberiana.

Cozinhei, comi, dobrei as roupas, li os títulos da estante do Walter até escurecer.

Por volta das seis horas, comecei a me sentir desconfortável e nervosa. Senti como se tivesse esquecido um compromisso ou pisado e esmagado alguma coisa preciosa. Fui até a cozinha e encontrei a garrafa de gim do Walter. Eu estava acostumada a beber acompanhada, mas beber sozinha nunca tinha me atraído. Enchi um copo pequeno até a borda com gim.

Sorvia a bebida forte quando a campainha tocou. Alice Windom estava nos degraus, com Frank atrás de si.

"Oi, Maya. Acho que somos os primeiros. O restante estará aqui daqui a pouco." Deixei que entrassem em casa e servi copos de suco de frutas, já que nenhum dos dois bebia álcool. Vi que o meu copo de gim estava vazio e o enchi de novo.

Nós nos sentamos relaxados na sala de estar. Frank, incapaz de tirar os olhos do rosto, do corpo ou das pernas de Alice, falou sobre o piquenique por partes.

"Muita comida. Muita comida gostosa. Né, Alice?"

Ela não sorriu, apenas ajustou a mandíbula e mostrou alguns dentes.

"As pessoas se divertiram de verdade. Certo, Alice?"

Ela fez outra careta amigável para a sala.

Perguntei: "A que horas vocês acham que Guy voltará para casa?".

Alice respondeu: "Passamos por eles em Winneba. Richard ficou bêbado no piquenique, então Guy estava dirigindo. Devem chegar aqui nos próximos minutos".

A minha mente se adaptou à sua declaração. Se Guy estivesse dirigindo, estava tudo bem. Suas primeiras aulas de direção foram feitas em um Citroën cansado, pelas ruas movimentadas do Cairo. Não restava dúvidas de que ele conseguiria dirigir um carro.

Pneus cantaram na calçada.

Alice disse: "Aqui estão eles. Eles chegaram".

O velho *toby* do Arkansas, não impressionado com a extensão dos oceanos, estremeceu sob minha pele. Eu me levantei imediatamente, fui até o quarto de Guy e peguei seu passaporte. Do outro lado do pequeno corredor, encontrei o meu passaporte e dinheiro e esperei enquanto Alice abria a porta.

Uma breve troca de balbucios vacilou no corredor. De repente, uma voz interrompeu.

"Onde está a mãe dele? A mãe dele não está aqui?"

Guardei os nossos passaportes e as libras inglesas que havia juntado no sutiã e saí para o corredor. Ellen estava na sala, desgrenhada e coberta de sangue. Quando me viu, ela gritou.

"Maya, não foi nossa culpa. Ninguém se feriu e, de todo jeito, ele ainda está vivo." Entendi cada palavra e intenção em seu discurso histérico e continuei andando até chegar perto de seu rosto manchado de vermelho. Venho de uma raça habituada à violência e habituada à perda.

"Onde está meu filho, Ellen? Preciso ir para lá agora." Usei o controle que lembrei da voz da minha avó quando ela ouvia falar de algum linchamento.

Ellen soluçava no ombro de Alice. "Ele está no Hospital Korle Bu. Mas, juro, ele ainda estava respirando."

Quando entramos no carro, pedi a Ellen que parasse de choramingar. Não era sua vida nem seu filho. Fomos para o hospital rapidamente e com um silêncio quebrado apenas pelas fungadas e bufadas intermitentes de Ellen.

A ala de emergência do Korle Bu estava dolorosamente iluminada. Coloquei-me a descer o corredor e me encontrei em um túnel branco, interrompido por uma única maca ocupada, encostada em uma parede distante. Fui até a mesa móvel e vi o meu filho estirado sob lençóis brancos. Sua rica pele dourada tinha empalidecido até ficar cinza. Seus olhos estavam fechados e sua cabeça, em um ângulo incomum.

Tirei o meu braço do aperto de Alice e disse a Katie que parasse com a fungação estúpida. Quando elas recuaram, olhei para o meu filho, a minha vida de verdade. Ele nasceu para mim quando eu tinha dezessete anos. Eu o tirei da casa da minha mãe quando ele tinha dois meses e, com exceção de um ano que passei na Europa e de um mês em que foi roubado por uma mulher demente, passamos a vida juntos. A minha vida crescida estava estendida diante de mim, rígida como uma tábua de pinho, em um país estranho, com sangue endurecido no rosto e coagulado nas roupas.

Richard veio por trás de mim e agarrou os meus ombros. Eu me virei e quase sufoquei com o hálito de uísque velho e de dentes podres.

"Maya, não foi minha culpa."

Ele arrastava as palavras para fora dos lábios úmidos e gotejantes. O meu controle escapou. Estiquei a minha mão para ele, para sua garganta, para os seus olhos, para seu nariz, mas, antes que pudesse colocá-la nele, senti outras mãos acariciando as minhas costas, segurando a minha cintura.

"Irmã, por favor. Por favor. Exercite a paciência."

Eu me virei e vi um casal desconhecido, velho e doce, cheio de sabedoria.

Eles continuaram. "Este é o seu filho?" Assenti com a cabeça. "Irmã, nós o encontramos na beira da estrada. Nós o trouxemos para cá."

A gentileza deles quebrou a minha armadura. Gritei, e eles me seguraram nos braços. "Irmã, olhe para ele. Ainda está respirando."

Eles me obrigaram a encarar o corpo estendido, e vi o peito subindo e descendo em um ritmo calmo.

"Irmã, por favor, agradeça a Deus." A mulher ainda segurava a minha cintura e o homem segurava as minhas mãos.

"Ele foi atropelado por um caminhão. O carro dele estava parado, o motor desligado. Se ele estivesse se movimentando, estaria morto."

"Chegamos e o pessoal do carro o puxou e o colocou na beira da estrada."

"Vimos os destroços, pegamos ele e o trouxemos para o Korle Bu."

"Agora, graças a Deus, ele está vivo."

Encarei o meu filho inconsciente e disse: "Agradeço a Deus. E agradeço a vocês".

O casal me abraçou e caminhou até o meu bebê. Uma enfermeira apareceu. "Quem é o responsável aqui?"

Eu disse: "Eu sou a responsável. Sou a mãe dele".

Ela foi eficiente e sem ternura. "Vocês dois são negros americanos?" Assenti com a cabeça, me perguntando se o nosso local de nascimento teria um impacto tão negativo em Gana como a nossa cor teria no nosso país natal. Ela falou sua lenga-lenga: "Ele tem de fazer radiografias. Um dos nossos técnicos de raio-X também é negro americano. Vou ligar para ele, mas você deve fazer o registro de vocês no corredor e fazer os pagamentos no caixa".

Eu não queria deixar Guy sozinho no corredor. Procurei o casal ganense, mas eles tinham desaparecido.

"Fico com ele, Maya." Alice colocou a mão no meu braço. Seu rosto era solene o suficiente para me fazer acreditar que ela estava falando sério, mas não tão triste a ponto de aumentar a minha histeria crescente.

Terminei o registro e corri atrás de uma fila de pessoas que desfilavam atrás da maca do meu filho. O técnico de raio-X e eu dissemos nossos nomes. Ele direcionou o carrinho onde Guy estava deitado para uma porta.

Entramos. O bêbado Richard, sua esposa tímida e arrependida, além de Alice e algumas pessoas cujos rostos eu não conhecia, se encostaram na parede. O técnico dispensou todos os visitantes, exceto Alice e eu.

"Vou precisar de alguém para segurá-lo e posicioná-lo. Ele está inconsciente, mas preciso radiografar todo o corpo dele."

Alice e eu deslizamos o corpo pesado de Guy para uma maca nova. Nós o deslocamos, viramos, colocamos seus braços com cuidado ao lado do corpo, arrumamos suas pernas, posicionamos sua cabeça até que cada centímetro de seu corpo tivesse sido exposto ao olho sinistro da máquina de raio-X. Nós o empurramos de volta para a maca, e pedi ao técnico que se afastasse.

"Quanto tempo ele vai ficar inconsciente?"

"Eu não saberia te dizer. Acho que está em choque. Mas pode estar em coma. A chapa estará pronta amanhã. Volte pela manhã. Talvez tenhamos alguma novidade." Duas enfermeiras nos receberam na porta e levaram Guy rapidamente pelo corredor. Comecei a segui-lo, mas Alice tocou meu braço.

"Deixe que fiquem com ele. Eles o deixarão confortável. Essa é a responsabilidade deles."

Observei a maca desaparecer, carregando consigo a pessoa mais próxima a mim no mundo.

Voltei para a casa de Walter e preparei um bule de café. Tomei xícara após xícara, esfriando o líquido fervente com gim. Alice foi para casa, Walter foi para a cama, mas de madrugada encontrei uma lista telefônica e chamei um táxi.

Em um dia claro, o hospital parecia normal. Fui levada ao quarto de Guy, ele me reconheceu e o meu ânimo melhorou.

"Oi, mãe, o que aconteceu?"

Sua voz estava fraca e a pele tinha a cor de um limão produzido em estufa.

Contei para ele sobre o acidente, porém, antes que eu pudesse terminar a história, ele voltou à inconsciência. Fiquei sentada por uma hora, desejando que ele acordasse, enxugando seu rosto com a ponta da fronha. Me preocupando se ele iria morrer e imaginando como eu poderia continuar, para onde eu poderia ir, por que eu teria de viver se ele morresse.

Um médico me encontrou do lado de fora da sala.

"Você é a senhora Angelou?" (Escrevi o meu antigo nome no formulário de entrada.)

"Sim, doutor, como ele está? Ele vai continuar vivo?"

"Ele está com o braço quebrado, a perna quebrada e com possíveis lesões internas. Mas é jovem. Acho que vai passar por essa."

Passei o dia no quarto de Guy, observando-o enquanto perdia e recuperava a consciência. Quando peguei um táxi e fui à casa de Julian, foi porque as enfermeiras me pediram explicitamente para sair. Os horários de visita foram afixados e todos tiveram de os cumprir.

Anna Livia abriu a porta, e desabei em seus braços. Ela tinha ficado sabendo do acidente e, quando a histeria se dissipou, disse que, embora não estivesse designada para ir até o Hospital Korle Bu, faria uma visita para Guy naquela noite. Eu tinha que ir dormir um pouco. Ela me deixou na casa de Walter. A porta que dava para o quarto de Guy parecia ameaçadora, mesmo assim bati, esperando ouvi-lo dizer: "Sim, mamãe. Estou ocupado. Sairei em um minuto".

Eu me virei e sentei na minha cama emprestada. A próxima coisa que percebi foi que Walter chacoalhava o meu ombro. "Irmã Maya. Irmã. O dr. Codero está no telefone."

Eu o segui, tateando pelo corredor. Não conhecia nenhum dr. Codero nem reconheci o homem que me acordou ou mesmo a casa por onde eu estava cambaleando.

"Alô. Aqui é Maya Angelou." Era assim que Vus atendia o telefone, com o nome completo.

"Maya, é Anna Lívia. Fiz umas novas radiografias. Ficaram prontas. Estou no Korle Bu agora. O acidente foi mais grave do que os outros médicos pensaram. O pescoço de Guy está quebrado."

O acidente, o meu filho pálido, sua pele horrível e pegajosa, o meu amor por ele, tudo invadiu meu cérebro de uma vez.

"Em três lugares. Ordenei que fosse transferido. Será engessado no tronco, no braço e na perna. Você está aí, Maya?"

Eu não estava em lugar algum. Com certeza em nenhum lugar onde eu já tivesse estado antes. Eu disse: "Sim, é claro".

Ela me explicou que tinha contatos em um hospital militar e que, quando o gesso endurecesse, Guy seria levado para lá. Estava bastante tenso, então era melhor eu adiar a visita até que ele se acalmasse.

Respondi: "Estou a caminho".

Ela tinha boas intenções, mas não conhecia o meu filho. Não conhecia o menino arrogante que teve de conviver diariamente com a rejeição do pai ou o jovem que vivia com a certeza da falta de respeito dos brancos e a insegurança de mudar de escola em escola, de um lugar a outro, e foi obrigado a encontrar o próprio caminho através de outro continente e de novas culturas. Uma pessoa cuja única certeza residia em saber que a mãe, de maneira eficiente ou não, nunca estaria muito longe.

"Estou a caminho."

Esperei nos corredores, no pátio e na cantina do hospital enquanto o gesso endurecia e depois me juntei ao meu filho na ambulância para a transferência. O gesso ainda úmido exalava um odor azedo, mas o meu filho sedado parecia um anjo amarelo-claro em um longo vestido branco.

Capítulo 20

Acra se tornou uma cidade maravilhosa à medida que a saúde de Guy melhorava. O amplo mercado Makola me atraía para seu seio perfumadíssimo e me mantinha ali durante horas. Mulheres negras, sentadas diante das barracas, ofereciam a venda de amendoim, pasta de amendoim, tecidos estampado em cera, talheres, creme facial Pond's, leite enlatado, sandálias, calças masculinas, pimenta, molho de pimenta, tomate, pratos, óleo de palma, manteiga de palma e vinho de palma.

O centro comercial ao ar livre, vivo com a linguagem gritada e a música retumbante, seus cheiros e as crianças que corriam, seus clientes pechinchadores e as vendedoras inflexíveis, fazia com que as grandes lojas de departamentos americanas parecessem incolores e desocupadas por contraste.

Eu andava pela Flagstaff House e pelo Parlamento, onde os negros estavam sentados, debatendo os planos futuros para seu próprio país. Eu me sentia impetuosa só de estar perto do poder deles. Quando Guy já estava fora de perigo, escrevi para mamãe. Contei-lhe sobre o acidente e expliquei que tinha parado de escrever porque não havia nada que ela poderia ter feito além de incentivar a minha preocupação.

Ela me enviou uma grande quantia de dinheiro e disse que, se eu quisesse que ela fosse para lá, ela estaria na África antes que eu soubesse.

Guy ficaria no hospital por um mês, depois teria de se recuperar em casa por três meses. Eu me mudei para a Young Women's Christian Association (YWCA) e escrevi para Joe e para Banti Williamson. A ida para a Libéria teve de ser cancelada. Encontraria um emprego e ficaria em

Gana. Anna Livia me permitiu usar sua cozinha para preparar as refeições diárias de Guy. Eu caminhava, pegava carona ou pegava o "caminhão da mamãe" (um serviço de transporte privado compartilhado) para o hospital. O meu dinheiro estava indo pelo ralo e eu tinha de encontrar trabalho. Guy seria liberado e eu precisava de uma casa para ele morar.

Julian me sugeriu que conhecesse Efuah Sutherland, poeta, dramaturga e chefa do teatro de Gana. Ela me recebeu com cordialidade. Nós nos sentamos na sombra de um toldo fixo na casa dela, tomando café e olhando para a encosta gramada de seu terreno.

Sim, ela tinha ouvido falar de mim. E sabia do acidente do meu filho. Esta era a África. As notícias voavam.

Efuah era negra e seu corpo esguio estava envolto por um fino linho branco. Em repouso, seu rosto exibia a beleza fria do busto de Nefertiti, mas quando ela sorria parecia uma garota levada que guardava um segredo delicioso.

Expliquei a necessidade de trabalho e listei as minhas referências. Ela providenciou que eu conhecesse o professor J. H. Nketia, etnomusicólogo e chefe do Instituto de Estudos Africanos. Nketia reuniu sua equipe: Joseph de Graaf, professor de teatro, Bertie Okpoku, professor de dança, e Grace Nuamah, mestra de dança. Ele me apresentou e disse que eles conversariam e me retornariam em breve.

Efuah me telefonou antes do fim da semana. Iria trabalhar na Universidade de Gana como assistente administrativa. Como não tinha formação acadêmica, não pude ser tratada pelos meios habituais. E isso significava que eu não teria como receber o salário que outros estrangeiros recebiam. Eu seria paga como uma ganense, o que representava pouco mais da metade do salário de um estrangeiro. (Mais tarde, fui informada de que os estrangeiros ganhavam mais porque tinham de pagar o dobro de tudo em comparação com os nativos.)

Eu tentava falar, mas Efuah continuou. "Um instrutor que conhecemos está afastado por seis meses. Vamos providenciar para você ficar com a casa dele."

Gritei, agradecida, e a voz calma de Efuah roçou o meu ouvido. "Irmã, também sou mãe." Ela desligou.

Busquei o baú que tinha deixado na casa de Walter, as malas que tinha guardado no depósito da YWCA e a sacola que eu usava para viver, e me mudei para uma casa bem mobiliada no campus.

Quando busquei Guy no hospital, ele me lembrou uma grande árvore prestes a cair. Ele tinha crescido mais alguns centímetros e ganhado alguns quilos por causa da falta de atividade. O gesso, que cobria a cabeça dele e se espalhava pelos ombros como o capuz de um monge, estava cinzento de sujeira, mas ele tinha de o usar por mais três meses.

Celebramos seu retorno com frango assado com molho, nossa comida preferida. Ele estava de bom humor. Estava vivo. Anna Livia disse que ele estava se recuperando bem. Ele tinha feito alguns amigos no hospital e logo estaria matriculado na universidade. No dia seguinte, levei seu diploma e os boletins ao cartório e fui informada, sem rodeios, que o meu filho não poderia ingressar na universidade. Não estava qualificado. A Universidade de Gana tinha sido modelada pelo sistema britânico. Os alunos deviam ter concluído o sexto ano — ou, como os americanos chamam, a faculdade júnior. Fui mandada embora peremptoriamente.

Isso era inaceitável. Guy já tinha passado por tudo o que eu poderia suportar.

Conor Cruise O'Brien era o vice-reitor da Universidade, e Nana Kobina Nketsia IV, chefa suprema, era ex-vice-reitora. Agendei uma reunião com o doutor O'Brien, e Efuah me apresentou a Nana.

Implorei e falei, lamentei e choraminguei, disse que não estava pedindo bolsa de estudos ou qualquer outro auxílio financeiro. Eu pagaria a mensalidade e os livros dele. Depois de semanas rondando os escritórios, pegando os homens pelos colarinhos nos corredores e os alcançando nas trilhas do campus, finalmente me disseram que eles tinham decidido que não era justo penalizar os alunos provenientes de escolas americanas.

Providenciaram um teste de três partes. Esperavam que Guy fizesse o exame na segunda-feira, às nove horas.

Levei a notícia a Guy e, como não lhe contara o problema, ele aceitou com naturalidade. "Ok, mamãe. Estarei pronto."

Na segunda de manhã, a minha mesa parecia um parasita, e os papéis sobre ela eram ininteligíveis. Eu olhava o relógio a cada cinco minutos. Efuah passou e parou para bater papo, mas eu estava distraída demais para manter uma conversa.

Por fim, Guy atravessou o campus a galope, seu capacete de gesso parecia quase branco sob o sol do meio-dia. Eu me obriguei a permanecer sentada. Ele entrou no meu pequeno escritório, ocupando o espaço vago.

"Terminado." A pele dele parecia saudável, e seus olhos estavam livres de preocupação.

"Como foi?"

"Ótimo. Não devo ter os resultados por alguns dias. Mas me saí muito bem. Mãe, você sabia que Conor Cruise O'Brien é o mesmo homem que chefiou o projeto da ONU no Congo?"

Eu sabia.

"Então, uma das minhas perguntas era: 'Qual o papel do europeu no desenvolvimento africano?'." Ele riu com prazer. "Bem, vou te contar. Devorei o doutor O'Brien, pedaço por pedaço. Li o livro dele, *To Katanga and Back*, no Cairo."

Ele se inclinou e beijou a minha bochecha. "Estou indo encontrar alguns rapazes na Sala Comunal dos Juniores."

Sem palavras, observei-o partir. Eu tinha chorado, choramingado e implorado para matriculá-lo e, na tentativa de mostrar como ele era varonil, o espertinho estragou tudo. Eu me permiti saborear essa fúria.

Depois de uma hora, quando consegui andar sem os meus joelhos vacilarem e falar sem gritar, atravessei o campus e encontrei o doutor O'Brien na sala comunal dos Seniores. Sorri para ele e estava preparada para dar desculpas e improvisar. O meu povo tinha escrito o livro sobre como lidar com homens brancos.

Falei com uma boca covarde. "Doutor O'Brien, Guy me contou como respondeu a uma das perguntas. Você ainda não teve a chance de ver o exame dele..."

"Ah, mas eu tive, senhorita Angelou. As respostas dele estão boas. Os documentos de matrícula dele serão enviados para o seu escritório. Queremos mentes assim na universidade."

Sorri novamente e recuei.

Mais cedo ou mais tarde, eu teria de admitir que não entendo os homens negros ou os meninos negros e, certamente, nem todos os homens brancos.

Guy estava se mudando para o Mensa Sarba Hall. Eu tinha visto o quarto dele na residência estudantil e parecia muito pequeno e muito escuro, mas ele adorou. Pela primeira vez na vida, iria morar sozinho, longe dos meus comandos persistentes. Responsável consigo mesmo e por si mesmo.

A minha reação contrastou diretamente com a animação dele. Eu também ficaria sozinha pela primeira vez. Eu estava na casa da minha mãe quando ele nasceu, e estivemos juntos desde então. Algumas vezes, moramos com outras pessoas ou elas moraram conosco, mas ele sempre foi o eixo poderoso da minha vida.

Ele arrastou o velho baú até a porta, mas eu o parei.

"Não levante coisas pesadas assim. Você pode se machucar. Quero que tenha cuidado. Lembre-se do seu pescoço."

Ele largou o baú e se virou. "Mãe, sei que sou seu único filho e que você me ama." Seu rosto estava tranquilo e sua voz, calma. "Mas há algo para você se lembrar. É o meu pescoço e a minha vida. Vou viver tudo ou nada."

Ele me puxou para si e passou os braços em volta de mim. "Eu te amo, mãe. Talvez agora você tenha a chance de crescer."

Um carro buzinou lá fora. Guy abriu a porta e gritou: "Entrem. Estou pronto". Dois jovens ganenses pularam na varanda, gritando, e chegaram na sala. Quando me viram, se recompuseram.

Ofereci-lhes uma bebida, uma cerveja, um pouco de comida. Queria atrasar a partida. Todos recusaram. Tinham que devolver o carro do tio e Guy tinha que começar sua nova vida.

Dividiram os pertences de Guy, girando as caixas e o baú para dentro de um Mercedes-Benz novo. Guy me deu mais um aperto, depois entraram no carro e foram embora.

Fechei a porta e prendi a respiração. À espera de que a onda de emoção tomasse conta de mim, me derrubasse, me tirasse o fôlego.

Nada aconteceu. Não me senti abandonada ou desolada. Não me senti sozinha ou solitária.

Eu me sentei, ainda à espera. O primeiro pensamento que me ocorreu, perfeitamente completo e promissor, foi: *Finalmente poderei comer sozinha o peito inteiro de um frango assado.*

Primeira edição (maio/2024)
Papel de miolo Ivory 65g
Tipografia Masqualero e Next Poster
Gráfica LIS